How-nual Shuwasystem Industry Trend Guide Book

図解入門
業界研究

最新 AI産業の動向とカラクリがよ～くわかる本

業界人、就職、転職に役立つ情報満載！

讃良屋 安明 著

秀和システム

●**注意**

(1)本書は著者が独自に調査した結果を出版したものです。

(2)本書は内容について万全を期して作成いたしましたが、万一、ご不審な点や誤り、記載漏れなどお気付きの点がありましたら、出版元まで書面にてご連絡ください。

(3)本書の内容に関して運用した結果の影響については、上記(2)項にかかわらず責任を負いかねます。あらかじめご了承ください。

(4)本書の全部または一部について、出版元から文書による承諾を得ずに複製することは禁じられています。

(5)本書に記載されているホームページのアドレスなどは、予告なく変更されることがあります。

(6)商標

本書に記載されている会社名、商品名などは一般に各社の商標または登録商標です。

はじめに

「AI」は、地方に住んでいる、都会で働いているなどの、地理的隔たりや社会的隔たりを飛び越えて、ネットという経路を伝い、瞬く間に世界に浸透しました。

AI産業や技術へ興味を持ち、その急速な進展に興奮している方は日本中でたくさんいます。しかしながら、「会社ではAIの使用は禁止されている。このままで将来大丈夫か?」「AIビジネスの課題や今後の展望はどうなるのか?」「IT業界で働いているが、AI業界を知らなくてよいのか?」「AIについてどこから学び始めればよいのかわからない」と不安な方もいるでしょう。また、「AI産業でのキャリアアップとはどういうものか」「AI産業に就職したいが、どのような会社があるのか」「AI関連の職種を調べ、転職したい」と積極的に知識を得たい方もいるかもしれません。そんな方々の疑問や不安を少しでも解消できるよう、本書を執筆しました。

本書では、AI産業に関する幅広い疑問や問題、基本的な知識から最先端の技術トピックについてまで、筆者の視点から詳しく解説しています。私見や経験に基づき項目を取り上げている部分も多いため、他の専門家とは異なる意見や解釈があるかもしれません。しかし、明確に定義されていない「AI産業」だからこそ多様な意見や視点があるのも、この分野の魅力の1つであると考えています。

AI産業は、海外で急速に発展しており、多くの可能性を秘めています。本書を通じて世界の最先端技術の「すごさ」が伝わり、日本のAI産業の現状やポジションが深く理解でき、自分自身のキャリアやビジネスの方向性を考える手助けとなれば幸いです。日本ではまだAIを職にしようとしている人は少数です。先駆者となり未来を明るく照らしてください。

筆者もAIに関する研究や実務の経験を通じて多くの知識や洞察を得てきました。その中での経験や学び、そして未来への展望を、皆様と共有したいという思いで本書を書き上げました。最後までお読みいただけることを心より願っています。

2024年1月　讃良屋 安明

最新AI産業の動向とカラクリがよ～くわかる本

第6章 AI産業で働きたい人のためのガイド

第7章 国内外のAI企業

第8章 AI産業に関連する産業とその影響

第9章 未来社会のビジョン・テクノロジーと人間の共生

第1章

AI産業概況

AI 産業は、急速な技術進化と社会的変革をもたらす産業として注目を集めています。スマートフォンやパソコンのように、私たちの日常に密接に関連しているわけではないかもしれませんが、それでも AI 技術は私たちの生活や仕事、さらには社会全体に深く影響を及ぼしています。

本章では、AI 産業の基本的な定義から、市場の規模、主要プレイヤー、そして産業の発展の歴史に至るまでの概要を探ると共に、AI 技術の進化や AI 産業と他の技術分野との関連性についても詳しく説明します。AI 産業が直面する社会的・倫理的な課題や法的な問題、そして労働市場の変化や必要とされるスキルについても触れます。

Section 1-1

AI産業の定義と分類

AIは人間の知能を模倣する技術。多くの産業で利用され、効率と性能を向上させます。AI産業は規模拡大と構造形成の段階にあり、明確な定義や分類がない中で、多岐にわたる部門や業種が存在します。

AI

AIとは、Artificial Intelligence（アーティフィカル・インテリジェンス）の略。人間の知能をコンピュータや機械で模倣や再現するもので、人間のように自意識を持つように見えます。汎用的に問題解決のできるAIは、2023年12月時点では、実現されていません。しかし、自身で物事を考えているかのように見えるChatGPTなどが登場したこともあり、近い将来、実現するかもしれません。

AIは、ビジネスや生活に様々な利用が可能です。例えば、**画像認識AI**は、製造業では不良品検品に、美容業界では肌の状態を画像分析し、スキンケアのアドバイスに使われています。医療業界では、撮影したX線撮影写真や超音波画像を解析し、読影する医師の負担を軽減しています。**チャットボットAI**は、旅行業ではユーザーの相談対応を行ったり、保険業界では、保険相談や見積を提供したり、たくさんの企業の問い合わせ対応に利用されています。このように、AIはほとんどすべての産業分野において効率と性能の大幅な向上を提供します。

AI産業の定義

産業が興り成熟する段階は、左表の「産業の発展の段階」に示した段階をたどるといわれています。AI産業は、2023年時点では、④規模の拡大と産業の構造形成、⑤規制と標準化が発展の段階にあります。社会的には、まだ明確な「AI産業」という定義がないものの、AIが今後も社会に広まりつつあることが全世界的に認識されていま

AGI　Artificial General Intelligence(人工汎用知能)の略で、人間のような汎用的な知能を持つ人工知能をいう。様々なタスクに対して人間と同様の知識や能力を持ち、人間の動作を目で見て学び、すぐに応用できる学習能力により、判断や意思決定を行える。人間を超越するAIとなるとされる。

す。

本書では、AI産業を、次のように定義します。

1．AIエンジン開発を主に行うソフトウェア産業の部門
2．特定の産業に特化したAIを開発する部門
3．AIを利活用し、新たな価値創造を提供する各業界の部門

現在は、各産業ごとに点在しているAIを取り扱う部門や業種も、AIが発展するにつれ、「AI産業」と呼ばれる日が来るでしょう。つまり、AI産業とは、人間の知能を機械に模倣させる技術の開発、それらを利用して新しい製品、サービスを開発、販売、提供する産業のことです。

AI産業の分類

AI産業を分類すると、AI自体の開発を行う**AI開発業**、AIを用いたアプリケーションやサービスを開発し提供する**AIサービス業**、AIに学習やトレーニングを行わせるサービスを提供する**AI教育・トレーニング業**、AI学習に必要なデータの収集、整理、販売を行う**AIデータ業**などが出現するでしょう。

産業の発展の段階

①技術革新と基礎研究	⑤規制と標準化が進展
②実証実験とプロトタイプ開発	⑥成熟と多様化
③商業化の初期段階	⑦変革と再編
④規模の拡大と産業の構造形成	

AI 産業と分類

AI 産業	AI 自体を開発する
	特定の産業に特化した AI を開発する
	AI を利活用し新たなサービスを提供する
分類	AI 自体の開発を行う AI 開発業
	AI を用いたアプリやサービスを開発し提供する AI サービス業
	AI に学習やトレーニングを行わせる AI 教育・トレーニング業
	AI 学習に必要なデータの収集、整理、販売を行う AI データ業

Column

AI産業のトレンド　AI技術は、様々な分野で活用されている。データ解析や予測、自動化などの能力により、医療、製造、金融などの業界で革新をもたらしている。自動運転やロボット技術の発展への貢献も注目され、AI産業は今後も成長が期待されている。

Section
1-2 AI市場の規模と成長率

世界のAI市場は2030年には283兆円に成長すると予想されます。AIアプリの増加や高度なサービス需要が要因です。日本のAI市場は2026年には8千億円以上に成長する見込みであり、特に機械学習や音声認識などの成長が予想されれます。

世界のAI市場の規模と成長率

世界のAI市場規模は、2022年では1ドル=140円換算で約59兆9000億円でした。2023年には約72兆1000億円に成長すると予測され、成長率は20・3%に達する見込みです。そして、2030年には約283兆5000億円にも達すると予想されています。

世界のAI市場は、AIアプリの急増、関連サービス数の増加、小規模な**AIプロバイダー**＊の増加、ビジネス構造の複雑さや高度にパーソナライズされたサービスの需要により、急速に成長すると予想されています。

日本のAI市場の規模と成長率

日本のAI関連市場においては、2021年の市場規模は2772億円で、前年比成長率は26・3%となっています。2022年には新型コロナウイルス感染症によって低調となったAIプロジェクトが再開され、さらに、AIを活用した実験プロジェクトが多数実施されました。また、AI関連製品やサービスへの開発投資や企業買収が盛んに行われました。2022年度の市場規模は、前年比28・5%増の3576億円と予測されています。また、2026年の市場規模は売上高8121億円に達すると見込まれています。

日本のAI主要8市場の成長予測

日本のAI主要8市場とは、①**機械学習プラットフォーム**、②**時系列データ分析**、③**検索・探索**、④**翻訳**、⑤**テキスト・マイニング**＊／**ナレッジ活用**、⑥**音声合成**、⑦**音声認識**、⑧**画像認識**です。この中で、①機械学習、④翻訳、⑤テキスト活用、⑦音声認識の市場が特に成長すると予測されています。

Term **AIプロバイダー**　AI技術やサービスを提供する企業や組織。ChatGPTのサービスを提供しているOpenAI社などがこれにあたる。提供サービスは様々で、機械学習モデル学習や自然言語処理サービスだけではなく、画像認識や音声認識など多岐にわたるサービスを提供している会社もある。

世界の AI 市場の成長グラフ

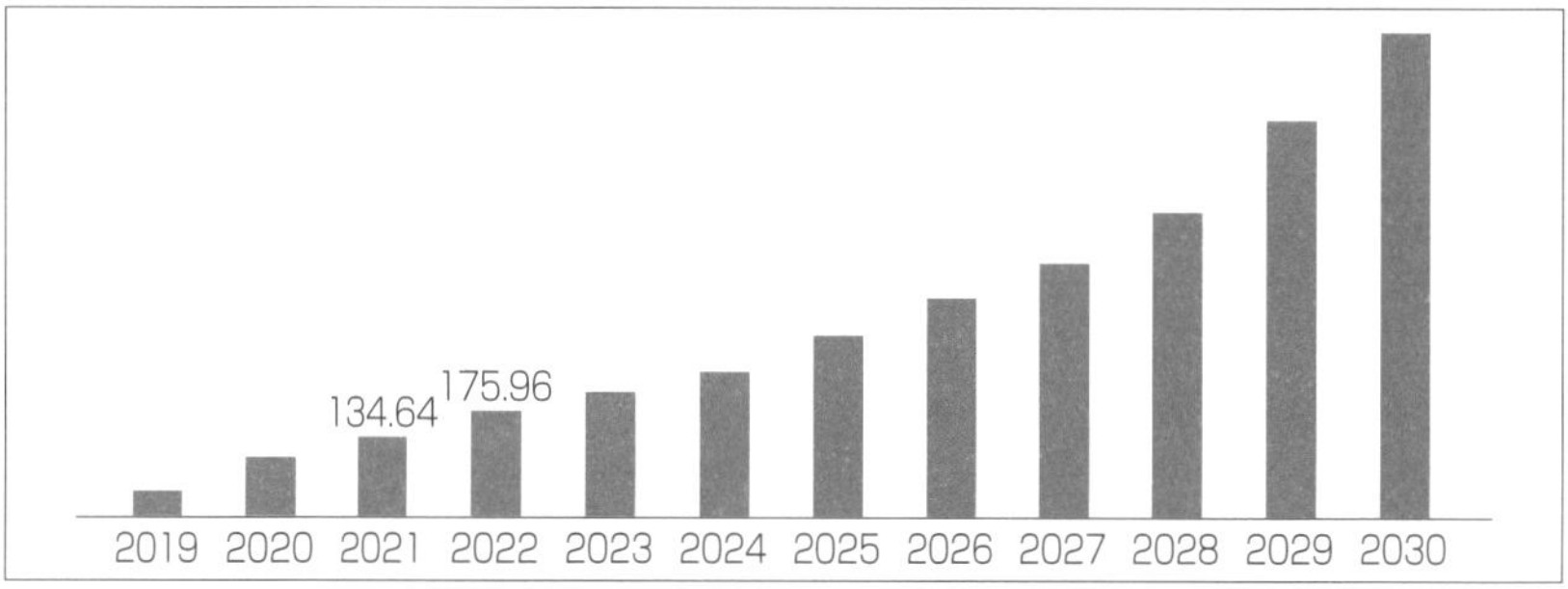

出所：FORTUNE BUISINESS INSIGHTS

日本の AI 市場の成長グラフ

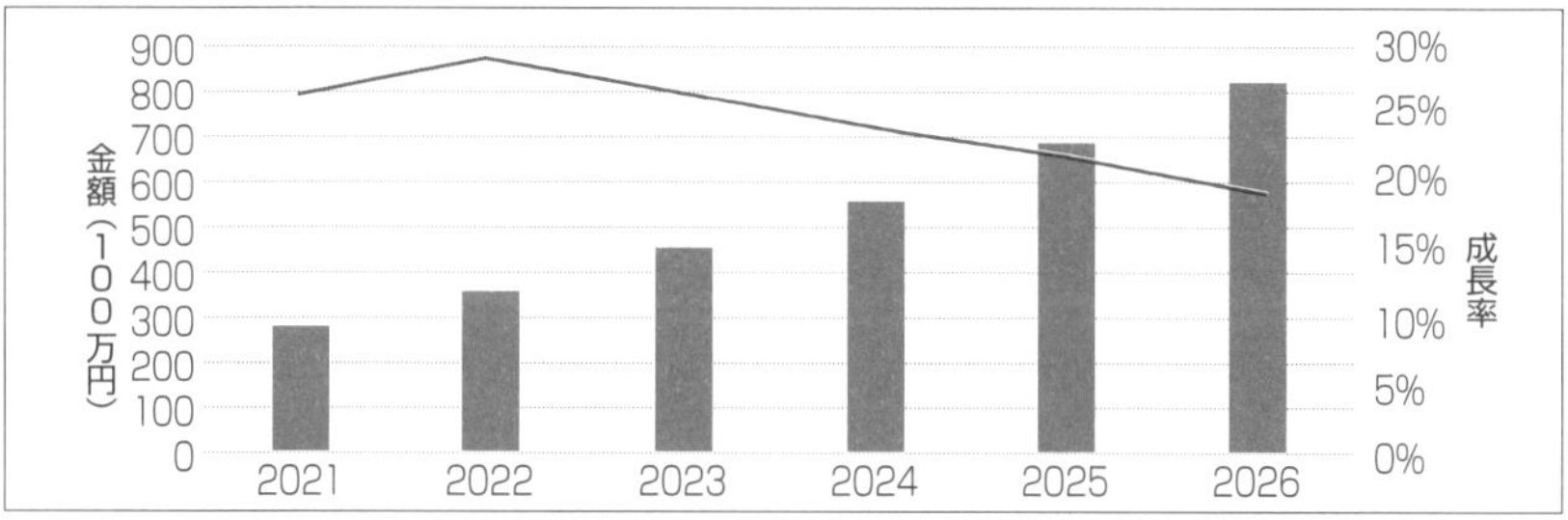

出所：IDC Japan

日本の AI 主要 8 市場規模の推移および予測

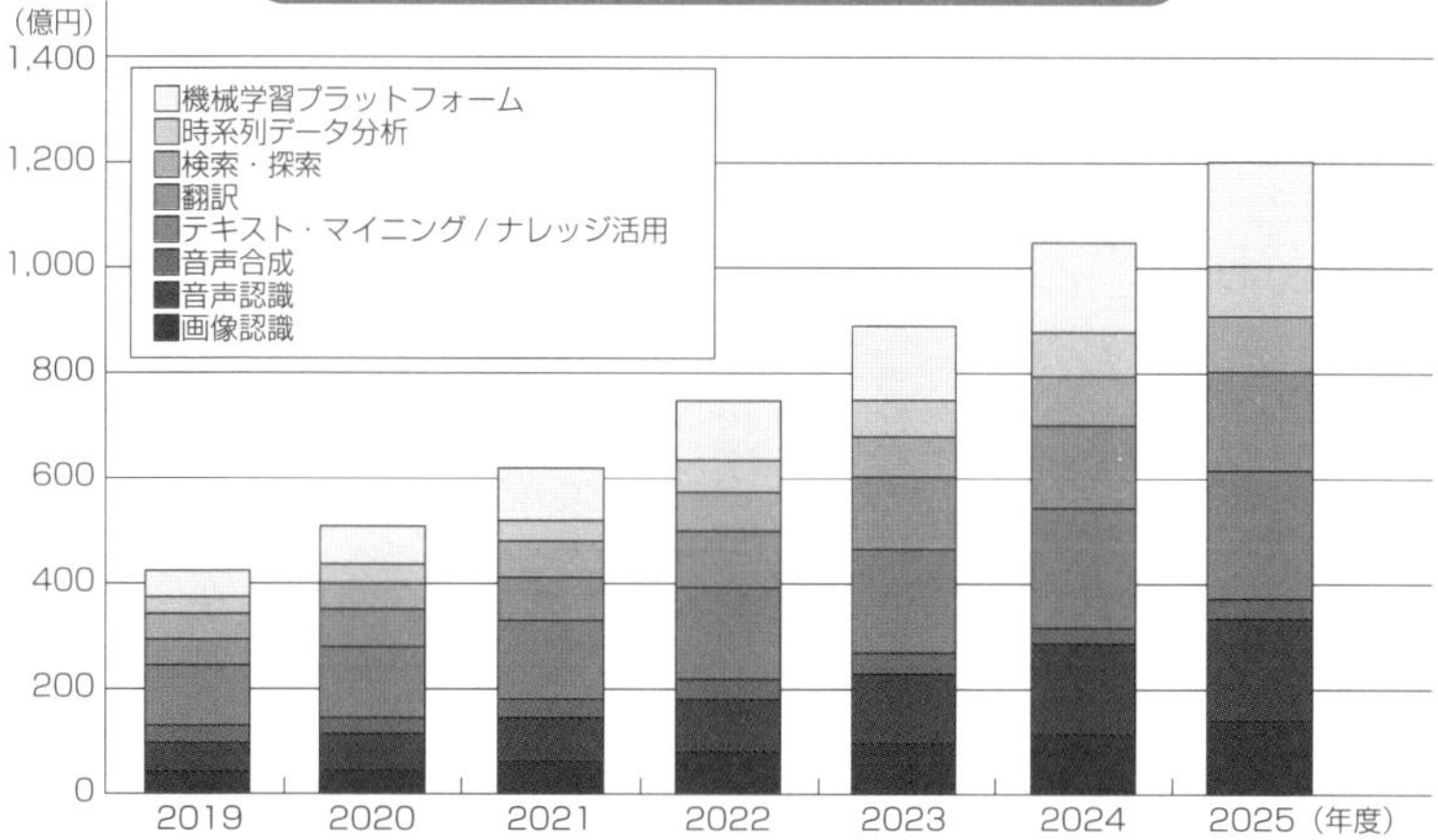

出典：総務省「令和４年 情報通信に関する現状報告の概要」

Term **テキスト・マイニング**　大量のテキストデータから有用な情報を抽出するための技術のこと。自然言語処理や機械学習を用いて、テキスト内のパターンやトレンドを分析し、意味のある洞察を得ることができる。

Section
1-3
AI産業の主要プレイヤー

AI産業のトッププレイヤーをハードウェアとソフトウェアのカテゴリーに分け、特徴や提供サービスを紹介します。独自のAI技術からクラウドサービスモデルまで、各企業の最前線情報を解決します。

■AI産業のベストプレイヤー

AI産業の企業をハードウェア、ソフトウェアに分けてベストプレイヤーを選出してみましょう。ソフトウェアをさらに分類すると、独自のAIシステムを提供するプレイヤーと、**AIaaS**つまりサービスとしてAIモデルを組み合わせたクラウドベースのサービスモデルを提供するプレイヤーがあります。

■ハードウェアのベストプレイヤー

● NVIDIA

ゲーム用の高品質な**GPU**＊を開発している企業。世界中のパソコンやデータセンターの多くのサーバーマシンはNVIDIAのGPUを搭載しています。NVIDIAのチップは機械学習やディープラーニングなどの並列計算を実行するための第一候補として挙げられます。

● Intel

CPU開発に長い歴史を持つ最大のチップメーカー。データセンターでのコンピューティングを含む幅広いタスクに適したIntelのXeonプロセッサは、商業的成功に大きな影響を与えています。また、AI専用のチップの開発にも力を入れています。主にCPUに焦点を当てているため、GPU開発とは異なるアプローチを取っています。

● AMD

アメリカの半導体企業です。AI処理のチップとしては経済的なため、人気が高まっています。機械学習に適したGPUであるHPCGPUもリリースしました。

Term

GPU　Graphics Processing Unit。3Dゲームやアニメなどのグラフィック処理に必要な浮動小数計算の同時処理はCPUに行わせると負荷が高くなり処理が遅くなるため、切り離し専用に処理させることを目的としたICチップ。多重同時計算がAI処理に向いているためAIでも利用されている。

- **グーグル**
  AI専用ハードウェア、**Tensor Processing Unit（TPU）**を開発しています。主に、グーグルクラウドのAIサービスを高速化するために使用しています。

世界のソフトウェアのベストプレイヤー

- **IBM（Watson）**
  自然言語や機械学習を組み合わせて大量のデータを分析・理解するAIシステムを提供しています。
- **アマゾン（AWS AI サービス）**
  クラウド型AIサービスの大手プロバイダー。画像や動画分析の**Amazon Rekognition**、不良品検出の**Amazon Lookout for Vision**が有名です。
- **マイクロソフト（Azure AI）**
  クラウド型AIサービスの大手プロバイダー。データサイエンティスト、開発者、エンジニア、機械学習の専門家向けに構築された、様々なサービスを提供しています。
- **グーグル（Google Cloud AI）**
  自然言語処理、コンピュータービジョン、音声認識、翻訳、レコメンデーションシステムなどの事前トレーニング済みモデルのAPI*ツールを提供しています。

ハードウェアのベストプレイヤー

AIの処理に欠かせないGPUやCPU等を提供している企業

GPU CPU (TPU)	NVIDIA（エヌビディア）	高性能GPU先駆者
	Intel（インテル）	CPUでは最も有名なメーカー
	AMD（エーエムディー）	Intelに次ぐCPUメーカー
	Google（グーグル）	ハードウェアではTPUを製造

ソフトウェアのベストプレイヤー

企業名	サービス名	提供サービス
IBM	Watson（ワトソン）	自然言語・機械学習AI
Amazon	AWS（エーダブリューエス）	クラウドAIサービス（AWS）
Microsoft	Azure（アジュール）	クラウドAIサービス
Google	グーグルクラウド	クラウドAIサービス
ServiceNow	AIOps（エーアイオプス）	企業向けAI統合サービス

Term **API** Application Programming Interface。システム間で情報を交換するための取り決め。APIは、プログラムが他のプログラムやサービスと通信する方法を定義し、開発者が異なるソフトウェアシステムを効率的に統合できるようにする。

Section

1-4 AI産業の国別分布

Tortoise Mediaが発表したGlobal AI Indexによれば、米国がAI開発の1位に輝く一方、IBMの調査では導入検討率で中国がトップでした。日本は遅れを取っていることが明らかになりました。

■AI開発の国別ランキング

Tortoise Media*は2023年6月、AI分野の投資・イノベーション・実装の数値を元に国別にランク付けした「Global AI Index」を発表しました。

米国が100点満点で1位、中国が62点で2位、3位以下は、シンガポール、イギリス、カナダ、韓国、イスラエル、ドイツ、スイス、フィンランドと続いています。特に3位だったシンガポールは、前々回10位、前回6位であり、大きく順位を上げてきています。

また、人口と経済規模の側面から見ると、シンガポールやイスラエル・スイスが、人口・経済規模が小さいわりには、AI開発能力が長けており、アメリカ・中国はそのあとに続いています。日本は12位にランクインしています。

■AIの導入率国別ランキング

IBMは「世界のAI導入状況2022年（Global AI Adoption Index 2022）」で、世界の7502社の企業を対象に調査を実施しています。それによると、AIを導入済みまたは検討中の割合は、1位は中国で88%、2位はシンガポールで85%、3位はインドで84%、4位はイタリア、5位はアラブ首長国連合と続いています。日本はランク外でした。

世界のAI導入率は着実に高まり、実装率は世界平均で35%、検討中は44%まで上昇しています。AIがより身近になっていることがうかがえます。このランキングからも、日本は世界各国の状況からは遅れをとっていることがわかります。

Term **Tortoise Media**　イギリスのニュースサイト。名前のとおり「亀」のように報道を急がないのが特徴で、ニュースの背後にある理由や事情を調査して伝える。速報を伝えるのではなく、ニュースが「準備ができたとき」に伝えることを目標としている。

Tortoise Media による AI 投資・イノベーション・実装の総合ランク

1	アメリカ合衆国	19	アイルランド	37	スロベニア
2	中国	20	オーストリア	38	ハンガリー
3	シンガポール	21	スペイン	39	トルコ
4	イギリス	22	ベルギー	40	アイスランド
5	カナダ	23	イタリア	41	チリ
6	韓国	24	ノルウェー	42	カタール
7	イスラエル	25	エストニア	43	リトアニア
8	ドイツ	26	台湾	44	マレーシア
9	スイス	27	ポーランド	45	ギリシャ
10	フィンランド	28	アラブ首長国連邦	46	インドネシア
11	オランダ	29	ポルトガル	47	ベトナム
12	日本	30	ロシア	48	コロンビア
13	フランス	31	サウジアラビア	49	アルゼンチン
14	インド	32	香港	50	スロバキア
15	オーストラリア	33	マルタ		
16	デンマーク	34	チェコ共和国		
17	スウェーデン	35	ブラジル		
18	ルクセンブルク	36	ニュージーランド		

出所：Tortoise Media

世界の AI 導入状況（2022 年）

順位	国名	実装済	検討中	合計
1	中国	58	30	88
2	シンガポール	39	46	85
3	インド	57	27	84
4	イタリア	42	41	83
5	ドイツ	34	44	78
6	アラブ首長国連邦	38	40	78
7	カナダ	28	48	76
8	スペイン	31	45	76
9	フランス	31	44	75
10	イギリス	26	47	73
11	ラテンアメリカ	29	43	72
12	オーストラリア	24	44	68
13	韓国	22	46	68
14	アメリカ合衆国	25	43	68

出所：IBM

Column

国内の生成AI利用　BlackBerryの調べでは、日本企業の半数が「職場での生成AI利用」を歓迎していないとされている。この現状が日本のAI導入状況のランクを下げており、機密情報保護・個人情報保護とバランスのとれたAI活用の道を模索する必要がある。

Section

1-5 AI産業の発展の歴史とマイルストーン

AI産業の発展は1940年代のコンピュータ設計から始まり、深層学習、GPT*シリーズの進化、そしてGPT-4の登場までの数多くのマイルストーンで示されます。

■AI産業の発展とマイルストーン

AI（人工知能）産業の発展は、1940年代の最初のコンピュータ設計の誕生から始まり、**機械学習**（**ML**）や**深層学習**（**DL**）などの最新の技術革新に至るまで、数多くのマイルストーンで区切られます。以下に、年代別に見ていきましょう。

1950年代：AIの概念が誕生しました。アラン・チューリングが50年に"Computing Machinery and Intelligence"という論文を発表し、AIの基礎を築きました。

1956年：ダートマス会議が開催され、"Artificial Intelligence"という用語が初めて使用されました。この会議で、AI研究の基礎と方向性が定義されました。

1960年代〜1970年代：AIの冬の時代です。過度な期待と技術の進歩の遅さから、AIに対する投資や興味が大幅に減少した期間でした。

1997年：IBMのDeep Blueがチェスの世界チャンピオンであるガルリ・カスパロフを破りました。これはAIが特定のタスクで人間を超越する能力を初めて示した瞬間でした。

2000年代：深層学習が台頭した時代です。深層学習は人間の脳のニューロンの動作を模倣することで複雑な問題を解決します。

2011年：IBMのWatsonがクイズ番組"Jeopardy!"で人間のチャンピオンに勝利し、自然言語処理の可能性を広く示しました。

2012年：ImageNetコンペティションで深層学習がブレイクスルーしました。ジェフリー・ヒントンのチームが**畳み込みニューラルネットワーク***を使用して大幅に性能を向上させ、AIの春が到来しました。

Term

畳み込みニューラルネットワーク(CNN)　ディープラーニングのためのネットワークアーキテクチャ。CNNは、オブジェクト、クラス、カテゴリを認識するために画像の中からパターンを検出するのに有効である。音声、時系列、信号データを分類する際にも有効な手法。

2014年：**シーケンス対シーケンス**（**Seq2Seq**）学習が発表され、これにより機械翻訳、自動要約などのタスクが大幅に改善しました。

2015年：GoogleのDeepMindが開発したAlphaGoが、囲碁の世界チャンピオンを破りました。これは人間が優れているとされていた直感と戦略を必要とするタスクでAIが成功した最初の例です。

2018年：OpenAIが**GPT－2**を発表。GPT－2は広範な自然言語処理タスクにおいて優れた結果を示しました。

2020年：**GPT－3**が発表されました。これは1750億のパラメータを持つ巨大な言語モデルで、広範囲の自然言語処理タスクに対応できます。

2022年：ChatGPTが一般人向けに公開されました。質問を巧みに受け答えする能力は「インターネット以来の大革命」とされ、国内外の話題を独占しました。

2023年：**GPT－4**が登場しました。画像を入力に使えるなどの機能面のアップデートが注目されると共に、回答の精度と質が飛躍的に向上しました。米国の司法試験模試でも上位10％の成績をとるなど、高いパフォーマンスを示しています。

AIマイルストーン

1950～60年	AIの基礎が発足
1960年～	AI冬の時代
1980年～	専用のAIの登場
1990年～	チェスで人間に勝つ
2000年～	深層学習の登場 本田技研「ASIMO」登場
2010年～	大幅に性能向上
2020年～	GPT-3登場・ロボットAI
2021年～	Google言語処理モデル発表 OpenAI画像生成AI発表
2022年11月	GPT-3公開
2023年	GPT-4、生成AIブーム

Term **GPT**　Generative Pre-trained Transformerの略。自然言語処理のためのAIモデルであり、大量のテキストデータを学習して文章生成や質問応答などのタスクを行うことができる。

Section
1-6 AIの主要な技術とその進化

機械学習からデータマイニングまで、近代AI技術の進化は絶え間なく続いており、私たちの生活や産業に多大な影響を与えています。それぞれの技術の歴史と現在の進歩について詳しく解説します。

自然言語処理

自然言語処理（NLP）は、コンピュータと人間が自然な言語をやり取りする技術で、情報の抽出、生成、翻訳等に使われます。1950年代に規則ベースのアルゴリズムから始まりましたが、その複雑さから精度に問題がありました。

1990年代に、統計的手法と機械学習がNLPに導入され、大量のテキストデータからパターンを学習し、精度が大きく向上しました。2010年代以降は深層学習と**トランスフォーマー型ネットワーク**＊（BERT、GPT等）が開発され、単語やフレーズの文脈を理解する能力が大幅に向上しました。

機械学習

機械学習の発展は1950年代に始まり、ジョン・フォン・ノイマンとノーバート・ウィーナーの理論によって推進されました。初の実用的なアルゴリズム、**線形回帰**＊が1960年代に開発され、その後もアルゴリズムの進化が続きました。1980年代からは人の脳を模したモデルであるニューラルネットワークの発展、21世紀に入ると人の手を介さずに大量のデータから学習できる**ディープラーニング**の台頭により、複雑なタスクの学習が可能となりました。これらの技術進歩は、特に画像認識や音声認識などの分野で革新的な成果をもたらしています。

Term **線形回帰**　統計学や機械学習の手法の1つ。データの関係を直線でモデル化することを目的とする。与えられた入力・出力データの関係を学習し、新たな入力データに対して予測を行うことができる。AIにおいても、線形回帰はデータのパターンを理解し、予測や分析に利用される。

画像認識

画像認識技術は、1940年代のバーコードから始まり、コンピュータの発展と共に進化し、特徴を読み取って物体を判定する技術として成熟しました。1980年代からは画像認識の研究が一般化し、特徴量ベースの方法が開発されました。その後、ディープラーニングと特にその一部である畳み込みニューラルネットワーク（CNN）の登場で画像認識は大きく進歩しました。現在では、この技術は**自動運転**、**顔認証**などの多岐にわたる分野で応用されており、その精度は人間レベルにまで達しています。

音声認識

音声認識技術は、1950年代の初期は単語や数字の認識に限定されていましたが、コンピュータの性能向上と共に進化しました。1980年代には電話の会話自動転送や音声アシスタントの開発が始まり、1990年代には実用化の段階に達しました。2000年代以降、深層学習の導入により、音声認識の精度は大幅に向上。現在では、**スマートフォン**や**スマートスピーカー**による身近な利用が一般化し、自然な会話を認識できるまでになっています。

ロボット工学

ロボット工学は1950年代に始まり、最初の産業用ロボット**Unimate**の登場から進化し続けています。その進化は産業界から広がり、1969年には宇宙探査、1980年代には医療やサービス業界、さらにはAIとの融合による自律的な判断や作業を行うロボットの開発へと続きました。現在、ロボットはあらゆる分野で使用され、人間の活動や能力を補助する役割を果たしていますが、自律判断による倫理的な問題への対応も求められています。

データマイニング

データマイニングは、大量のデータから有益な情報を見つけ出す技術で、1980年代から1990年代にかけて急速に進歩しました。これはコンピュータの高速化、データベースの発展、そしてデータの量や種類の増加、さらにはアルゴリズムの開発によるものです。現在、この技術は機械学習や深層学習といった先進的な手法を用いて、**非構造化データ**への対応やビッグデータの分析にも活用されています。マーケティング、金融、医療など、多様な分野での応用が進んでおり、今後も進化が期待されています。

Term **トランスフォーマー型ネットワーク**　自然言語処理や画像認識などのタスクにおいて、シーケンスデータの長距離依存関係を学習するために使用されるニューラルネットワークの一種。入力データの各要素を同時に処理し、位置情報を考慮しながら情報を伝達することが特徴である。

Section

1-7 AIと他のテクノロジー産業との関係

自動車から医療、金融、ロボット、製造業、教育まで、AI技術は各産業の進化と革新を推進してきました。各産業の歴史的背景を通じて、AIの影響とその進化を探ります。

自動車産業

自動車産業とAIの関係は、1980年代に**エキスパートシステム**やニューラルネットワークの導入と共に始まりました。1990年代にはAIを用いた運転支援システムやナビゲーションシステム、2000年代には燃料効率向上や**先進運転支援システム**（**ADAS**）の開発でAIが活用されました。2010年代以降、自動運転技術が注目され、AIは画像認識や障害物検出などを行い、自動運転の実現に向けた中心的な役割を果たしています。

医療産業

医療産業とAIの関係は長い歴史を持ち、診断支援から始まり、データ解析、予測、パーソナライズされた治療法開発へと進化してきました。1960年代に登場した初期のAIシステム（例：**MYCIN**）から、ディープラーニングによる画像診断まで、AIは医療情報処理の向上に寄与してきました。2000年代以降、大量の医療データ生成に伴い、AIと機械学習が重要性を増しています。現在、AIは医師の診断を支援し、医療の質向上に貢献しており、その可能性は未来の医療を大きく変えうるとされています。

金融産業

金融産業とAIの関係は数十年にわたり進化してきており、その起源は1950年代にまで遡ります。初期のAIの適用は単純なデータ処理や記録保持に限られていましたが、時間と共に高度なリスク管理、アルゴリズム取引、顧客対応などに利用されるようになりました。1980年代にはAIが金融取引の自動化や**ロボットアドバイザー**として登場し、1990年代以降は詐欺検出や金融市場予測にも用

プレディクティブメンテナンス　Predictive Maintenance。機器の故障が発生する前にこれを予防することでメンテナンスコストを最小化することを目指す。データ分析を利用して運用上の異常や潜在的な機器の欠陥を特定し、故障が発生する前にタイムリーな修理を可能にする。

いられました。ＡＩ技術の進歩とデータ量の増加は、金融機関が個々の顧客のニーズを予測し、パーソナライズされたサービスを提供する能力を高めてきました。

ロボット産業

ロボット産業とＡＩの進化は相互に影響を及ぼし、ロボットは単なる作業機械から自律的な存在へと変貌しました。ＡＩ技術の発展は、１９６０年代からロボットの複雑な任務の遂行を可能にし、自己学習や意思決定能力の付与を可能にしました。21世紀に入り、深層学習やニューラルネットワークなどの技術がロボットにさらなる高度な能力を付与しました。ロボット産業の歴史は１９２０年代に始まり、１９５０年代のＡＩ研究の開始、60年代から70年代の工業用ロボットの発展、80年代から90年代のサービスロボットの開発、そして２０００年代以降の人間型やソーシャルロボットの開発と進化を経ています。

製造業

ＡＩと製造業の関係は１９５０年代から始まり、ＡＩ技術は製造業における効率化や品質管理への貢献を通じて進歩を遂げてきました。１９８０年代にはエキスパートシステムやロボットが導入され、21世紀に入ると、製品設計、供給チェーン管理、製品の保守・修理など、より広範で複雑な領域にＡＩが活用されるようになりました。ＡＩは現在、**プレディクティブメンテナンス***、**クオリティコントロール**、エネルギー効率向上など、製造業のさらなる効率化と最適化に貢献しています。

教育産業

ＡＩと教育の関係は１９７０年代に始まり、学生の学習スタイルに適応する能力を持つ**Intelligent Tutoring Systems（ＩＴＳ）**などが開発されました。インターネットの普及に伴い、ＡＩはオンライン教育の分野で活躍し、**MOOCs***などで個々の学習者に適応した学習パスを提供しました。最近では、学生の学習進度追跡や弱点特定、最適な教材提供など、より個別化した学習体験の提供に貢献しています。また、ＡＩにより自動化された評価システムは、提出レポートや課題を、文法、内容の正確性、論理性などを総合的に分析し、迅速かつ客観的な評価をします。教師は評価に費やす時間を短縮し、創造的な教育活動や個別指導に時間を当てることができます。

Term

MOOCs　Massive Open Online Courses。インターネットを通じて多数の学習者に無料または低コストで教育コンテンツを提供するオンラインコースのこと。主なプラットフォームには、Coursera、edX、Udacity、Khan Academyなどがあり、すべてアメリカの大学等が提供している無料学習サービス。

Section
1-8 国内外のＡＩ産業の最新動向と市場規模

国内のＡＩ産業はコロナ禍の中で拡大を続け、ＤＸが追い風となる一方で、格差が顕著化。世界のＡＩ動向とのギャップも浮き彫りになっており、技術競争力や情報保護が焦点となっています。

国内のＡＩ産業の最新動向

新型コロナウイルスの影響を受けて他の産業は厳しい状況の中、ＡＩ産業は出資額も減ることなく、引き続き拡大傾向にあります。特に、コロナ禍で企業や自治体のＤＸが進んだことが追い風となっています。

２０２１～２０２２年のＡＩ企業の売上ＴＯＰ20を見ると、ランキング５位までの大手企業で20位までの売上額合計の55％となっており、企業間の格差が出てきている状況です。特に10位以下はスタートアップから間もない始動したばかりの企業が多く、ランキングは混戦状態となっています。

世界のＡＩ産業の最新動向

世界のＡＩ産業の最新動向について、注目技術やキーワードを挙げながら見ていきます。

●変遷するＡＩ技術

グーグルが開発しているＢＥＲＴやＯｐｅｎＡＩのＧＰＴなどの**大規模言語モデル**はいまも研究開発の中心です。業界内でも活況で、数多くの流派があり数多くのモデルが登場しています。これらを効率よく学習させ、限られたデータで学習する**少量学習・転移学習**＊が盛んになってきています。

●結果を説明できるＡＩ

ＡＩ技術は、医療分野など高い安全性を求められる分野でも使用されています。そのため、ＡＩが適切かつ信頼性の高い判断をしているかを確認することが重要です。ＡＩに偏見があると、医師が正確な診断を下せなくなる可能性があります。ＡＩの判断基準を正確に知ることにより、これらの問題へ対応することができます。

Term
少量学習・転移学習　少量学習は、限られたデータセットでモデルを訓練することを指し、転移学習は、あるタスクで学習された知識を別のタスクに転用することを指す。

売上高ランキング

（億円）

順位	企業名	売上高
1	Appier Group	126
2	FRONTEO	109
3	PKSHA Technology	87
4	ブレインパッド	85
5	Preferred Networks	84
6	ダブルスタンダード	70
7	エクサウィザーズ	48
8	アドバンスト・メディア	44
9	ALBERT	33
10	AI inside	33

平均年収ランキング

（万円）

順位	企業名	年収
1	AI inside	1013
2	メタリアル	905
3	エクサウィザーズ	829
4	FRONTEO	790
5	ニューラルグループ	752
6	ブレインパッド	747
7	サイバーセキュリティクラウド	725
8	PKSHA Technology	685
9	ALBERT	681
10	シルバーエッグ・テクノロジー	678

従業員数ランキング

（人）

順位	企業名	従業員
1	ブレインパッド	503
2	エクサウィザーズ	275
3	アドバンスト・メディア	206
4	FRONTEO	186
5	ALBERT	176
6	AI inside	116
7	TDSE	114
8	モルフォ	95
9	ヘッドウォータース	88
10	ユーザーローカル	85

勤続年数ランキング

（年）

順位	企業名	勤続年
1	アドバンスト・メディア	7
2	ヘッドウォータース	6.5
3	メタリアル	5.4
4	エーアイ	5.2
5	モルフォ	4.8
6	データセクション	3.9
7	TDSE	3.8
8	ユーザーローカル	3.8
9	シルバーエッグ・テクノロジー	3.6
10	ブレインパッド	3.4

出所：業界動向リサーチウェブサイトをもとに作成

Term

xAI　Explainable Artificial Intelligenceの略。人間がAIの意思決定や予測結果を理解できるようにする技術。AIのブラックボックス性を解消し、透明性と説明可能性を提供することで結果を信頼しやすくし、倫理的な問題を解決する。

●**新技術の開発**

量子コンピューティングやニューロモーフィックコンピューティング＊など、新しい計算手法の研究が進められています。

●**エッジコンピューティング**＊

データを手元のコンピュータで処理することで、遅延やプライバシーのリスクを減少させる技術が盛んに研究されています。ＩｏＴデバイスや自動運転車などの領域での利用が増えています。

●**オープンソース**

ＡＩの研究成果やツールがオープンソースとして公開される動きが続いています。**GitHub**などのプラットフォームでのプロジェクト参加貢献が、学生の就職活動に有利となることもあります。ＡＩ開発へ誰でも参加できるように、広く間口が開かれています。

●**ＡＩの他産業への応用**

ネットショップへの応用が最も盛んです。また、日本では議論され停滞している教育現場への普及も世界では進んでおり、生徒へのパーソナライズされたメッセージの促進と自動化、採点、保護者とのやり取りの日程調整と促進、定期的な問題のフィードバックなどに利用されています。

医療分野への応用では、病気を検出し、がん細胞を識別できる高度なマシンを構築するために使用されています。さらに、検査データやその他の医療データを使用して慢性疾患を分析し、早期診断を確実にしています。新薬の開発にも利用されています。

■日本と世界との動向の差

国内では、機密情報保護の観点から、企業が個別にＡＩを開発し、自社内で展開する動きがあります。一方、世界の主流の流れは、企業が独自のＡＩモデルを構築したり作成したりする必要がないため、ＡＩプロバイダを信頼する傾向があります。

国内の企業個々のＡＩ開発の流れは、技術共有を阻害し世界へのＡＩ技術競争力を減退させる恐れがある一方、ＡＩ開発が特定の国に偏っている現在では、情報漏洩のリスクを回避する方法となっています。ＡＩ開発国以外では、自社特有のケースに適応したＡＩモデルを作成することは困難となっており、加えて、ＡＩモデルへの特定データを強調して学習させるバイアスによる公平性・倫理への対応にも苦慮しています。

Term
ニューロモーフィックコンピューティング　人間の脳の動作を模倣するコンピュータシステムの設計と技術を指す。これには、低消費電力で高い効率を達成するために、神経回路の動作を模倣するハードウェアとソフトウェアの開発が含まれる。

純利益ランキング

（億円）

順位	企業名	純利益
1	FRONTEO	13
2	ダブルスタンダード	10
3	ブレインパッド	8
4	ユーザーローカル	7.2
5	アドバンスト・メディア	4.4
6	AI inside	4.1
7	ALBERT	3.5
8	シルバーエッグ・テクノロジー	2
9	サイバーセキュリティクラウド	1.6
10	PKSHA Technology	1.4

大規模言語モデルの進化の木図

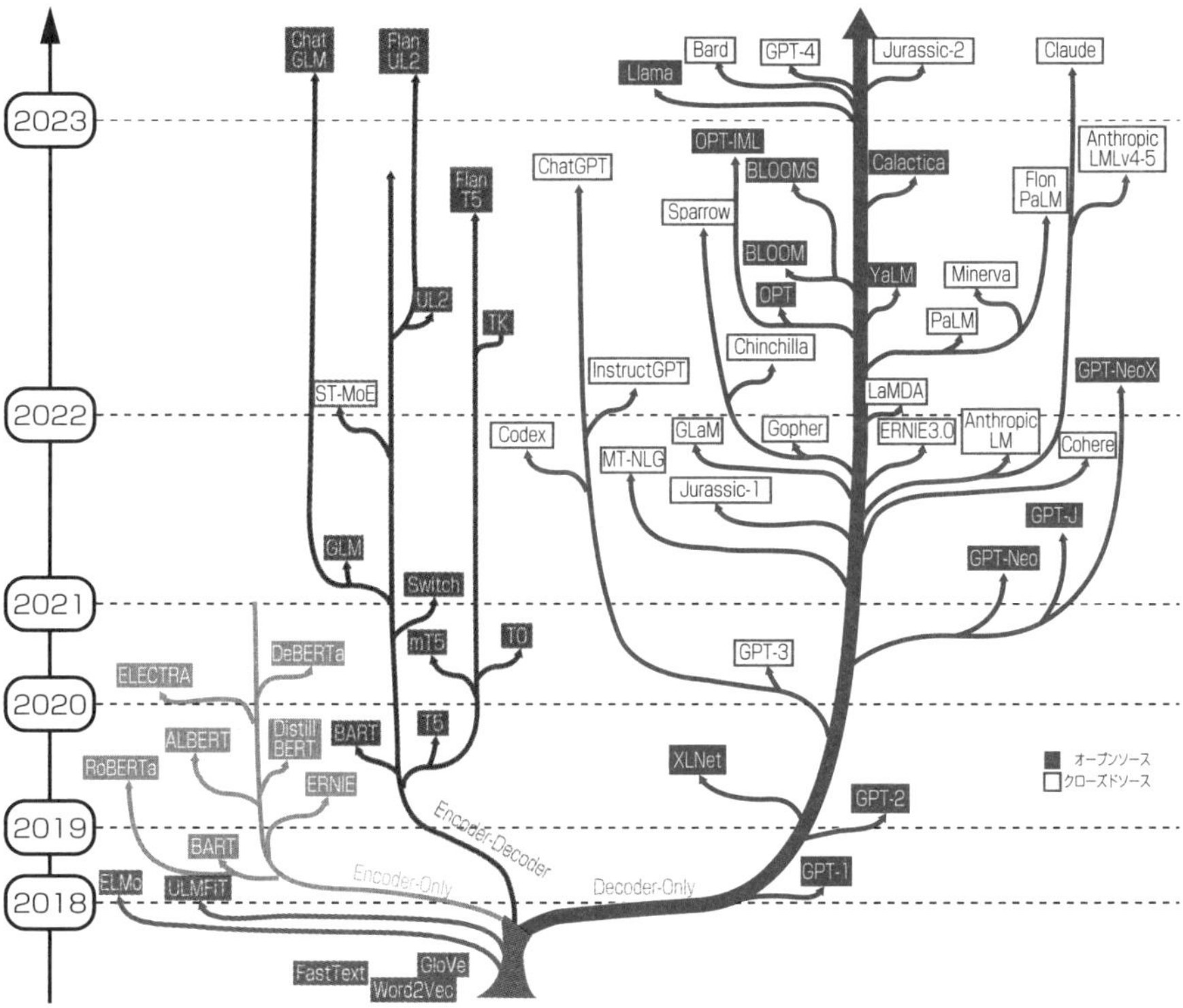

出所：https://arxiv.org/pdf/2304.13712.pdfをもとに作成

Term

エッジコンピューティング　データ処理や分析をデバイスやセンサーの近くで行うことで、クラウドへのデータ転送を削減し、リアルタイムの応答を可能にする技術のこと。

Section

1-9 ＡＩ産業の規制と政策

ＡＩ技術の進化に伴い、世界各国でその利用と規制の方針が模索されています。各国での規制や政策の違いを通して、ＡＩの未来を考える材料としてみてください。

■ＡＩ産業の規制

ＡＩの急速な発展に伴い、その適切な利用や悪用の防止を図るため規制が必要とされています。ＡＩ産業の規制は、国内外の政府や専門機関によって策定され、ＡＩの開発・利用に関するルールや基準が定められています。これによって、ＡＩ技術の発展と社会への適切な導入が図られます。

■日本におけるＡＩ産業の規制と政策

政府や経済産業省などがＡＩ産業の発展を支援するため、各種政策や支援策を実施しています。ＡＩ技術は非常に高いポテンシャルを持ち、社会や経済の様々な分野での応用が期待されているため、ＡＩ技術の研究開発を促進するよう多くの支援策を講じています。環境や法制度の整備も重要な政策課題となっています。

経済産業省は、ＡＩによるイノベーションの促進や安全な利用環境の確保を目指して、２０２２年に**ＡＩ原則実践のためのガバナンス＊・ガイドライン**を公表しました。他省庁でもＡＩ技術の研究開発の支援やＡＩ人材の育成、規制の枠組みの整備など、様々な施策が展開されています。

■米国におけるＡＩ産業の規制と政策

米国では、ＡＩ技術に関しては比較的自由な規制が行われています。２０２１年に**国家ＡＩイニシアチブ法**が成立し、ＡＩの研究と応用を加速するための連邦政府全体の協調プログラムを提供、**国家ＡＩイニシアチブ局**が設立されています。２０２３年時点では審議中ですが、**アルゴリズム説明責任法**が議会に提出されています。ＡＩシステムが偏った差別的な結果を生み出す可能性があるという報告に応えて提案されたこの法律は、特定の基準を満たす企業に

Term

ガバナンス　組織やシステムの運営や管理を指す言葉であり、AIに関連する場合は、AIの開発・運用における倫理的な規範や法的な枠組み、透明性や責任の確保などを含むAIの適切な管理や監督を指す。

自動化された意思決定プロセスを使用する際に影響評価を実行することを義務付けています。

EUにおけるAI産業の規制と政策

EUでは、AI技術の利用に伴うリスクに対して厳格な規制を求める動きがあります。2020年にはAI規制のための法案である**AI法案**が提出され、個人情報保護などに関する基準が設けられました。EUはプライバシーや倫理上の問題に敏感であり、個人情報保護などの観点からAI技術に対する規制を進めています。また、AI技術の透明性や公正性も重視され、AIの意思決定における透明性の確保やバイアスの排除などが求められています。

中国におけるAI産業の規制と政策

中国は、他国と同様にAIに関する規制を順次整えており、2022年にはAIの前向きな利用を促進することを要求する規制を制定しています。この規制は、個人データを使用して消費者に異なる価格を提供するアルゴリズムを禁止することなどを提示しています。

日本のAIに関する政策（主なもの）

2016年	知的財産戦略推進計画 AIによる発明を特許化することが可能になる
2019年	AI戦略 2019 AIの活用促進やデータの活用促進を目的としている
2020年	改正著作権法 AIの学習に著作権を使用できると定める
2021年	AI戦略 2021 AI等の社会実装を促進することを目的とする
2022年	総合イノベーション戦略 2022 AI等の社会実装を促進するための具体的な取り組みの推進

Term **バイアス**　一般的には主観的な見解や傾向、偏見を指す言葉であるが、AIに関連した意味としては、データやアルゴリズムに偏りが生じることを指す。

Section

1-10 AI産業の社会的・倫理的影響

最新のAI技術の進化に伴い、各国での法整備が進む中、G7での「広島AIプロセス」の設立や、日本のガイドライン策定が注目されます。しかし、技術の急速な進展に法律が追いつかないことが課題です。

最新のAI関連法整備状況

最近、AI技術の進化に伴い、関連法の整備が各国で行われています。国際的な規制の動向として、2023年に**G7（広島サミット）**でAIを巡る国際ルールを議論する枠組みである**広島AIプロセス**を設けることで合意するなど、倫理に関するガイドラインを策定する動きが広がっています。

日本では、経済産業省が中心となり、AI原則の実践の在り方に関する検討会において、人間中心のAI社会原則を尊重する際に実践すべきことを整理したAI原則実践のためのガバナンス・ガイドライン Ver. 1.1を公開しています。総務省は、AIの倫理的な取扱いに関する推進会議を設置し、倫理規定等を策定しています。

今後のAI法整備の方向性としては、透明性や公正性などを重視した規制が求められるようになります。しかし、AI技術の進化は非常に速いため、法整備のスピードが追いついていないという課題も各国で問題とされています。

AI技術の社会への影響と課題

AI技術の進化により、社会への影響はますます拡大しています。雇用の変化や労働市場への影響は、現在の課題です。一部の業種では人間の労働力が不要になり、代わりにAIが仕事を担うようになってきています。工場での不良品検出や、一般事務の定型業務、単純なレジ販売員などは無人化され、AIが担うようになっています。

これにより新たな課題も提起されています。例えば、AIの判定を活用する場合、その結果には法的な責任が伴う

Column

AIと倫理　AIはなぜ倫理と関係するのか？　AIが人間の意思決定や行動に影響を与える可能性があるためである。倫理的な問題は、AIの設計や使用において考慮されるべきであり、人間の価値観や道徳に合致するようにする必要がある。

場合があります。その判定がどのような経路で生成されたのかを知る技術が注目を集め、AIの進化の矛先は**xAI（説明可能なAI）**に向くといわれています。

AIの倫理に関する問題点

AIは、判定を求める経路がブラックボックスのため、AIが差別的な行為をするようになった場合、社会的な問題が生じる可能性があります。差別・偏見、人権問題などAIの学習データには人為的にバイアスがかけられる可能性もあるため、倫理規定を設ける必要があります。また、AIによる個人情報の漏洩やプライバシーへの侵害など、膨大なデータ中に存在する個人情報をどのように保護するかという問題もあります。

AIが自律的な判断をする場合には、その判断が倫理的な観点から妥当であるかどうかをどう判断するかが重要な問題です。日本では、総務省や経済産業省などがAIの倫理に関する研究やガイドライン策定を急務で行っており、AI時代における社会的・倫理的対応の必要性を認識しています。世界的にもUNESCO総会で**AI倫理勧告案**の採択、OECDによるAI作業部会の設置、**GPAI**＊の設立などAI社会の倫理的対応を急ピッチで進めています。

「広島AIプロセス」とは

先進7か国（G7）が人工知能（AI）の開発や利活用、規制などに関する国際的な枠組みを構成するために設立した協議体であり、実務者レベルの作業部会と担当閣僚レベルの会合から構成されている。
G7主導によるAIの国際ルールづくりを急ぐ試みとして注目されている。

主な目的

- 人間中心の信頼できるAIの推進と普及
- 生成AI（Chat GPTなど）に関する課題の議論と解決策の提案
- 著作権保護や偽情報対策などの知的財産や倫理の問題の検討
- AIの軍事利用や安全保障への影響の評価と管理
- AIのイノベーションや産業への貢献の促進

Term

GPAI　Global Partnership on Artificial Intelligence。人工知能（AI）の影響に関する議論や、AIと環境に関連する戦略などを探求している。AIの責任ある開発と利用を支援し、人間中心のアプローチを推進している。

Section

1-11 ＡＩ産業の労働市場とスキル要求

ＡＩ産業の急成長に伴い、高度な技術スキルや応用知識が要求される中、エンジニアの価値が高まりつつあります。ＡＩに特化したスキルや分野ごとの知識、倫理観が業界のキーとなります。

ＡＩ産業の労働市場の現状

ＡＩ産業の労働市場は急速に変化しています。ＡＩ技術を活用した仕事の需要が増えつつあるため、高度なスキルが求められています。また、技術的なスキルだけでなく、技術の応用に関する知識も重要です。ＡＩ人材の育成も急務な課題です。経済産業省の調査（２０１９年３月）によると、２０３０年にはＩＴ人材が低位シナリオで16万人、中位シナリオで45万人、高位シナリオで79万人不足すると試算されています。

ＡＩ産業に求められるスキル

ＡＩ産業では、ＡＩ技術の導入が進むにつれて、特定のスキルセットが求められるようになってきました。求められる技術的なスキルとしては、プログラミング言語の知識やアルゴリズムの理解が不可欠であり、大量のデータを分析して学習モデルを構築するスキルも重要となります。ＡＩ技術の応用知識やアイデアも求められます。

チームワークとコミュニケーション能力も非常に重要です。ＡＩプロジェクトは多様な専門知識を持つチームメンバーの協力に依存しているため、効果的なコミュニケーションはプロジェクトの成功に不可欠です。異なるバックグラウンドを持つチームメンバーとの協力は、新しい視点をもたらし、プロジェクトに対する理解を深めることができます。さらに、プロジェクト管理とリーダーシップ能力も重要で、スケジュールの管理、リソースの割り当て、チームのモチベーション維持などが求められます。

また、ＡＩは様々な産業や分野で活用されており、それぞれの特性やニーズに合わせたＡＩシステムを開発するためには、その分野に関する知識も必要です。例えば、医療

Term

Python　AIを得意とする開発言語。高水準のプログラミング言語であり、AI開発に広く使用されている。機械学習やデータ解析のためのライブラリやフレームワークが豊富であり、簡潔な構文と使いやすさが特徴である。

分野では医学的な知識や医療データの理解が求められます。業界のどこにAIを組み入れると効果的なのかを見定める目も必要となります。AI産業で求められるスキルは多岐に渡っており、技術的なスキルだけでなく、特定の分野に関する知識やAIに対する倫理観などのマインドセット*も必要です。

■AI産業におけるエンジニアの存在価値

人工知能の発展により、AI技術の応用に関するスキルや知識を持つエンジニアの存在価値も高まっています。AI産業は急速に発展しており、技術的なスキルを持つエンジニアが不足しています。AI産業においてエンジニアは、AIの開発や技術の応用に関して貢献することで、その存在価値を高めています。エンジニアが持つべきスキルやマインドセットとしては、技術的なスキルだけでなく、クリエイティブ思考や問題解決能力も求められます。AI産業においてエンジニアの存在価値はますます高まっており、将来も需要が期待されます。

IT人材の需要ギャップ

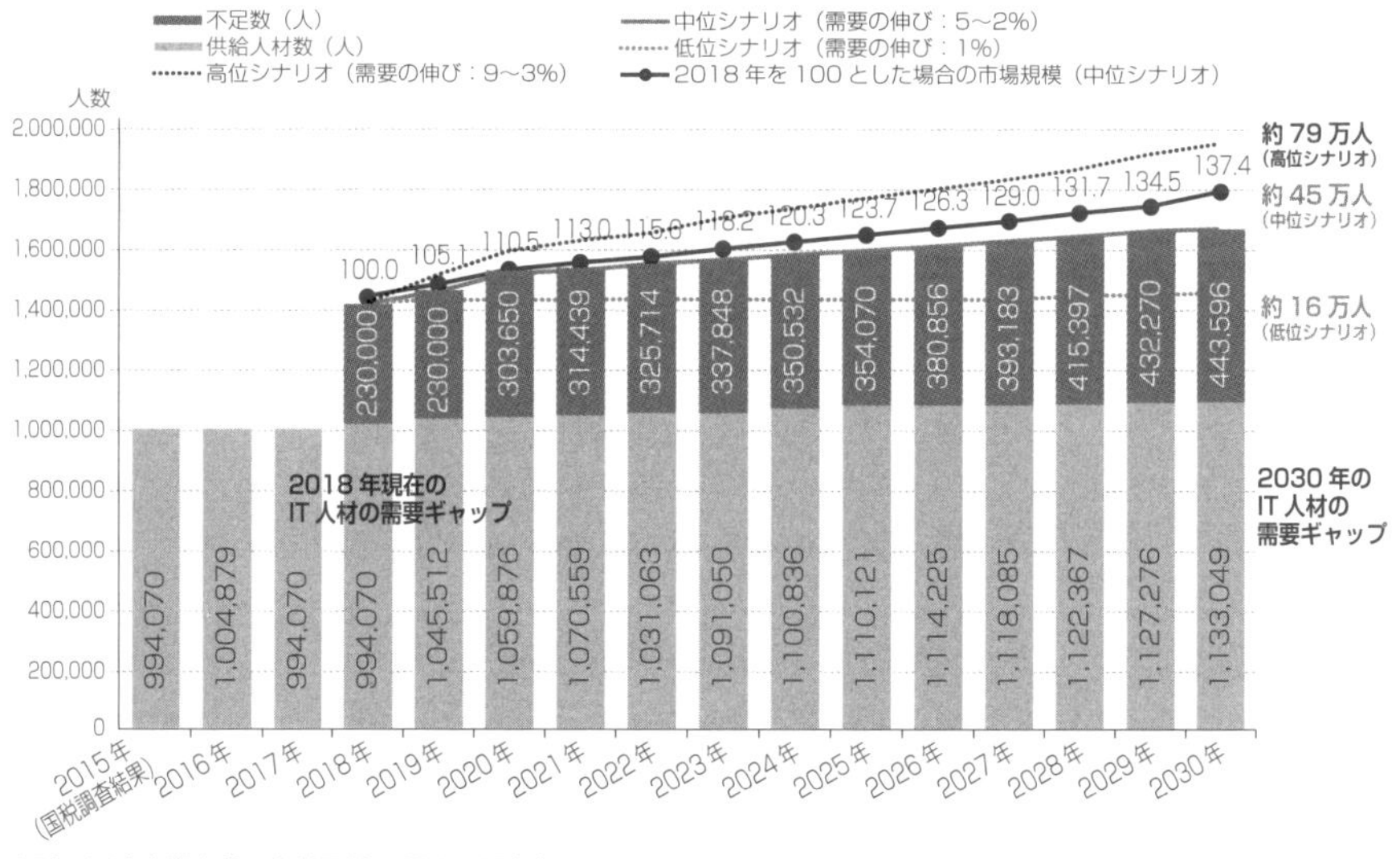

出所：経済産業省「IT人材需給に関する調査」

Term

マインドセット　AIを扱うマインドセットとは、人工知能の開発や利用において必要な考え方や心構えのことを指す。AIの特性や限界を理解し、創造的な問題解決や機械学習の適用を追求する姿勢が求められる。

AIスキルを身に着けるには

AIを学ぶには、いくつかのアプローチがあります。現在のスキルレベル、目的、そして利用料金などを考慮して選択しましょう。

●大学や大学院のプログラム

多くの大学や大学院はAIに関連する学士、修士、博士プログラムを提供しています。これらのプログラムは、理論と実践の両方を網羅しており、深い理解を構築するのに適しています。具体例としては、次のようなものがあります。

- 東京工科大学　先進情報専攻人工知能コース
- 武蔵野大学　データサイエンス学科

●オンラインコースと認定

Coursera(https://www.coursera.org/)、Udemy(https://www.udemy.com/) などのオンライン学習プラットフォーム*は、AIに関する幅広いコースを提供しています。機械学習、ディープラーニング、自然言語処理などに焦点を当てたコースも提供されています。

●専門学校や短期コース

短期間で集中的に学ぶことができる専門学校やブートキャンプもあります。特にキャリア変更を目指す人にとって効果的な選択肢です。具体例としては、次のようなものがあります。

- TechAcademy AIコース
(https://techacademy.jp/course/ai)
- Le Wagon Tokyo　データサイエンスと人工知能コース
(https://www.lewagon.com/ja/tokyo/data-science-course)

●自己学習

オンラインのリソース、教科書、チュートリアル*を利用して独学することもできます。独学は柔軟性があり、自分のペースで学ぶことができますが、自己規律が重要です。どの方法を選択しても、AIを学ぶ過程は絶えず進化する分野であるため、継続的な学習と実践が重要です。学んだ知識をプロジェクトに適用して、実践での問題解決能力を養うことも重要です。

Term **オンライン学習プラットフォーム**　インターネットを通じて教育コンテンツや学習資料を提供し、学習者が自宅やオフィスなどの場所で自己学習を行うことができる教育サービスのこと。

AI 産業に必要なスキル

AI の基礎知識

AI とは何かを理解し、AI に関する教育と判断軸を身に着けることが重要です。AI の仕組みや活用方法、課題やリスクなどを把握することで、AI を使いこなすスキルや、AI が苦手とするスキルを磨いていくことができます。

コミュニケーション能力

自分の考えや意見を明確に伝えることや他者の視点やニーズへの理解など、周囲の人と円滑にコミュニケーションできることが重要です。また、多様な価値観を持った人財を率いるリーダーシップも必要です。

プログラミングスキル

プログラミングスキルを身に着けることで、AI の仕組みや動作を理解し、自分の目的に合わせてカスタマイズすることができます。AI の開発・設計に携わる人材はもちろん、AI を活用する人材もスキルを身に着けることにより AI の可能性を広げることができます。

データ分析スキル

データを理解し、有効活用するためには、データ分析スキルが欠かせません。データ分析スキルを身に着けることで、ビジネスや社会の課題を解決するための洞察やアイデアを得ることができます。

論理的思考力

構造的·多面的に物事を見て、感じ、理解し、意味合いを突き詰められるようになることが必要です。

創造性

人間にしかできない「温かさ」と「柔軟さ」は強みとなります。AI によって提供されるサービスを活用しながら、自分らしく知覚し、適切な問いを立てられる人や、既存の戦略やビジネスの枠を超えた構想力を持つ人が価値を生み出せる時代になります。

AI スキルを身に着ける方法

· 大学の大学院のプログラム

· オンラインコースと認定

· 専門学校や短期コース

· 自己学習

Term

チュートリアル　特定のテーマやスキルについての基本的な指導や学習の手引きを提供するものであり、一般的には初心者向けの導入コースやガイドとして使用される。

Section

1-12 AI産業の未来予測と挑戦

AIの技術進化と未来予測・新たな挑戦として、量子コンピューティングとの融合や自律性の向上、AIの誤りを正す新しい試みなども始まっています。私たちの生活やビジネスがどのように変わるのでしょうか。

■AI産業の未来予測

AIはすでに私たちの生活に浸透しており、スマートフォンや自動運転車など様々な機器やシステムに利用されています。医療や製造業、金融などの多様な業界で効率化や生産性を大きく向上しています。AI産業は未来のビジネスやサービスの創造にも大きく貢献することが予測されています。AIのもたらすテクノロジーの進歩と次世代の可能性に注目し、AIを活用した新たなビジネスやサービスの創造に取り組んでいきましょう。

AI技術は現在も進化し続けており、その可能性は無限大です。特に注目されているのが量子コンピューティングとAIの融合です。量子コンピュータとは量子力学的原理を用いて計算をするコンピュータであり、現在のコンピュータの上位互換*です。簡単にいうなら、計算能力が現在のコンピュータの1億倍ともいわれている超高速なコンピュータとイメージしてください。この超高速コンピュータと、並列多重処理が必要なAIが融合することにより、人間の思考を超えるような問題解決が可能になるかもしれません。

AIの自律性*も進化しています。例えば、自動運転車のように、AIが人間の助けを借りずに自ら判断し行動するよう進化しています。アメリカのAeolus Robotics社は、AIを搭載した自律型ヒューマン支援ロボットである**アイオロス・ロボット**を開発し、介護現場において、物体検知能力による入居者の認識や、生体信号検知機能による発作予測などを行っています。AI技術の進化によって、私たちの生活はますます便利で快適になるといわれていま

Term **上位互換**　新しいバージョンや仕様が、古いバージョンや仕様と互換性を持ちながら、より進化した機能や性能を提供することを意味する。

す。AIがもたらすテクノロジーの進歩は、次世代の社会を作り上げる重要な要素であり、AIを活用した新たなビジネスやサービスの創造が盛んに行われるでしょう。

■AI産業の挑戦

アメリカのAI産業では、新たな挑戦が始まっています。AIの〝過ち〟を**インシデント・データベース**に蓄積することで、AI開発企業に「アメとムチ」を与え、AIの進歩を「正しい方向」へと誘導することを目的としています。これは、航空業界や自動車業界で事故の記録を集めることで安全性向上に貢献しているデータベースに着想を得て作られました。このデータベースには、21年6月時点で100件の自動運転車による死亡事故や顔認識技術の誤認逮捕などのインシデント情報が蓄積されています。

このような取り組みはAI開発企業に対して公的な説明責任を求める一方で、開発チームを支援することでAIの実装が間違った方向に進まないようにする役割を果たせるようにサポートしています。また、政策議論の論拠を固めることや、AIへの規制を検討することにも役立つ可能性があります。

量子コンピュータとAIの融合で生まれるメリット

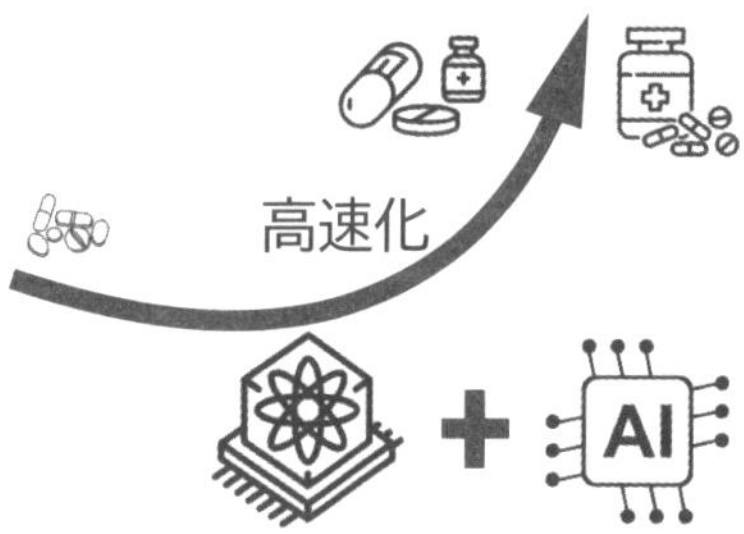

医療では、量子コンピュータと人工知能（AI）の組み合わせにより、創薬スピードが格段に高速化される可能性があります。

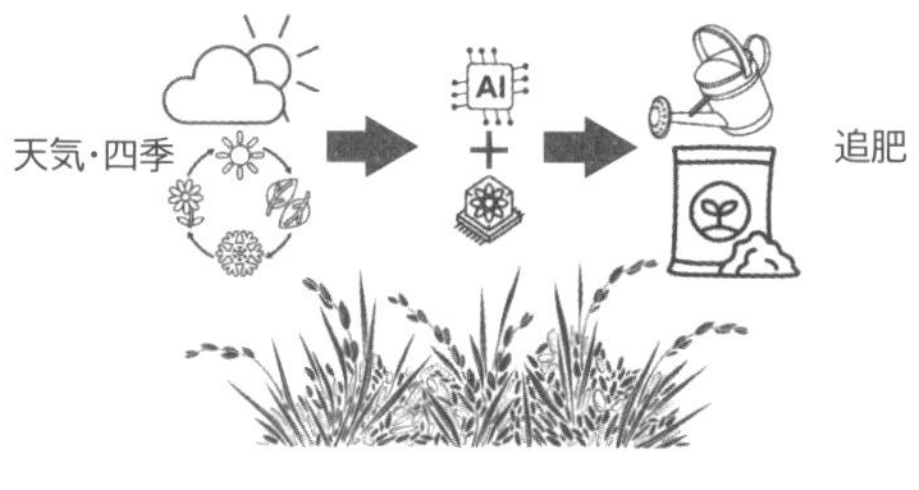

農業等では、量子コンピュータと人工知能（AI）の組み合わせが、天気や季節の移り変わりを計算し、最適な追肥（ついひ）のタイミングを通知します。

Term

AIの自律性　AIが人間の介入なしに独自の判断や行動を行う能力のこと。これにより、AIは学習や問題解決を自ら行い、人間の指示や制御を必要とせずにタスクを遂行することが可能となる。

Section

1-13 AI産業における課題とは

AI産業は専門家不足、倫理問題など多面的課題に直面しています。学習データの質と量、バイアス、一般化などの技術的難点もあり、投資対効果の評価も複雑です。今後の国際的な規制も大きな焦点です。

■AI産業の課題とは

AI産業は、様々な課題に直面しています。技術面では、学習データの質や量、モデルの透明性や一般化の問題、そしてリアルタイム処理*の複雑さが課題として挙げられます。また、AI専門家が不足しているにもかかわらず需要が増えているため、教育や研修への投資が欠かせません。技術の日々の進化にも、業界全体が順応していく必要があります。

ビジネス面では、AIを適切に利用するための目的に合わせたAIの設計や実装、そして評価が不可欠です。さらに、AIの導入には高額な投資が求められるにもかかわらず、その投資対効果を正確に測定するのが難しいという課題もあります。

人間との関係性では、AIが単に作業を代替するだけでなく、人間との共同作業を通じてより高い成果を目指す必要があります。このためのコミュニケーションや信頼構築が課題となっています。倫理的な面では、AIが持つバイアスや公平性、データ利用、自律的な意思決定などの問題にも目を向ける必要があります。さらに、経済的・社会的な視点からは、雇用の問題や教育のギャップ、AIの経済への影響が懸念されています。GPUなどのチップの供給不足も懸念されています。国際的な協力や規制の更新、産業の透明性も大きな課題として挙げられます。

これらの課題に取り組むためには、教育やトレーニングの強化、研究の透明性を確保し、多様性や包括性を推進することが不可欠です。業界内外での協力やパートナーシップを強化することで、AI産業の持続的な発展を目指すこ

Term **リアルタイム処理** データや情報を即座に処理し、リアルタイムで結果を返すことを指す。AIにおいても、リアルタイム処理は重要であり、リアルタイムでデータを解析し、迅速な意思決定や応答を可能にする。

とができるでしょう。

諸外国でのAI産業の課題

EUのAI政策は、①人々のためのテクノロジー、②公正で競争力あるデジタル経済、③開かれた民主的で持続可能な社会を3本柱とし、大国（例：米国、中国、ロシア）に依存しない自らの価値観に沿った政策を推進しています。AIの利用や研究開発を促進する一方、人権侵害を防ぐという2つの政策方針を示しています。特に問題となっているのが遠隔生体認証技術の顔認証です。欧州議会は、捜査機関による濫用のリスクを考慮して、顔認証技術の全面的な利用禁止も提案しています。AIの公的利用の重要性を主張する加盟国や産業界からは懸念が示されており、今後の動向が注目されています。

アメリカでは、統一したAI規制やガイドラインはなく、各州や各企業において異なる基準が適用されています。AIの品質や安全性・透明性・責任の所在が不明確になり消費者や市民の信頼を損なう恐れがあることが指摘されています。

EUにおいてAIが問題となった例

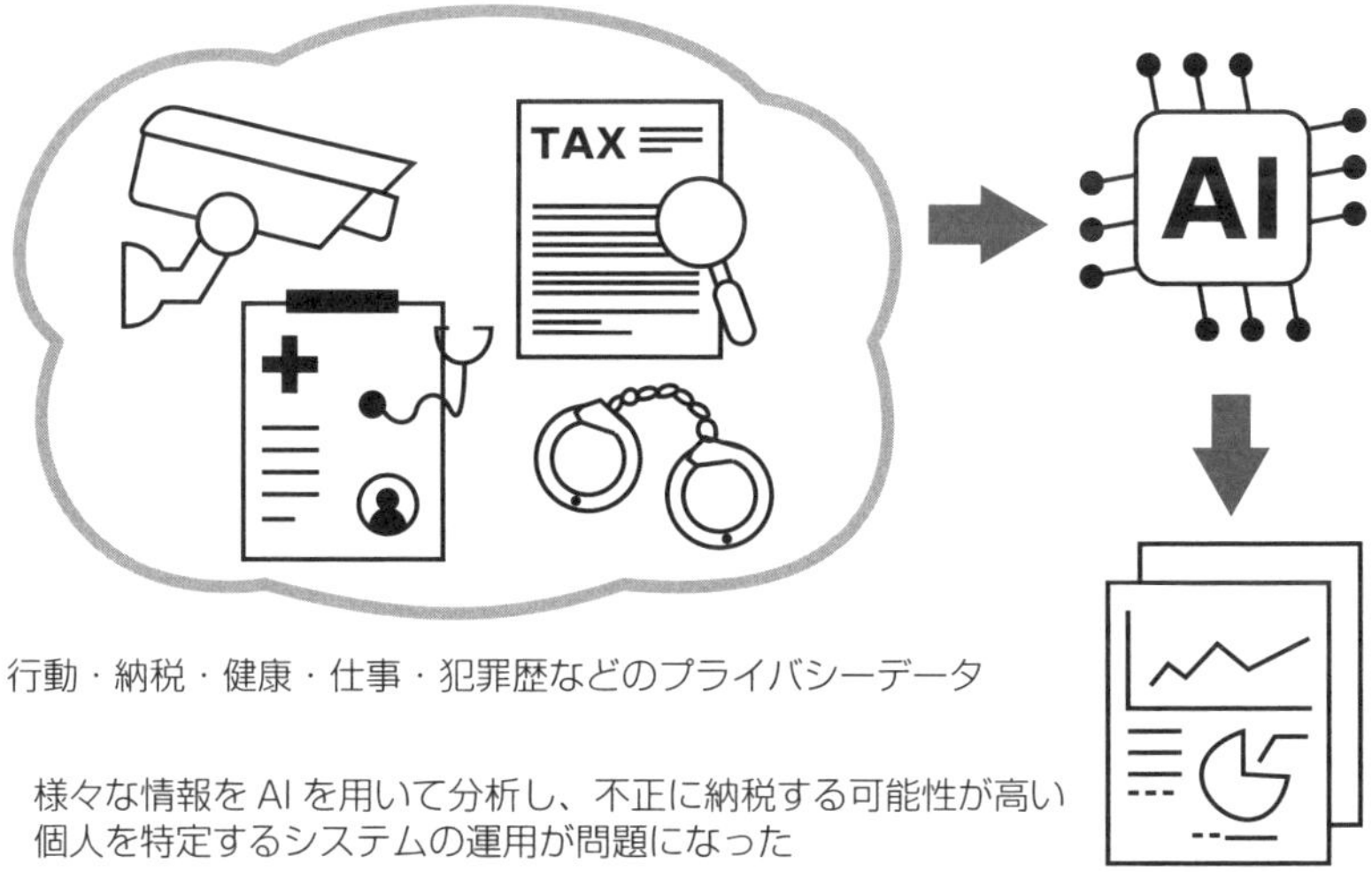
TAX
AI
行動・納税・健康・仕事・犯罪歴などのプライバシーデータ
様々な情報をAIを用いて分析し、不正に納税する可能性が高い個人を特定するシステムの運用が問題になった

Term **eKYC（オンライン本人確認）と顔認証**　デジタルアイデンティティとセキュリティ分野で重要な役割を果たしている技術。顔認証技術で顧客が提供した身分証明書の写真と顧客の実際の顔を比較することで、その人物の身元を確認する。

Section
1-14 AI産業の今後の展望

AI産業は技術、人材、ビジネス戦略など多角的に進展しています。諸課題を解決すれば、社会全体もAIのメリットを享受できるようになります。AGIに対しては、倫理と規制の議論が急務です。

■AI産業の今後の展望

前節で述べたAI産業の複数の課題を解決すると、新たな展望が開けることは明らかです。技術的な進歩は、高質な学習データの増加に伴い、より精度の高いAIモデルの普及を促します。さらに、モデルの透明性の向上（xAIの登場）は、一般の人々にAIの働きを理解してもらうためのキーとなります。リアルタイムの情報処理や意思決定のサポートとしてのAIの役割の増大と相まって、その価値を高める要因となるでしょう。

人材の側面では、教育と研修の充実により、多様な分野でのAIの導入を推進する専門家が増加します。これは技術の日々の進化に迅速に対応する能力を持った人材の育成を意味しています。

ビジネスの領域では、企業がAIの適切な設計や実装の方法をより深く理解することで、投資の効果を最大化できるようになる見込みです。この知識の普及は、企業がAI技術への投資をより戦略的に行う手助けとなります。社会的側面からは、AIの普及と理解が進めば、社会全体がAIのメリットを享受できるようになります。これは、AIの啓発や教育の推進を通じて実現されるものです。

さらに、倫理的な問題への対応という側面では、公平でバイアスの少ないAIの開発を促進し、データ利用や意思決定に関するガイドラインを確立することで、社会全体の公正性や平等性を高める方向へ導きます。一方で、今後議論が必要とされる問題としては、「人間レベルのAI」であるAGI（汎用人工知能）の出現もあります。

Column

AGIはいつ生まれるか 汎用人工知能であり人間レベルのAIのことをＡＧＩという。ＡＧＩはすぐに実現する可能性は低いとされており、その前には技術的ブレークスルーが必要といわれている。

■AGI（汎用人工知能）の出現と未来

もし、AGIが出現したら、AGIは人類がこれまでに書いたすべてのテキストを読み、理解できるようになります。我々の言語を完全に理解し、これまでの歴史で独立していた様々な要素を結びつけて、人が答えられなかった質問にも答えられるような世界が想像されています。

多くのAIの専門家は、**シンギュラリティ**（超知能マシン）が人類を脅かす可能性について警鐘を鳴らしています。オックスフォード大学の「人類の未来研究所」の調査によれば、2031年までにはAIが小売業で人間を上回るパフォーマンスを示し、2137年までにはすべての人間の仕事が自動化される可能性があるとの見解があります。この極端なシナリオよりも、悪意のある人間がAIを使用して犯罪などを行う可能性がより懸念されています。

この未確定要素が多い現在において、AGIの倫理的使用や規制についての議論を始める必要があります。準備なしでAGIの時代に突入することは人類史上最大の過ちになる可能性があるといわれています。慎重な取り組みによってはすべての人がより豊かな未来を迎えることができると考えられています。

AGIのイメージ

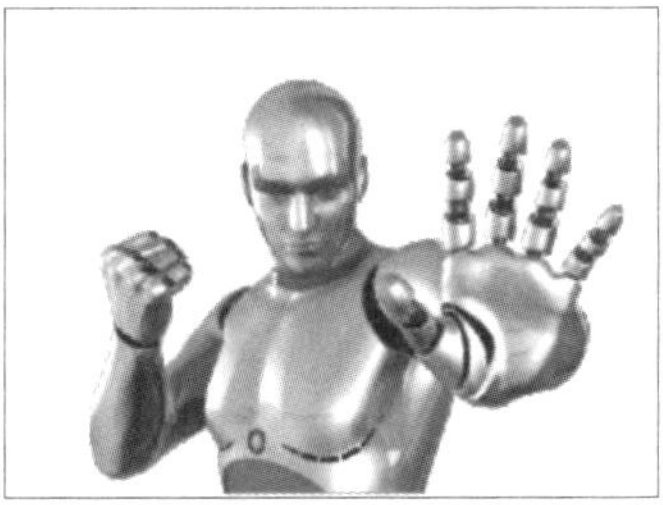

Column

xAIの目的　xAIは、AIや機械学習モデルの意思決定プロセスを人間が理解しやすくする技術やアプローチを指す。また、AIの意思決定プロセスを見える化し、人間が理解しやすく解釈できるようにすることを目的としている。

Section
1-15 AI技術の最新トレンド

NVIDIA＊の「観察学習」ロボットが労働を変革しました。高齢化に対応するAI介護士の整備が急がれ、サイバーセキュリティも強化されました。AIはビール醸造から医療診断まで多岐にわたり社会に影響を与えています。

■AI技術の最新トレンド

本節では、AI技術の2023年時点の最新トレンドを紹介します。

●観察による自動学習：次世代AIロボット

一般的にAIは、人間による指導やデータ解析を基にした機械学習が主流です。AIロボットはあなたが毎日同じ時間に同じ場所に行くといったパターンを検出し、その情報を用いて交通渋滞や天気予報などのデータを自動的に収集・提供し、自動運転などを可能とします。しかし、最新の研究ではそんな想像を遥かに超える先進的な技術、**観察学習**が導入されています。NVIDIAが開発したロボットは、人間がタスクを実行する過程を観察し、その情報を学習し、リアルに自ら行えるようになります。観察学習は、特に労働集約的な業界や家庭の日常業務において、画期的な影響を与えます。こうした次世代AIロボットは、家庭での家事の仕方を静かに観察し、その知識を用いて私たちの生活をより便利に、より効率的にしてくれるでしょう。

●AIロボット介護士が不足を埋める

看護師や介護士といった職業は非常に人間性が求められる分野である一方で、今日では高齢化社会の進行により、人手が足りないという問題が深刻化しています。ロボット看護師やロボット介護士がこのギャップを埋める日は近いかもしれません。日本はこの問題に急務に取り掛かる必要があります。2025年までに37万人もの介護職員の不足が予測されています。日本政府は積極的にAIとその他の

Term
NVIDIA　コンピュータグラフィックスや人工知能（AI）に関連するテクノロジーを開発する企業であり、GPU（グラフィックス処理装置）を製造している。

テクノロジーを看護や介護の分野に導入しようとしています。開発者たちは、患者がベッドから起き上がるタイミングを予測したり、トイレの使用が必要かどうかを判断したりするなど、AIのシンプルながらも効果的な応用に力を入れています。

●AIに基づくサイバーセキュリティ

現代社会においては、個人情報から企業の貴重なデータまで、オンラインでの安全性がますます重要になっています。そして、その状況は、技術が進化するにつれてさらに複雑化しています。AIは、インシデントの検出を加速させ、リスクを識別し通知すること、最適な状況認識を保つことなど、サイバーセキュリティの領域で増大する要求に応えようとしています。Palo Alto Networks社は**Magnifier**という行動分析AIソリューションをリリースしました。これは、機械学習を用いてネットワークの挙動をモデル化することにより、異常検出をして脅威検出の精度を高めています。

●ビール醸造に革命をもたらすAI

ビール好きにとって、「完璧なビール」とは何かは人それぞれですが、AIの進歩によって、その定義も新たな次元へと拡がっています。IntelligentX社は、AIを使って顧客のフィードバックを最大限に活用し、ビールの醸造に役立てています。完成されたビールは顧客の経験、AI技術、そして熟練した醸造師が協力して生み出す結果なのです。

ビールのボトル上にあるQRコードで顧客はFacebook Messenger上のチャットボットAIにアクセスします。AIがアルゴリズムによって質問を投げかけ、回答はAIにより解釈され、顧客のフィードバックをリアルタイムで醸造師に伝えます。この技術によって、醸造師はこれまで以上に速やかに顧客の声を反映することができるのです。

●AIによる画像診断と医療

AI技術は、高度な画像解析によって、X線やMRI、CTといった診断結果を迅速かつ正確に解釈する能力を持っています。そのために医師が行う診断の補助にAIが利活用されています。AIを医療分野で効果的に活用するには、そのアルゴリズムを医師の監督下で訓練する必要があります。希少な疾患の特定は画像データが少ないために困難であるなどの課題もあり、これらに対応するためには多くの研究と開発が必要です。

Term **サイバーセキュリティ**　コンピューターシステムやネットワークを保護するための対策や技術のことを指す。悪意のある攻撃やデータ漏洩から情報を守るために、セキュリティ対策を実施することが重要である。

Section
1-16 AI関連の著作権と法的な問題・課題

AIと著作権は新たな法的課題を投じます。開発・学習段階でのデータ利用は一般に許容されますが、生成・利用段階での著作権侵害は未解決です。生成コンテンツ*の著作権は？　その著作者は誰になるのでしょうか？

■AIと著作権

「AI開発・学習段階」と「生成・利用段階」では、行われている著作物の利用行為が異なり、関係する著作権法の条文も異なります。そのため、両者は分けて考える必要があります。

●AI開発・学習段階

著作物を学習用データとして収集・複製し、学習用データセットを作成・学習に利用して、AI（学習済みモデル）を開発する段階では、著作物に表現された思想または感情の享受を目的としない利用行為とされ、原則として著作権者の許諾なく行うことができます。

●生成・利用段階

AIを利用して画像等を生成した場合でも、著作権侵害となるか否かは、**類似性**（後発の作品が既存の著作物と同一、または類似していること）および**依拠性**（既存の著作物に依拠して複製等がされたこと）による判断となります。

生成した画像等をアップロードして公表したり、生成した画像等の複製物（イラスト集など）を販売する行為については、権利制限規定に該当しない場合が多いと考えられます。既存の著作物との「類似性」および「依拠性」が認められるAI生成物については、アップロードや販売を行うには、既存の著作物の著作権者の利用許諾が必要です。

■AI生成物の著作者は誰か

著作物は「思想または感情を創作的に表現したものであっ

Term
コンテンツ　情報やデータの形で提供されるもののこと。AIに関連する場合、AIが生成したり分析したりするためのデータや情報を指すことがある。

て、文芸、学術、美術または音楽の範囲に属するもの」とされています。AI生成物を含む「コンピュータ創作物」が「著作物」に当たるか否かについては、以前から検討が行われてきました。

AIが自律的に生成したものは、「思想または感情を創作的に表現したもの」ではなく、著作物に該当しないと考えられます。対して、人が思想感情を創作的に表現するための「道具」としてAIを使用したものと認められれば、著作物に該当し、AI利用者が著作者となると考えられます。

AIの著作権　問題と課題

無許諾のデータ使用

AIの訓練段階で使われるデータセット*には、しばしば著作物が含まれることがあります。原則として著作権者の許諾なく行うことが可能とされています。しかし、特定の著作者に偏ったデータセットを無許諾で使用すると、著作権侵害につながる可能性が高いです。AIが人気のある著作物を訓練データとして利用する場合、生成された出力も著作権の対象となる可能性があります。

著作者の不明確性

AIによって生成された作品の著作権の取り扱いは、大きな課題の1つです。AIが自ら何かを生成した場合に、そのAIを「作者」とみなすと、多くの法的問題が生じる可能性があります。例えば、著作権の保護期間は「作者の死後何年」と定められていますが、AIは生物ではないので、このような期間をどう計算すればよいのかといった問題です。いまのところ日本を含む諸外国でも、AIが自律的に生成したものは、「思想または感情を創作的に表現したもの」ではなく、著作物に該当しないと考えられます。

第三者による悪用

AIによって生成された作品がインターネットで簡単に共有できる状態であれば、第三者によってその作品が無許諾で使用される可能性があります。これは、特にAIが生成した作品が商用で使用される際に問題になる可能性があります。

国際的な著作権

AIとインターネットは国境を超えて利用されることが多いため、国際的な著作権法との整合性も課題です。ある国で合法なAIによる生成活動が、別の国で著作権侵害とみなされる可能性もあります。

Term　**データセット**　一般的にはデータの集まりやグループを指す言葉であるが、AIに関連した意味では、機械学習やディープラーニングのモデルのトレーニングや評価に使用されるデータの集合を指す。

●**倫理的な問題**

AIが生成する作品が、偏見や差別を助長するような内容を含む場合、著作権で保護されるべきかどうかも課題となります。倫理的に問題のある作品が法的に保護されると、その作品の拡散が促進される可能性があります。

EU・アメリカ・中国では

これらの地域は、AIによって作られた作品も著作権で守られるべきだと考えていますが、その取り組み方はそれぞれ異なります。EUではAI自体を特有の権利を持つ存在として認めています。アメリカでは一定の条件下で他人の著作物を使用しても問題ないとする**フェアユース**という考え方を広く適用しています。中国には、著作権をどう適用し、所有するかということ自体が課題になっており、独自の問題点が存在しています。

各国においては、AIの著作権に関する国際的な基準を作ることで、各国の法律を一致させる提案もされています。最近、EUとアメリカではこの問題に対処するための法律が更新されており、積極的な対応が見られます。これら諸外国のAI著作権法は、著作権を持っている人々の利益と、AI技術の進歩と発展が必要な場合に、バランスをしっかりと取る必要があると強調しています。

アメリカにおける著作権のフェアユース

著作権で保護された作品を、著作権者の許諾を得ずに利用しても、著作権法に違反しないとする例外規定です。著作権法の目的である著作物の創造と流通を促進するために、著作権者の排他的な権利を制限するものです。

これは、次の4つの要素を考慮して判断されます。

1. 使用の目的および性質
   著作物がどのように利用されているか
2. 著作物の性質
   著作物の種類や性質
3. 使用された部分の量および実質性
   著作物から使用された部分の量と重要性
4. 著作物の潜在的市場または価値に対する使用の影響
   著作物が持つ潜在的な市場や価値にどの程度影響するか

Term

AI先進国　人工知能技術の発展が進んでいる国のこと。これらの国は、AIの研究開発や応用においてリーダーシップを発揮し、経済や社会の様々な分野でAIを活用している。AIの普及や人材育成に力を入れ、国際競争力を高めるために積極的な政策を展開している。

AIと著作権の基本的な考え方

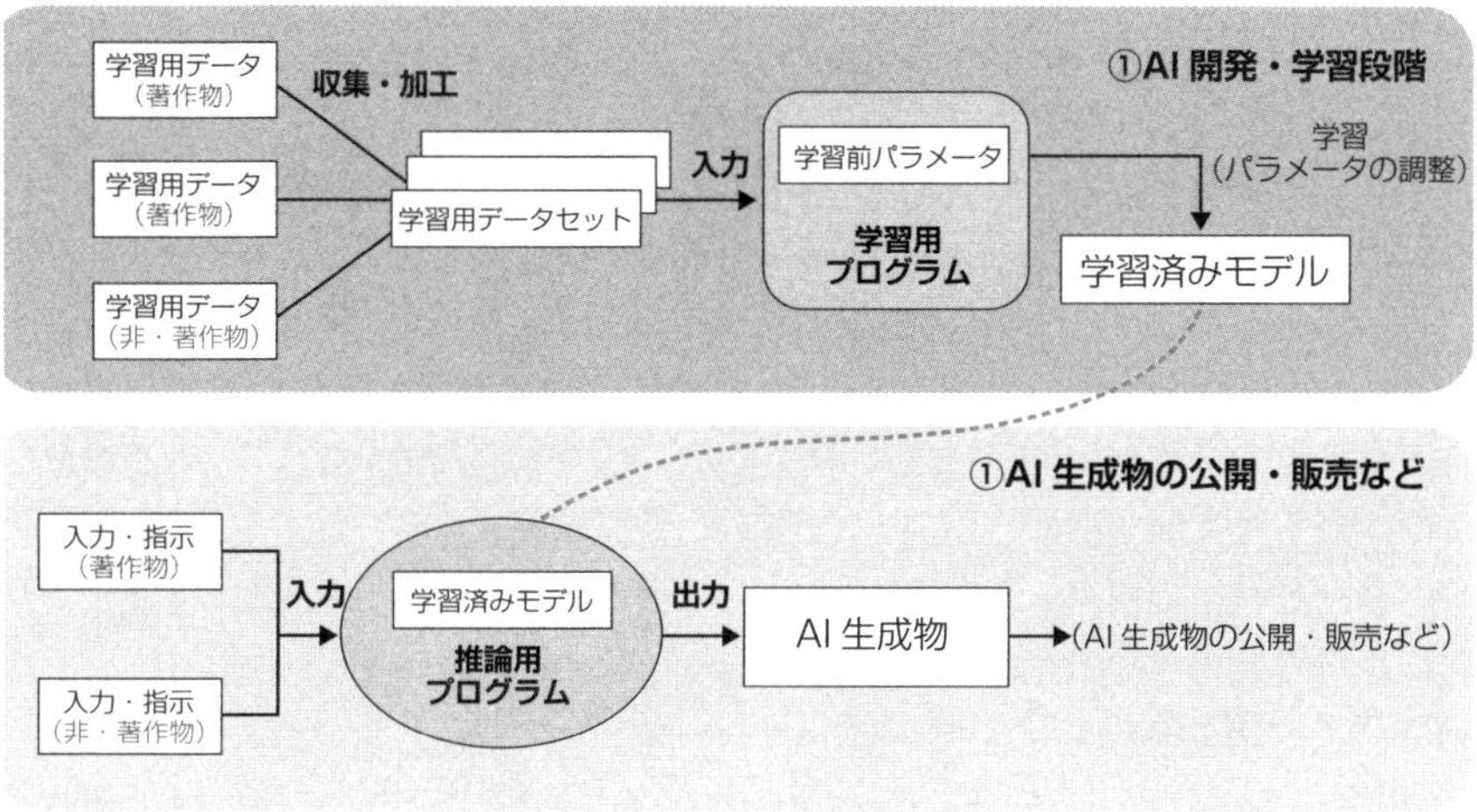

著作権法第３０条の４（著作物に表現された思想又は感情の享受を目的としない利用）

著作物は、次に掲げる場合その他の当該著作物に表現された思想又は感情を自ら享受し又は他人に享受させることを目的としない場合には、その必要と認められる限度において、いずれの方法によるかを問わず、利用することができる。ただし、当該著作物の種類及び用途並びに当該利用の態様に照らし著作権者の利益を不当に害することとなる場合は、この限りでない。

一　著作物の録音、録画その他の利用に係る技術の開発又は実用化のための試験の用に供する場合

二　情報解析（多数の著作物その他の大量の情報から、当該情報を構成する言語、音、影像その他の要素に係る情報を抽出し、比較、分類その他の解析を行うことをいう。第四十七条の五第一項第二号において同じ。）の用に供する場合

三　前二号に掲げる場合のほか、著作物の表現についての人の知覚による認識を伴うことなく当該著作物を電子計算機による情報処理の過程における利用その他の利用（プログラムの著作物にあつては、当該著作物の電子計算機における実行を除く。）に供する場合

出所：「令和５年度 著作権セミナー　ＡＩと著作権　文化庁著作権課スライド資料」をもとに作成

Term

学習済みモデル　機械学習アルゴリズムによってトレーニングされたモデルであり、データを入力として受け取り、予測や分類などのタスクを実行する能力を持つ。

AI産業の把握に重要な統計とデータソース

Column

様々なコンサルティング会社が世界各国にありますが、AIに関しては次の情報元が役に立つのではないでしょうか。

MarketsandMarkets

市場調査とコンサルティングの会社で、主に市場規模、成長率、主要プレイヤー、および市場トレンドに関するデータを提供しています。技術市場、特にAI、IoT、およびその他の新興技術の市場動向と予測のデータを得意としています。

Statista

170の産業と150の国と地域からの8万件以上のトピックに関するマーケットおよび消費者データを提供し、英語、ドイツ語、フランス語、スペイン語の4つのプラットフォームでインサイトを提供しています。広範なデータと統計を提供し、多くの異なる業界とトピックをカバーしています。様々な業界の市場規模、消費者の傾向、およびAIの採用に関する統計情報を多く保持しています。

IBM

IBMはAIと関連技術の開発者であり、独自の研究と分析を通じて業界の動向を提供しています。AI技術の進歩、ユースケース、および企業のAI採用に関するトレンドなどの情報を保持し、コンサルティングなども行っています。

McKinsey & Company

経営コンサルティング会社で1926年に設立された長い歴史を持ちます。戦略的な洞察と産業分析を提供しています。AIの経済的影響、企業のデジタル変革、および戦略的な技術の採用情報に焦点を当てています。

Stanford Human-Centered AI Institute (HAI)

スタンフォード大学は、AI の未来を導き構築することを目的として、2019 年に人間中心 AI 研究所を設立しました。それがStanford HAIです。AIの人間中心のアプローチに焦点を当て、技術、政策、および社会的影響に関する独自の研究を提供しています。AIの技術的な実績、倫理的進歩、およびAIの社会経済的影響の情報を多く保持しています。

第2章

主なAI技術とその応用

私たちの日常生活、仕事、エンターテインメント──これらの多くの面で AI 技術が役立っています。自動運転車から健康診断まで、AI は様々な分野での効率向上や新しい可能性を持っています。この背後には、データから知識を学習する機械学習や、人間の脳のように情報処理をするニューラルネットワーク、言葉の意味を理解する自然言語処理など、様々な技術が存在しています。

本章の前半では、急速に進化している AI 技術の中心的なものに焦点を当て、それぞれの特性や応用例を紹介します。後半では、AI 技術の先端やそれにまつわる諸問題、そして人間との関わりについても触れていきます。

Section

2-1 機械学習

機械学習は急速に進化し、様々な産業や分野での適用が拡大しています。機械学習の浸透により、日常生活やビジネスの多くの側面が変わってきました。

機械学習の概念とその位置付け

機械学習とは、AIの一部として、コンピュータにデータを学習させ、そのデータを基に予測や分類を行わせる技術のことを指します。この技術は、人間が日常で行うパターン認識や経験則のような知的活動をコンピュータに再現させるためのものです。機械学習は、AIの中の一部分として位置づけられ、多岐にわたる分野での活用が進められています。

機械学習の主要な手法

機械学習の手法は大きく3つに分類されます。**教師あり学習**、**教師なし学習**、**強化学習**です。教師あり学習は、コンピュータにデータと正解を与え、それを元に学習させる方法です。画像認識やスパム対策などで活用されます。教師なし学習は、データのみを与え、コンピュータがそのデータの中から特徴やパターンを見つけ出す方法です。強化学習は、試行錯誤を繰り返しながら、最適な策略を学習させる方法です。囲碁プログラムのAlphaGoなどに用いられています。

機械学習の応用と未来

機械学習の応用例としては、画像認識、自然言語処理、音声認識、金融、医療、製造業など、幅広い分野での利用が見られます。また、機械学習のアルゴリズムには、**サポートベクターマシン**や**決定木・ランダムフォレスト**、**ニアレストネイバー法***などがあり、それぞれが特徴や利点を持ちます。今後、技術の進化と共に、さらに多くのアルゴリズムや応用例が登場することが期待されており、機械学習がもたらす未来の可能性は計り知れません。

Term

ニアレストネイバー法　Nearest Neighbor algorithm。画像の拡大縮小や変形に使用される補間方式の1つ。変更前と変更後で、最も近い座標の画素の値を採用する。

機械学習の手法

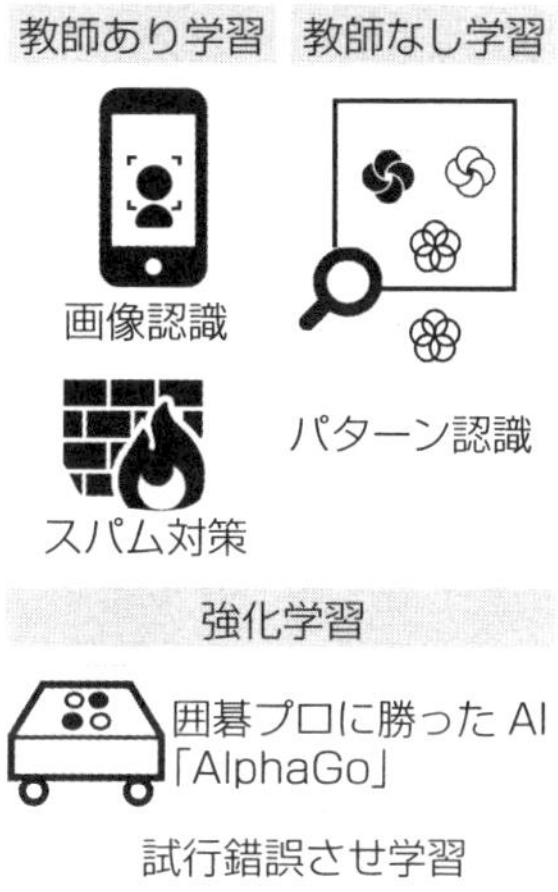

機械学習の概念図

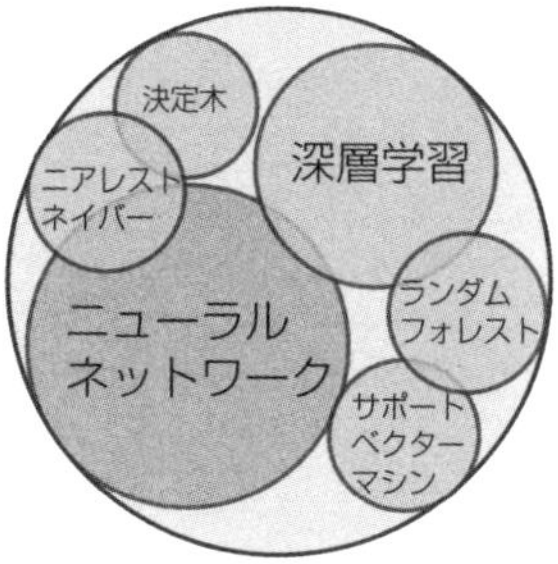

機械学習の応用領域

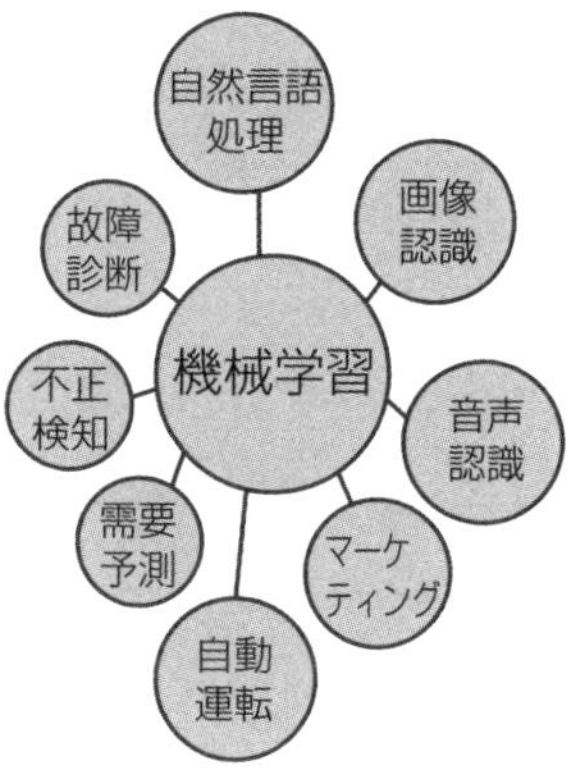

アルゴリズムの概念

サポートベクターマシン

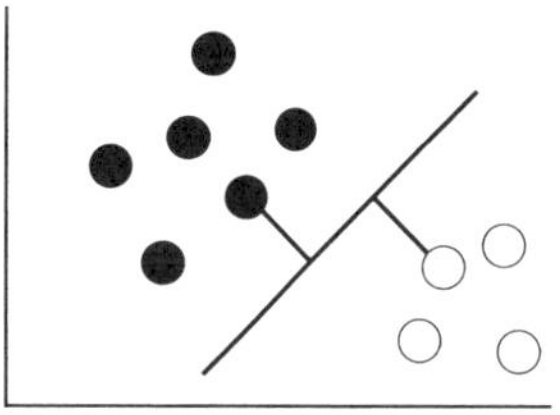

2 クラスのパターンの距離のマージンを最大にすることで選別するアルゴリズム

決定木

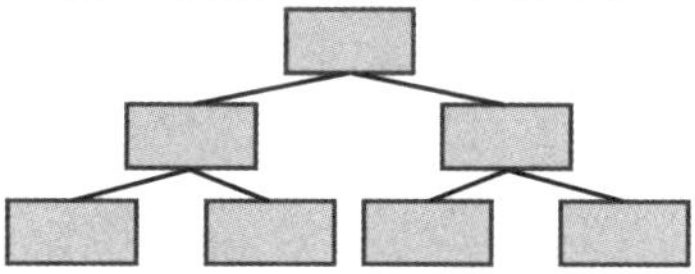

ランダムフォレスト

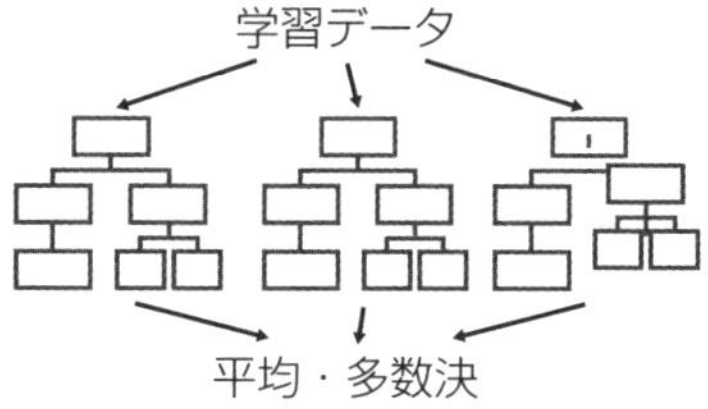

Column

機械学習の問題点　機械学習には、データの偏りや不足による予測の誤りや、人間のバイアスの反映、ブラックボックス化による解釈の困難さなどの問題点がある。これらの課題に対処するためには、適切なデータセットの準備やモデルの改善、透明性の向上が必要となる。

Section
2-2 ディープラーニング

ディープラーニングの原理から応用まで、多層のニューラルネットワークの機能や学習の最適化方法、さらには利用の実態とその展望について詳しく解説します。

■ディープラーニングの基礎とモデル

ディープラーニングは深層学習ともいわれ、コンピュータが様々な問題を解決するための特別な技術の1つです。これを実現するために、複数の層からなるニューラルネットワークというシステムを使います。ニューラルネットワークは、与えられた情報をもとに、最も良い答えを出すように自らを調整します。

活性化関数*や**損失関数***を用いて、正しい答えにどれだけ近づいているかを確かめたり、間違いを少なくしたりするための方法が使われます。ディープラーニングは、画像認識や自然言語処理だけでなく、音声認識や医療診断など、様々な分野で応用されています。

■モデルとアーキテクチャ

ディープラーニングのモデルは多層のニューラルネットワークです。入力層、出力層、中間層から構成されます。中間層の数や種類によって、アーキテクチャが決まります。畳み込みニューラルネットワーク（CNN）は画像認識に、**再帰型ニューラルネットワーク**（**RNN**）や**トランスフォーマーアーキテクチャ**は自然言語処理に適用されます。

CNNはグリッド状のデータに対して、畳み込み層とプーリング層から成ります。RNNは時系列データに適用され、LSTM*やGRUなどのバリエーションも存在します。トランスフォーマーアーキテクチャは自然言語処理で注目されており、BERTやGPTなどのモデルが存在します。

Term

活性化関数　機械学習のモデルの出力層で使用される関数。
損失関数　機械学習モデルが算出した予測値と実際の正解値のズレを計算するための関数。

■トレーニングと最適化

ディープラーニングの学習には大量のデータと高性能なハードウェアが必要です。最適化アルゴリズムの選択は重要です。**SGD**、**Momentum**、**Adam**などがあり、モデルやデータによって選択されます。モデルが訓練データの特定のパターンやノイズまで学習してしまい、新しいデータに対しての予測性能が低下してしまう過学習を防ぐためには、**ドロップアウト**や**早期停止**、**正則化手法**が有効です。

■実応用と展望

ディープラーニングは画像認識、自然言語処理、音声認識など多くの分野で応用されています。一方で、課題も存在します。主なものとしては、データと計算のコスト、ブラックボックス性、倫理的な問題などが挙げられます。解決策として、軽量化や可視化、説明可能性の向上、倫理的問題への取り組みが行われています。ディープラーニングは人間の知能や創造性を模倣した、発展途上の技術であり、倫理的・社会的側面を考慮して利用する必要があります。

ディープラーニングの仕組み

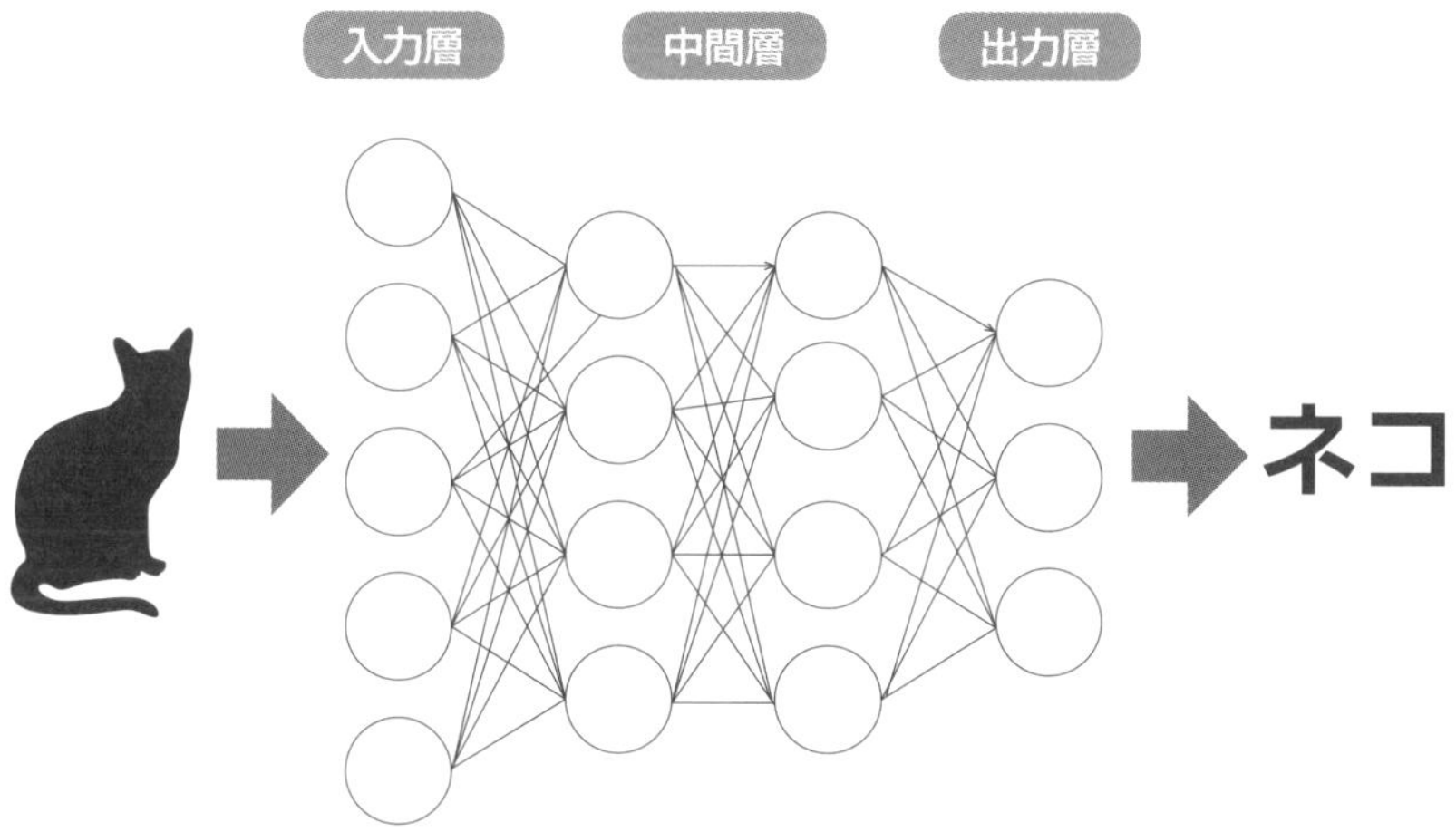

LSTM　RNNの一種で、時系列データの学習や予測に強い。GRUはLSTMの簡略化モデルで、LSTMよりも学習パラメータが少ない。

Section

2-3 自然言語処理

自然言語処理（NLP）は現代のテクノロジーの中核を成す技術です。日常的な検索からビジネスの分析、さらには機械翻訳や最先端の研究まで、その影響は計り知れないものがあります。

自然言語処理（NLP）

自然言語処理（NLP）は、人間の言語をコンピュータが解釈・理解するための技術として知られ、その多様性と複雑さから解釈は容易ではありません。日常的には、検索エンジンやSiri、グーグルなどの音声アシスタント、オンライン翻訳などで使用されています。また、ビジネスの場面では、顧客の感想の情感分析や文書の自動要約、機械翻訳などの実用例があります。

テキスト処理の段階では、**トークン化**や*****ストップワード**の除去、**形態素解析***、**正規化**などの基本技術が駆使されています。これらは文書を数値のベクトルに変換するための重要な前処理となっています。

深層学習とNLP

再帰型ニューラルネットワーク（RNN）、LSTM、およびGRUは、シーケンスのテキストデータを効果的に処理するニューラルネットワークの構造です。特に文脈を捉えるのに優れています。一方、トランスフォーマーアーキテクチャでは**Attentionメカニズム**が中心となっています。代表的なGPTやBEATのようなモデルは、多くの自然言語処理タスクで驚異的な成果を出しています。

機械翻訳

機械翻訳は、文書や文を1つの言語から別の言語に変換する技術で、**統計的機械翻訳**と**ニューラル機械翻訳**の2つの主要なアプローチがあります。統計的機械翻訳は、大量の2言語テキストデータを基に翻訳ルールを学習する手

Term.
トークン化　文章や文書を単語やフレーズに分割する処理のこと。AIにおいては、自然言語処理の一部として使用され、テキストデータを処理しやすくするために行われる。

法で、初期の機械翻訳技術として人気を集めていました。ニューラル機械翻訳はディープラーニングを利用し、文脈を考慮して高品質な翻訳を実現しています。

バイアスと倫理

NLPモデルには、バイアスと倫理の観点から課題と責任があるともいわれ、注目が集まっています。例えば、トレーニングデータの偏見がモデルに取り込まれると、その結果として特定のグループや個人に不利益をもたらす可能性が生まれます。そのため、AIモデルを社会的な文脈で適切に適用するためには、**透明性**、**公平性**、および**説明可能性**の3つのキー要素が重要となってきます。これらは、技術的な進化だけでなく、倫理的な側面からの配慮が求められる領域です。

最新の研究と将来の展望

NLPの領域は急速に進化しており、研究は絶えず進行中です。GPT-4、**Bing**、**Gemini**、**Llama2**など、人間らしいコミュニケーション能力を持つAIモデルの開発が日々進められています。

自然言語処理の応用例

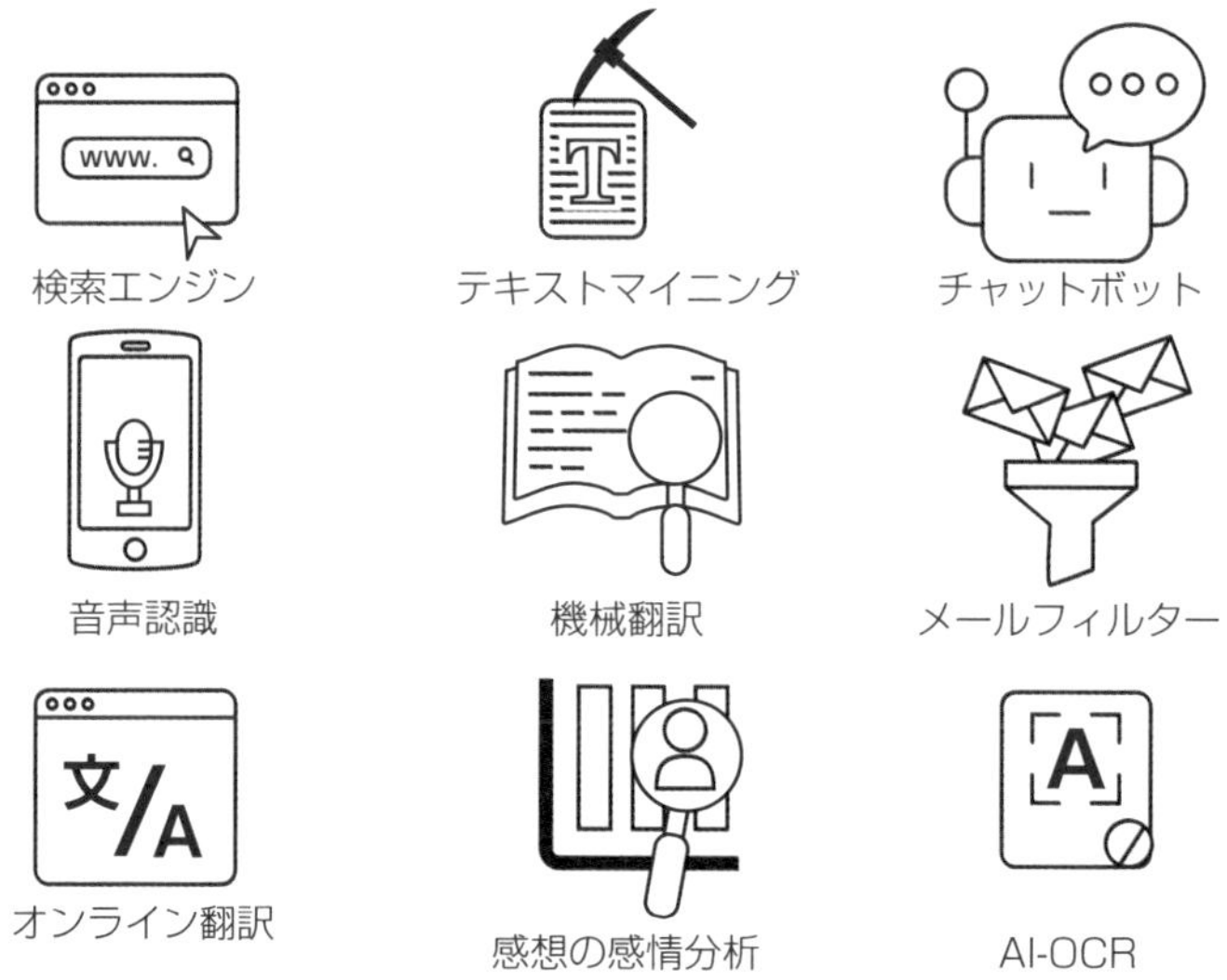

形態素解析　テキストを言語の基本単位である「形態素」に分割し、それらの形態素の性質や関係を解析するプロセス。形態素は言語の最小の意味を持つ単位であり、単語や接辞（接頭辞や接尾辞など）を含むことがある。

Section
2-4 ロボット工学

20世紀初頭から注目を浴び続けてきたロボット工学。その進化は止まることなく続いています。近年のAI技術の進化、生物との組み合わせ、さらには社会や倫理への影響について考察します。

■ロボット工学の歴史と進化

ロボット工学は、機械やコンピュータシステムを組み合わせて人の動きや動作を模倣する技術です。20世紀初頭から、自動車産業の組立ラインや半導体製造などの領域で注目されてきました。しかし、近年のAI技術の進化に伴い、ロボットは単なる機械的な作業者から、独自の思考を持つエージェント*へと変貌を遂げつつあります。

現代のロボットは、プログラミングされた指示に従うだけでなく、環境を感知し、学習し、状況に応じて自ら判断を下す能力を持ち始めています。これにより、多分野での活躍が期待されています。

近年では、機械と生物学的特性を組み合わせて、生物の動きや感知能力を模倣したロボットである**バイオハイブリッドロボット**などの開発も進んでいます。ハーバード大学はエイの形をしたロボットを作成し、ラットの心筋細胞や金の骨格を使用して動かしています。東京大学は自己修復能力を持つ**培養皮膚**で覆われた、人の指のようなロボットを開発しています。義肢や再生医療などの分野での応用が期待され、ロボット工学に革命をもたらす可能性がある研究分野です。

■ロボットの倫理と社会的影響

一方で、ロボット技術の進化に伴い、その社会的影響や倫理的な問題も浮上してきました。例えばジョブロスの問題、プライバシーの侵害、そして「ロボットが感情や意識を持つことは可能か?」という哲学的な問いなどが挙げられます。このように、ロボット工学の領域は多岐にわたる課題を持っています。

Term **エージェント**　一般的には他人や組織を代表して行動する人や組織を指す言葉であるが、AIに関連した意味では、人工知能が特定のタスクを自律的に実行するプログラムやシステムを指す。

ロボット工学の歴史

1920年	カレル・チャペックが「ロボット」という言葉を始めて使う
1962年	世界初の産業用ロボット「UNIMATE」が誕生 
1969年	ユニメーション社から技術提供を受け、日本初の国産産業用ロボット「川崎ユニメート2000型」が誕生
1973年	世界初の人型ロボット「WABOT-1」が誕生
1981年	世界初の宇宙ロボット「CANADARM」が打ち上げられる
1999年	SONYが愛玩用のペットボトル「AIBO」を発売
2000年	HONDAが二足歩行ロボット「ASIMO」を発表
2002年	家庭用お掃除ロボット「ルンバ」発売 
2005年	家庭用ロボット「ロボハイター」愛・地球博で展示
2008年	世界初のパワードスーツ「HAL」製品化
2011年	災害対策ロボット「Quince」福島第一原発に投入
2021年	宙返りなど運動能力が飛躍的に向上したロボット「Atras」を発表
2022年	バイオハイブリッドロボットの研究が活発になる

Column

ジョブロスの問題　AIが人間の仕事を奪うことによって生じる社会的な問題を指す。AIの進歩により、一部の職業が自動化され、雇用機会が減少する可能性がある。この問題に対処するためには、教育や再訓練の機会の提供、新たな雇用の創出などが必要とされる。

Section
2-5 ビッグデータ

ビッグデータ*とAI技術との結びつきが深まり、新しいサービスや製品が次々と提供されています。しかし、その活用にはデータの安全性やコストの課題も伴う重要な時代となっています。

ビッグデータ時代の背景

AI技術の品質が向上し、ビッグデータは多くの価値を生み出すことができるようになりました。ビッグデータとは巨大なデータ量や多様なデータを指し、**3V**（ボリューム、速度、バラエティ）がその特徴です。Volume（量）はビッグデータの規模や蓄積量を指し、WEBサイトやSNS*で生成されるテキストや画像などのデータは膨大な情報量になります。Velocity（速度）はビッグデータの生成や処理のスピードを指し、センサーやIoTデバイスでリアルタイムに収集されるデータは高い速度で更新されます。Variety（多様性）はビッグデータの種類や形式の多様さを指します。例えば、数値やテキストだけでなく、音声や動画などの非構造化データもビッグデータに含まれます。

SNSやIoTの普及により生成される大量のデータを解析することで、革新的なサービスや製品を提供することが可能になっていきました。

ビッグデータの収集と利活用

ビッグデータの収集は、IoT（センサーやGPS）からの大量データを収集することで行われています。このデータは、交通情報の予測や商品のカスタマイズなど、多岐にわたる分野で利用されています。AIのデータ解析により、有用な情報の抽出が可能です。

ビッグデータの解析には、統計学や確率論、データ前処理、機械学習や深層学習を用います。AIはビッグデータを利用して学習し、性能を向上させます。画像認識や音声認識

ビッグデータ　膨大な量の情報を指し、従来のデータ処理ツールでは扱えないほど大きく複雑なデータセットを意味する。ビッグデータはAIの開発や機械学習において重要な役割を果たし、パターンや傾向を分析し、予測や意思決定に活用される。

はＡＩのデータ解析の実例です。また、企業は市場の動向をつかんだり、顧客のニーズを理解したりすることができます。ただし、ビッグデータの利用にはデータのプライバシーやセキュリティの問題も生じるため、適切な対策が必要です。

■ビッグデータとＡＩの相互関係

ビッグデータとＡＩは互いの発展と進化を促進しています。ビッグデータはＡＩの学習や予測能力を強化し、データの解析を効率化します。この相互の関係はテクノロジーの発展にとって非常に重要です。

ビッグデータの利活用はビジネスの意思決定や戦略立案を効率化し、市場トレンドの把握や新たなビジネスモデルの構築に役立ちます。しかし、データのプライバシーやセキュリティの課題、技術的な要件、コストやリスク管理の必要性など、多くの課題も伴います。利活用にあたっては、これらの解決策についても同時に考えていくことが大切です。

AI とビッグデータの相互関係

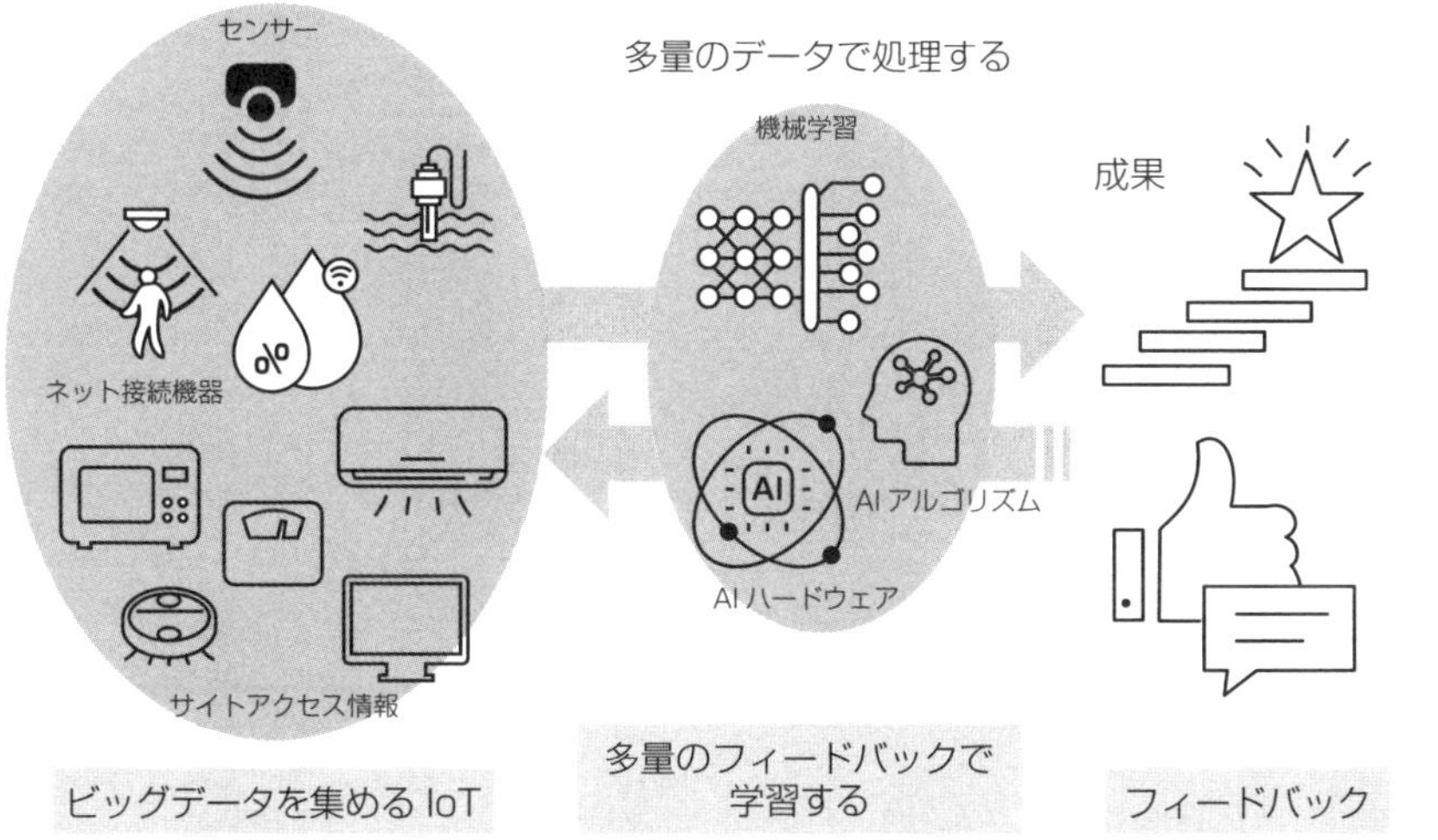

Term
SNS　インターネット上で人々がつながり、情報やコンテンツを共有するプラットフォームのこと。一般的には、ユーザーがプロフィールを作成し、友達やフォロワーとつながり、投稿やメッセージを交換することができる。

Section
2-6 ニューラルネットワーク

ニューラルネットワークは機械学習の核心技術です。人の脳の動きを模倣してデータを解析します。多層のネットワーク構造が導入され、音声や画像認識などの高度なタスクが可能となりました。

ニューラルネットワーク

機械学習の一部で、ディープラーニングの核となる技術です。人の脳の神経細胞の動きを模倣するため「ニューラル」という名前がついています。複数の層からなる**ノード**（または**ニューロン**）で構築されており、入力層から中間層を経由して出力層へとデータが伝わる仕組みになっています。各ノードは**重み**という値を持っており、これによって出力に影響を与えます。ニューラルネットワークは訓練データを学習することで、その精度を高めることができます。

ノードの動作は線形回帰モデルに似ており、重みやバイアスを持つ入力データを基に出力が決まります。これを繰り返すことで、データは次の層へと渡されるのです。そして、このモデルは教師あり学習を通じて訓練され、特定のコスト関数を最小化するように重みが調整されます。最終的には、音声や画像の認識などのタスクを高速で行うことが可能になります。実用例としてはグーグルの検索アルゴリズムなどがあります。

ディープラーニングとニューラルネットワークの違い

ニューラルネットワークの、入力と出力を含めた3層以上のネットワークを持つものを「ディープラーニング」と呼びます。つまり、「ディープ」とはネットワーク層の深さを指します。多くのディープラーニングネットワークは**フィードフォワード型***で、入力から出力へ一方向にしか流れません。しかし、**バックプロパゲーション***という手法で、出力から入力へ逆方向にモデルを訓練することもできます。この方法で、各ニューロンに関連する誤差を計算し、アル

Term

フィードフォワード型　AIの学習方法の1つで、入力データを順方向に処理し、出力を予測するモデルのこと。過去のデータを基に未知のデータを予測するため、予測精度が高く、画像認識や音声認識などのタスクに使用される。

ゴリズムを適切に調整することができます。

■タイプ

ニューラルネットワークには多様なタイプが存在します。代表的なものは次のとおりです。

●**パーセプトロン**

1958年にFrank Rosenblatt氏によって考案された最古のタイプです。

●**フィードフォワード・ニューラル・ネットワーク／多層パーセプトロン（MLP）**

入力層、中間層、出力層から成り立ちます。シグモイド・ニューロンで構成され、非線形の問題を解決するのに適しています。コンピューター・ビジョンや自然言語処理の基盤です。

●**畳み込みニューラルネットワーク（CNN）**

画像やパターン認識のタスクでよく用いられます。行列の乗算を利用して画像のパターンを識別します。

●**再帰型ニューラルネットワーク（RNN）**

フィードバック・ループを持ち、時系列データを使った未来の予測（例：株価の予測）に適しています。

ニューラルネットワークとディープラーニング

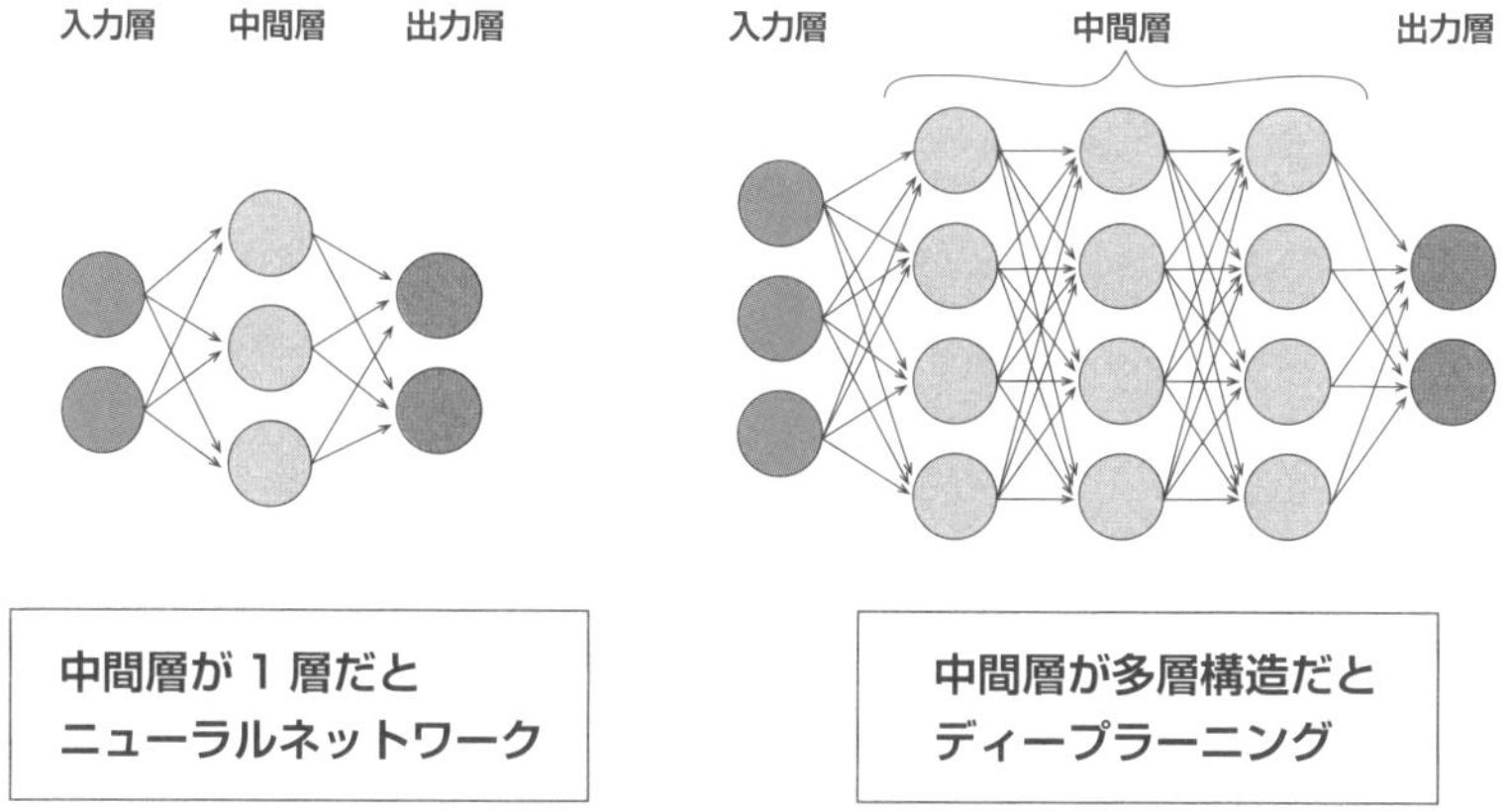

Term **バックプロパゲーション**　ニューラルネットワークの学習アルゴリズムの1つで、出力と正解の誤差を逆伝播させながら、重みやバイアスを調整してモデルを最適化する手法のこと。

Section

2-7 強化学習

強化学習は、報酬や罰の概念でAIの行動を最適化します。人間や動物の学習メカニズムに似ています。自律的エージェントの開発、そしてロボット技術の進化に広く応用されています。

強化学習とは

強化学習は、人間や動物の学習に近いメカニズムを取り入れた学習手法です。強化学習の目的は、行動に対して報酬や罰を受け取り、その結果をフィードバックとして利用して自らの**行動方針**（**ポリシー**）を改善することです。強化学習はAIの一形態として注目されており、様々な分野で活用されています。また、ディープラーニングや機械学習とも密接な関係があります。

強化学習とAI

強化学習はAIの学習手法の1つです。行動と環境との相互作用を通じて学習を進める手法であり、その特徴として自律性が求められます。AIはディープラーニングや機械学習などとも関連していますが、強化学習はその一環として位置付けられます。強化学習をAIに応用することで、人間の学習や行動を模倣する自律的なエージェントを作り出すことが可能です。例えば、ゲームのAIを強化学習によって強くする、自動運転車の制御を学習させるなど、様々な場面で強化学習とAIは連携して活用されています。

強化学習と自律的エージェント

自律的エージェントは、環境と相互作用する能力を持ったシステムです。強化学習では、この自律的エージェントが重要な役割を果たします。自律的エージェントは、行動選択のための方策（ポリシー）を持ち、その方策に基づいて行動を選択します。そして、報酬や罰を受け取ります。この報酬や罰は、エージェントの行動の評価基準となります。

強化学習では、報酬を最大化するためにエージェントが

自律ロボットの問題点　AIは人間のような判断力や倫理観を持っていないため、危険な行動を取る可能性があることが問題点になる。AIは予測不能な状況に対応できず、人間の指示に頼らざるを得ないこともある。さらに、プログラムのミスやハッキングによって悪用されるリスクもある。

自らの方策を改善していくプロセスが繰り返されます。エージェントは、環境との相互作用によって獲得した経験を持ち、それを基に価値の推定や方策の更新を行います。

自律的エージェントの重要性は、自律的に行動する能力によって新たな状況に適応できることにあります。また、複雑な環境においても適切な行動を選択する能力を持ち、学習と経験を通じてますます高度な行動が可能になります。強化学習によって自律的エージェントが育成されることで、様々な分野での問題解決や最適化が可能となり、AIの応用範囲をさらに広げることが期待されています。

強化学習とロボットへの応用

強化学習は、ロボットの行動の改善に役立つ数々の手法やアルゴリズムを提供します。例えば、自律走行車の自動運転技術の開発において、強化学習を用いた環境認識や制御法の開発が行われています。人間の動きと類似するロボットの開発においても、強化学習が活用されています。例えば、**バイポダルロボット***などの歩行ロボットにおいて、安定した歩行が実現できるようになりました。

強化学習のイメージ

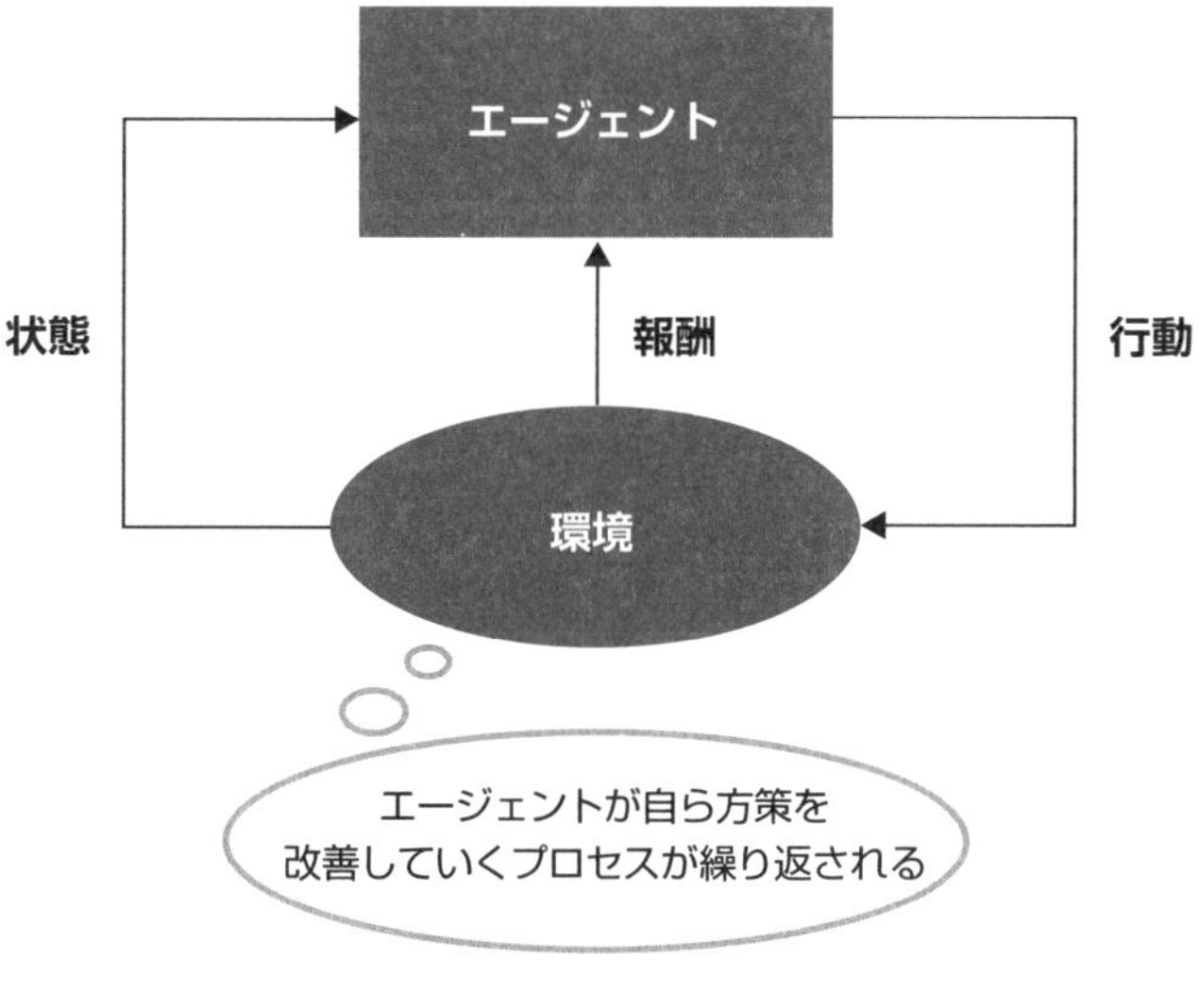

バイポダルロボット　2本の脚を持つロボットで、人間のように歩行することができる。バランスを保ちながら移動し、様々な環境で使用される。

Section

2-8 画像認識

画像認識は、画像の内容や特徴を正確に判別する能力を持ち、多岐にわたる分野での応用が進められています。セキュリティから自動運転、医療診断に至るまで、幅広い分野へ可能性を提供しています。

■画像認識の概要

画像認識とは、画像処理やニューラルネットワークなどの技術を活用して、画像の内容や特徴を判別することです。基本的な仕組みとしては、画像データを入力として受け取り、それを解析し、特定のオブジェクトやパターンを識別します。ディープラーニングなどの機械学習アルゴリズムを用いることで、高度な画像認識が可能です。また、画像処理技術や**ノイズキャンセリング技術**＊を組み合わせることで、画像の品質を向上させることもできます。

■顔認証の応用例

顔認証技術は、その高い認識精度と迅速な処理速度から、セキュリティシステムやスマートフォンのロック解除など、様々な応用例で活用されています。従来のパスワードやカードキーに替わって、顔の特徴を認識して正当性を判断するため、不正な侵入を防ぐことができます。スマートフォンのロック解除では、顔認証によりユーザーの顔を認識し、本人であることを確認してアンロックすることができます。個人の身元確認や出席管理にも利用されており、様々な場面でその応用範囲を広げています。

■自動運転における画像認識の役割と応用例

自動運転における画像認識は非常に重要な役割を果たしています。自動車が周囲の環境を認識し、適切な判断や行動をするために必要不可欠です。道路標識や信号の認識、車両や歩行者の検知、車線の認識など、様々な情報を画像

ノイズキャンセリング技術　音声や音楽の再生中に周囲の騒音を減らすための技術。マイクロフォンが周囲のノイズを検知し、それを逆位相で生成して再生音から相殺することで、よりクリアな音楽や通話を楽しむことができる。

認識によって処理することで、自動運転車は安全かつ効果的な運転を行うことができます。

実際に自動運転技術を搭載した車両が道路上で試験走行を行っています。カメラやLiDAR＊などのセンサーを装備し、周囲の状況を高精度で認識することで、自動運転車が自動で運転を行います。自動で駐車を行う駐車支援機能や、高速道路での自動運転機能などもあり、運転の安全性と利便性を向上させる役割を果たしています。今後はより高い精度やリアルタイム性を持つ画像認識技術の開発が求められています。

医療診断における画像認識の活用

医療診断における画像認識は、現代の医療技術の進歩において欠かせない存在です。画像認識技術を用いることで、医師はより正確な診断を行うことができます。例えば、機械学習やニューラルネットワークといった技術を用いて、CTスキャンやMRIなどの医療画像データを解析して、異常部位の検出や病名の推定を行います。ノイズキャンセリングや解像度の向上を行うこともあります。

画像認識のイメージ

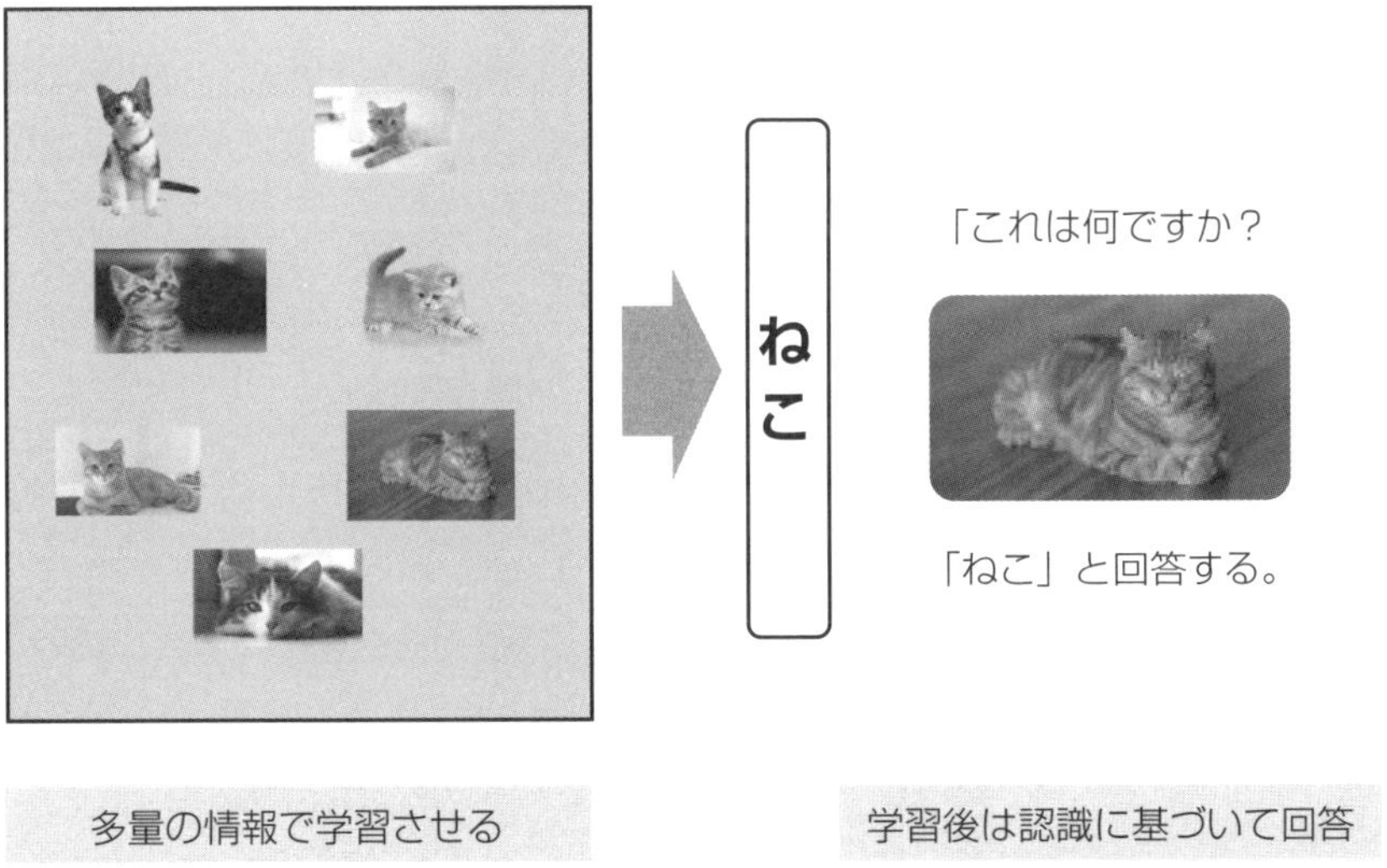
ねこ
「これは何ですか？
「ねこ」と回答する。
多量の情報で学習させる
学習後は認識に基づいて回答

Term
LiDAR　光を利用して物体や地形の距離や形状を測定するリモートセンシング技術。光源（通常はレーザー）から発せられた光のパルスを物体に向けて放射し、反射された光のパルスを検出器で受け取り、その時間差から物体までの距離を計算する。

Section

2-9 音声認識

音声認識技術は、人の声をテキスト化*する技術です。スマートデバイスからロボットまで幅広く活用され、コミュニケーションやビジネスの形を大きく変える可能性を秘めています。

■音声認識

音声認識技術とは、音声をテキスト化する技術であり、人の声や言葉をコンピュータが理解できる形式に変換します。音声信号を音素や単語などの単位に分割する**音響モデル**、分割された単位を文法や意味に基づいて解釈する**言語モデル**から成り立ちます。特にディープラーニングと呼ばれる機械学習の手法が、音声認識の精度向上に大きく貢献しています。

音声認識は様々な分野で活用されています。スマートフォンやスマートスピーカーの音声アシスタント、自動車や家電の音声操作、電話やビデオ会議の音声字幕、音声翻訳などがあります。ロボットに搭載することで、人とのコミュニケーションが可能になり、人との協働作業が実現できます。また、文字起こし作業が自動化されることで、効率的な業務が可能になります。しかし、ノイズやアクセントの影響を受けやすいといった課題もあり、完全な精度を持っているわけではありません。

■音声認識技術

テレビや車、スマートフォンなどのデバイスでも音声を認識し、コマンドを投入し動作させることが可能となります。ユーザーは言葉を使ってデバイスを操作でき、より直感的かつ効率的にタスクを実行できるようになります。音声認識技術と自然言語処理技術の連携によって実現しています。

■音声クローニング技術

最新の技術として、注目を浴びているのが**音声クローニング**です。あなたの声をデジタル化し、それを基に別の言語で話すように再現する技術です。従来のテキスト読み上

テキスト化　音声や画像などの非構造化データをテキスト形式に変換することを指す。これにより、AIはテキストデータを解析し、情報を抽出したり、自然言語処理を行ったりすることができる。

げとは一線を画し、まるで自分が複数の言語を話せるかのような感覚を得られるようになるといわれています。

ブランドと音声技術の新しい関係

企業やブランドが、音声技術を独自のアイデンティティ強化のツールとして利用し始めています。特定のブランド専用の音声アシスタントや、ブランドカラーを持った音声応答システムなど、新たなブランド力を提供する取り組みが進行中です。

また、新しいビジネスも生まれています。例えば、**オーディオブック**の市場では、声優の代わりに多様な音声クローニングが利用される可能性があり、**音声広告**や**音声コマース**＊も新しい収益モデルとして注目されてきています。

音声技術と社会

音声技術は、言語や文化の壁を超えてコミュニケーションを円滑にします。また、障害を持つ人々にとっても、新たな情報アクセス手段として利用されるでしょう。デジタルデバイドの解消や、情報アクセスの平等化を促進する役割も果たします。

音声認識・音声生成 AI のイメージ

音声により、様々なデバイスを操作する音声認識技術は、音声認識AI＋言語AIの連携によって実現しています。

発声した言葉の声色はそのままに、リアルタイムに多言語へ翻訳する技術や、発声した言葉を他人の声色・イントネーションへ変換する技術が開発されています。

Term **音声コマース**　音声技術を活用して商品やサービスの購入や注文を行うことを指す。音声アシスタントやスマートスピーカーを通じて、声で商品を検索し、購入手続きを完了させることができる。

Section
2-10 AIハードウェア機器の製造業

AIハードウェア*製造業は、AIと共に急成長しています。最新のトレンドとしては、高速化や省エネルギーも要求されています。GPUや量子コンピュータといった技術が注目され、量子コンピュータ技術では日本は開発と研究の最前線に立ち、イノベーションの波を牽引しています。

■AIハードウェア製造業の概要

AIハードウェア製造業は、AIの進化と普及を背景に、急速に成長している産業です。AIを活用するための専用のプロセッサやチップを製造し、市場規模も年々拡大しています。そのため、この産業の重要性は日増しに高まっています。

現在のAIハードウェアは、プロセッサの高速化や省エネルギー技術の進展により、より効率的な製品が求められています。GPUは多数のコア（1つの処理を行う単位）を持ち、特に**グラフィック演算処理**に特化しているため、**FPU**（浮動小数点*演算処理ユニット）が実装されています。例えば、2023年時点で、CPUが8個のコア（8つの計算が同時に可能）を持つのに対し、同世代のGPUは6144個のコアを持ちます。機械学習での浮動小数点数の要求とGPUの同時計算能力の仕様が一致し、GPUの使用が増えています。また、AIハードウェア産業では、GPU以外では、**特定用途チップ**（**ASIC**）、**ニューラルプロセッシングユニット**（**NPU**）、**書き換え可能論理チップ**（**FPGA**）、量子コンピュータなどの開発にも力を入れています。

■市場ニーズの変遷

AIの進歩と普及に伴い、多くの企業や研究者が高性能なAIハードウェアを求めるようになりました。また、市場では性能向上とコスト削減のニーズが強まってます。例えば、GPUの浮動小数点の精度を上げると消費電力も増加します。最近の研究では、低い精度でも十分な性能が得

Term **AIハードウェア**　人工知能の処理や学習を支援するために設計された専用のハードウェア。これには、グラフィックスカードやASIC（特定用途のチップ）などが含まれる。高速な演算能力や並列処理能力を持ち、AIタスクの効率的な実行を可能とする。

られることがわかっており、新しいGPUチップは半分の精度の浮動小数点演算を採用し、コア数を増やしつつ消費電力を抑える方向で開発されています。このように、メーカーは最新AIニーズに応えるための技術革新や市場調査に取り組んでいます。

■将来の展望

量子コンピュータの開発において、日本の企業や研究機関は国際的な競争力を強化するために積極的な取り組みを行っています。特に、新材料や創薬研究の応用が期待される量子コンピュータ技術において、日本は半導体技術を活用した新しい開発方法を推進しています。

産業技術総合研究所（**産総研**）や**理化学研究所**（**理研**）は、**シリコン量子ビット**のノイズや誤りを減少させる技術の開発に注力しています。産総研は日本で初めてのシリコン量子ビットを製造し、理研はその制御と誤りの訂正技術の研究を進めています。これらの取り組みを通じて、日本は量子コンピュータ技術の先駆者としての地位を築こうとしています。

AIハードウェアの種類

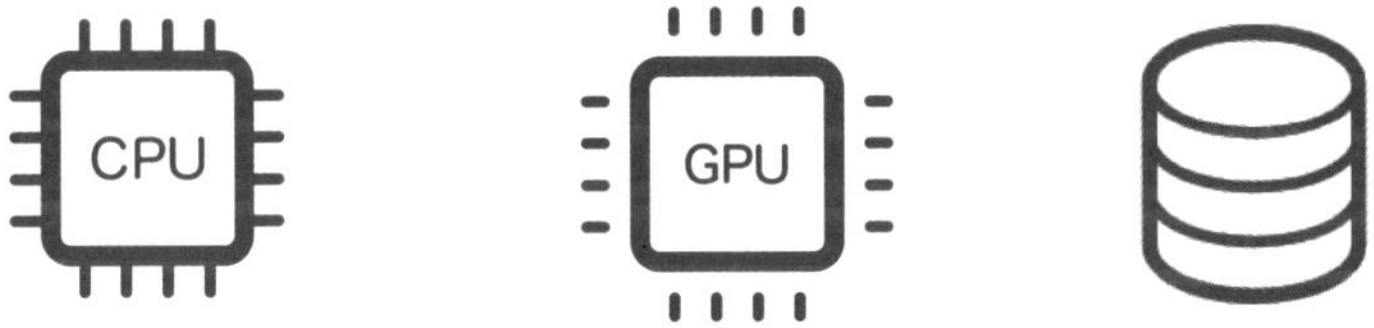

プログラムが得意

多量の計算が得意

3Dの物体の光の反射などの計算を同時に行う役割がGPU

CPU（中央プロセッシングユニット）はプログラムの実行に向いており、GPU（グラフィックスプロセッシングユニット）は3Dなどの高度なグラフィックスを表現するためにマルチタスクで浮動小数点計算するのに向いている。AIも多量の計算を必要とするため、GPUを計算機として利用するのが効率よい。

パソコンや電卓などのコンピュータは2進数の世界で動作している

量子コンピュータは量子が記憶素子となり莫大な計算が瞬時に可能となる

現在のCPUやGPUは2進数（0か1の値を1ビットに保持する）のに対し、量子コンピュータは多くの値を保持できるため、計算能力が飛躍的に高くなる。

Term **浮動小数点**　コンピュータで実数を表現するための方式。数値を仮数部と指数部に分け、小数点を動かすことで大きな数や小さな数を表現する。計算精度は有限であるが、広範囲な数値を扱えるため、AIの計算やデータ処理に広く利用されている。

AIと教育

生成AIの急速な普及を背景に、2023年7月、「文部科学省は初等中等教育段階における生成AIの利用に関する暫定的なガイドライン」を公表しました。

その中で、文部科学省の基本的な考えは、下図のように書かれています。要約すると、順次様子を見ながら生成ＡＩを教育に導入していくという考えのようです。

アメリカでは、ＡＩの利点として、生徒一人ひとりに合わせ、幅広いスキルやニーズに対応した教育が可能で、生徒からのフィードバックの質と量を向上できることを挙げています。また、"Humans in the Loop"(人間が中心)であることを前提に、積極的に活用することを強調しています。

学習指導要領において情報活用能力を基盤とし、新しい情報技術である生成AIの理解と利用を推進することです。教育現場では、生徒が情報技術を日常生活や学習に活用できるよう重視し、生徒それぞれが生成AIを理解し、効果的に利用できる能力を育むことが求められています。

一方で、生成AIの利用はまだ発展途上であり、個人情報の流出、著作権侵害、偽情報の拡散などのリスクが伴います。これらの懸念を踏まえ、教育現場での利用においては、生徒の発達の段階を十分に考慮し、個別の学習活動での利用の適否を慎重に判断する必要があります。

また、教育利用に当たっては、生徒に生成AIの性質やメリット・デメリットを理解させ、生成AIに全てを委ねるのではなく、自身の判断や考えを重要視する教育が重要とされています。これに加えて、教師には一定のAIリテラシーが求められ、教員研修や校務での適切な利用推進が重要視されています。

デジタル時代においては、真偽の確認や批判的思考力を育む教育が重要とされ、これを基にした教育活動の充実が求められています。そして、学ぶことの意義を理解し、人間中心の発想で生成AIを利用する能力の育成が重要視されています。活用が有効な面を検証し、限定的な利用から始め、適切な対策を講じながら、生成AIを取り巻く懸念やリスクに対処し、教育活動を充実させることが重要であると考えています。

第3章

ジェネレーティブAI

ジェネレーティブ AI は、単に情報を処理するだけでなく、新しい情報やコンテンツを「生成」する能力を持っています。これにより、AI はアートや音楽、文章の生成など、多岐にわたる分野で革命的な影響を及ぼしています。

本章では、ジェネレーティブ AI の先駆者として知られる複数の技術やシステムを取り上げ、それぞれの特徴や応用例を解説します。

Section

3-1 Stable Diffusion XL・Midjourney

Stable Diffusion と Midjourney は、テキストからリアルな画像を生成する革新的なAIモデルです。両モデルとも、広範で質の高いデータセットを用いて高品質な画像生成を可能にしています。

■Stable Diffusion XL（ステーブルディフュージョン）

Stable Diffusion は、**プロンプト**と呼ばれる描きたいイメージを説明したテキストから、写真のようにリアルな画像などを生成する**画像生成AIモデル**です。数秒で素晴らしいアートを創造することができます。2023年6月には、新しいモデルである「XL」も公開されています。以下では、Stable Diffusion の仕組みについて見ていきます。

まず、アーキテクチャに注目すると、Stable Diffusion は2022年に公開されたディープラーニング（深層学習）の **text-to-image モデル***を基として作られています。ミュンヘン大学の CompVis グループが開発した latent diffusion モデルであり、深層生成ニューラルネットワークの一種です。latent とは、**潜在空間**（latent space）や**潜在ベクトル**（latent vector）に関連しています。潜在空間は高次元のデータ（例えば、画像やテキスト）をより低次元で扱いやすい形に圧縮する空間を指します。この潜在ベクトルは、元のデータの主要な特性や構造を保持しながら、そのデータを効率的に表現するために用います。diffusion とは、何らかの物質や情報が空間全体に均等に拡散していく過程を指します。ディフュージョンモデルでは、このプロセスが逆に適用され、潜在ベクトルから高品質な画像やテキスト等を生成する際に使われます。

また、学習データには、**LAION-5B** というウェブから収集された巨大なデータセットが用いられています。これは、非営利団体コモン・クロールが運営するクローラによって生成されたアーカイブから作られています。2011年以

Term

text-to-image モデル　与えられたテキストの説明に基づいて画像を生成するAIモデルのこと。テキストの内容を理解し、それに基づいてリアルな画像を生成することができる。

降にウェブから収集した数PB（1ペタバイト=1000テラバイト）規模のデータを持っており、LAION-5Bはその中から50億枚の画像とテキストのペアを抽出し、言語や解像度、ウォーターマークの有無、さらには「美学スコア」まで考慮して分類されています。この広範で質の高いデータによって、高品質な画像を生成する能力を身に着けています。

Midjourney（ミッドジャーニー）

Midjourneyも、Stable Diffusionと同様に、テキストの説明文から画像を作成する独自の画像生成AIプログラムです。**Discord（ディスコード）**＊を通じてテキストを入力すると、そのキーワードや文章に適したイラストや画像を生成してくれるサービスです。

Midjourneyは、アーティストなどによってインターネット上に公開された画像も教師データとして利用しています。学習データの大半は著作権で保護されており、同意も得ていないため、倫理的・法的問題が生じており、集団訴訟が発生しています。

Stable Diffusionの利用画面

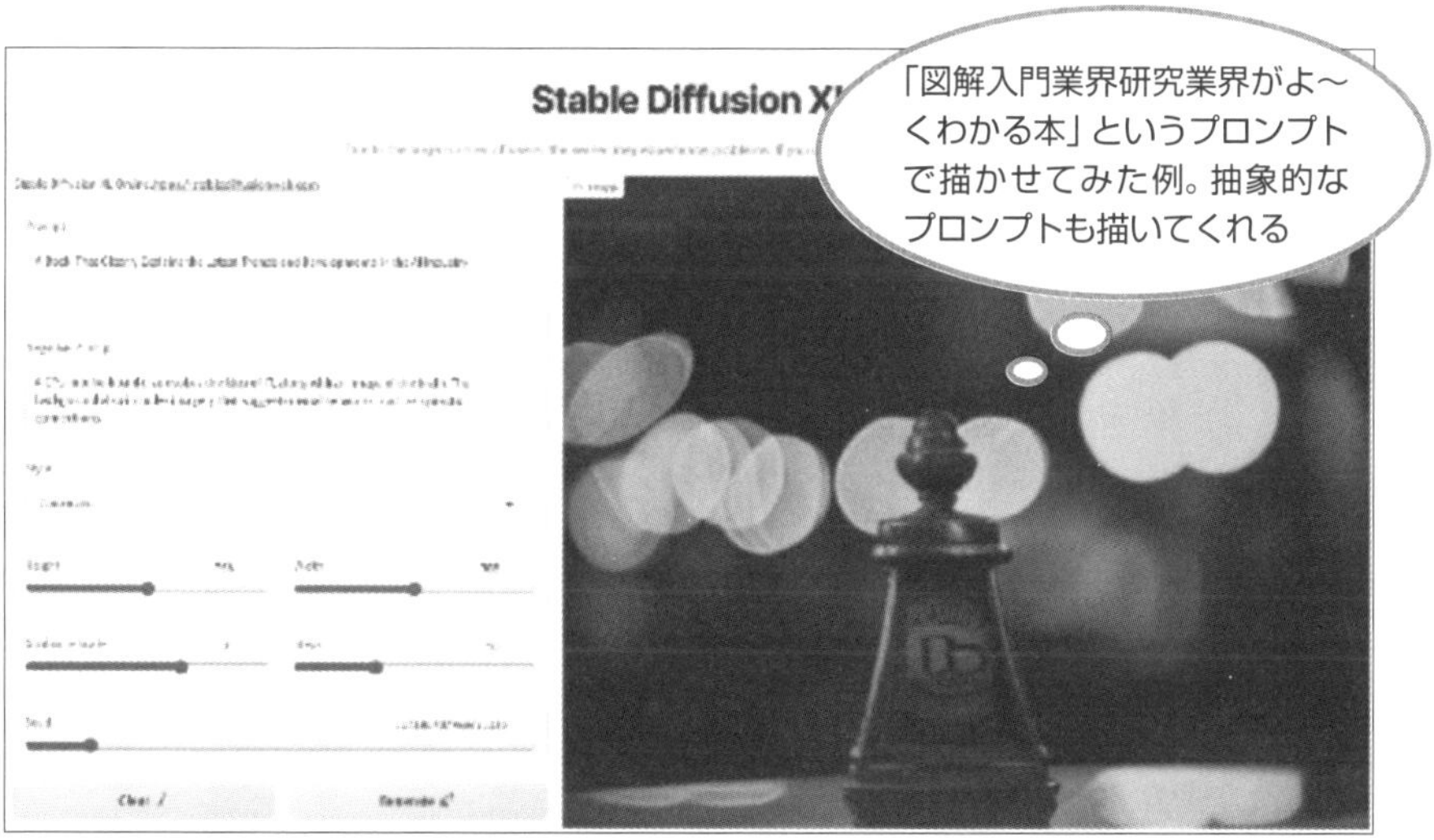
Stable Diffusion X
「図解入門業界研究業界がよ～くわかる本」というプロンプトで描かせてみた例。抽象的なプロンプトも描いてくれる

▲Stable Diffusion XLによる画像生成の画面

Term **Discord**　ゲーマーやコミュニティグループ向けに設計された、テキストチャット・音声チャットなどができる無料の通信プラットフォーム。「サーバー」と呼ばれるグループを作成することができ、サーバー内には「チャンネル」を作成して、トピックごとに会話を整理することができる。

Section
3-2 DALL・E3

テキストからの画像生成に加え、既存の画像から新しい画像バリエーションの作成が可能です。CLIPモデル*を用いて、テキストから画像の「アイデア」を生成し画像に変換します。

■DALL・E3（ダリスリー）

DALL・E3は、2023年10月にOpenAIによってリリースされたAIツールです。このツールは、Stable Diffusion・Midjourneyと同じく、テキストを基にして画像やイメージを生成します。**DALL・E**の進化版ともいえるこのモデルは、既存の画像にも対応しており、テキストと組み合わせて新しい画像バリエーションを作成することも可能です。

■テキストから画像への変換アーキテクチャ

CLIP*というモデルを使用して、テキストの指示や説明に基づいて画像を生成するアーキテクチャです。このプロセスは基本的に2つの主要なステップから成り立っています。

まず、与えられたテキスト（例えば「夕日の風景」）をCLIPが理解できる形に変換します。この変換で生まれるのは、画像の基本的な「アイデア」や「概念」です。次に、この「イメージのアイデア」を基にして、具体的な画像を生成します。生成される画像はテキストの説明に忠実でありながら、様々なバリエーションを持つことができます。さらに、この「イメージのアイデア」を基にして、細かいスタイルや詳細を変更した新しい画像も生成できます。

また、CLIPの高度な能力を活用して、特定の言語的な指示（例えば「この画像を明るくして」）に従い、生成された画像を後から編集することも可能です。マイクロソフトの**bing Image Creater**やChatGPT-4などは、DALL・E3をバックグラウンドに採用し、画像を生成しています。

Term
CLIPモデル　CLIPモデルは、OpenAIが開発したAIモデルで、画像とテキストを関連づけることができる。画像とテキストの間の意味的な関係を理解し、画像に対して適切なテキストを生成することができる。

DALL·E3 の利用画面

▲ OpenAI の DALL·E3(ダリスリー) のサイト

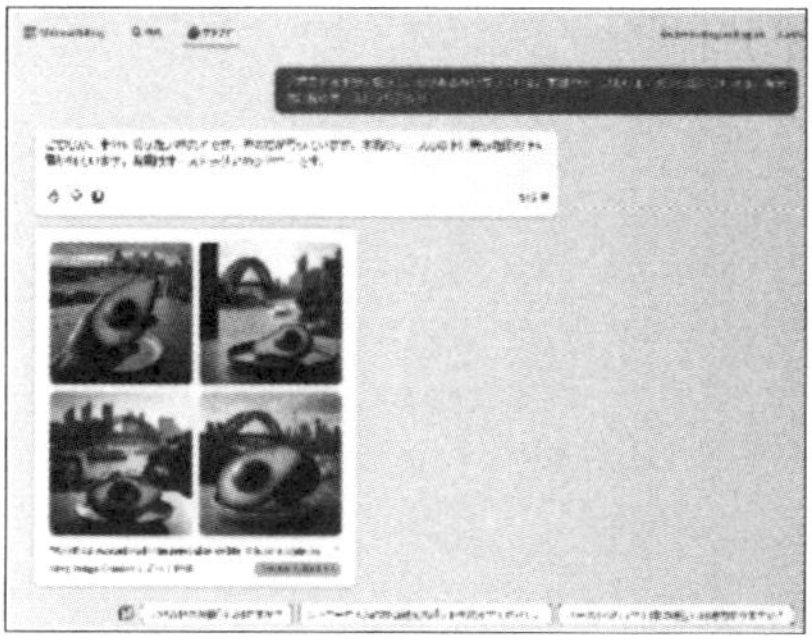

▲ Microsoft bing から DALL·E3 を用いて描かれた画像

▲ ChatGPT Plus プランにある、DALL・E3 モードから描かれた画像

Column

画像生成AIの優劣　画像生成AIの優劣は、生成画像の質やリアリティによって判断される。優れたAIは、鮮明な画像を生成し、多様なスタイルやテーマに対応する。劣ったAIは画像のぼやけや歪みが生じたり、テーマに合わない結果を出すことがある。

Section

3-3 ChatGPT

OpenAIによって開発された高度な言語モデルで、GPT-4のアーキテクチャ*に基づいています。2023年には1億人以上のユーザーを獲得し、ユーザーからのフィードバックも継続的に収集学習しています。

■ChatGPT（チャットジーピーティ）

ChatGPT*は、OpenAIによって開発された言語モデルで、特にGPT-3.5およびGPT-4のアーキテクチャに基づいています。このプロジェクトの根底には、2018年にOpenAIが初めて発表したGPTというモデルがあります。その後、2019年にはGPT-2が登場し、大きな注目を集めました。2020年6月にはさらに進化したGPT-3が発表され、多くの自然言語処理タスクで人間を凌ぐ性能を示しました。

ChatGPT自体は、2022年11月にGPT-3を基盤として初めて一般に公開されました。当初は研究プレビューとして無料で利用でき、多くの人々がアクセスして実験しました。このモデルは大量のテキストデータを学習しており、質問応答、文章生成、要約作成など、多くの用途で使用されます。ユーザーはプロンプト（指示や質問）を提供することで、人間らしいテキストを生成することができます。さらに、会話の長さ、形式、スタイルも自由に調整できるため、非常に多様な応用が可能です。

2023年3月には、さらに高度な性能と柔軟性を持つGPT-4が発表されました。2023年初頭には、人気と利用の拡大に伴い、OpenAIはフリーミアムのサービスモデルを採用。基本的な機能は無料で提供される一方で、より高度な機能や優先サービスは有料オプションとして提供されています。2023年1月までにChatGPTは急成長を遂げ、1億人以上のユーザーを獲得しました。これにより、OpenAIの評価額は290億米ドルに達しました。

Term

アーキテクチャ　システムやソフトウェアの設計や構造を指す言葉。AIに関連する場合、AIシステムの設計や構造を指し、データフローやモデルの選択、ネットワークの構成などを含む。

トレーニング

教師あり学習と強化学習という2つの手法を用いて、GPT-3.5という基本モデルに微調整が施されています。教師あり学習の際には、人間のトレーナーがAIとユーザーの両方の役割を果たし、その会話データをモデルに供給しています。強化学習のフェーズでは、はじめに人間のトレーナーが過去の対話でのAIの返答を評価し、それを基にさらなる微調整が行われます。この評価から作成される**報酬モデル**は、PPO*というアルゴリズムを用いて何度も調整されています。PPOは、高速で効率的な計算が可能であり、そのためコストパフォーマンスに優れています。このAIモデルは、Microsoftと共同で、高性能なコンピューティング環境で訓練されています。

OpenAIでは、ChatGPTを使用したユーザーからのフィードバックも継続的に収集しています。ユーザーは、ChatGPTの応答に対して「賛成」や「反対」の評価をすることができます。詳しいフィードバックもテキストフィールドに入力可能で、AIの学習に参加することもできます。

ChatGPTの利用画面

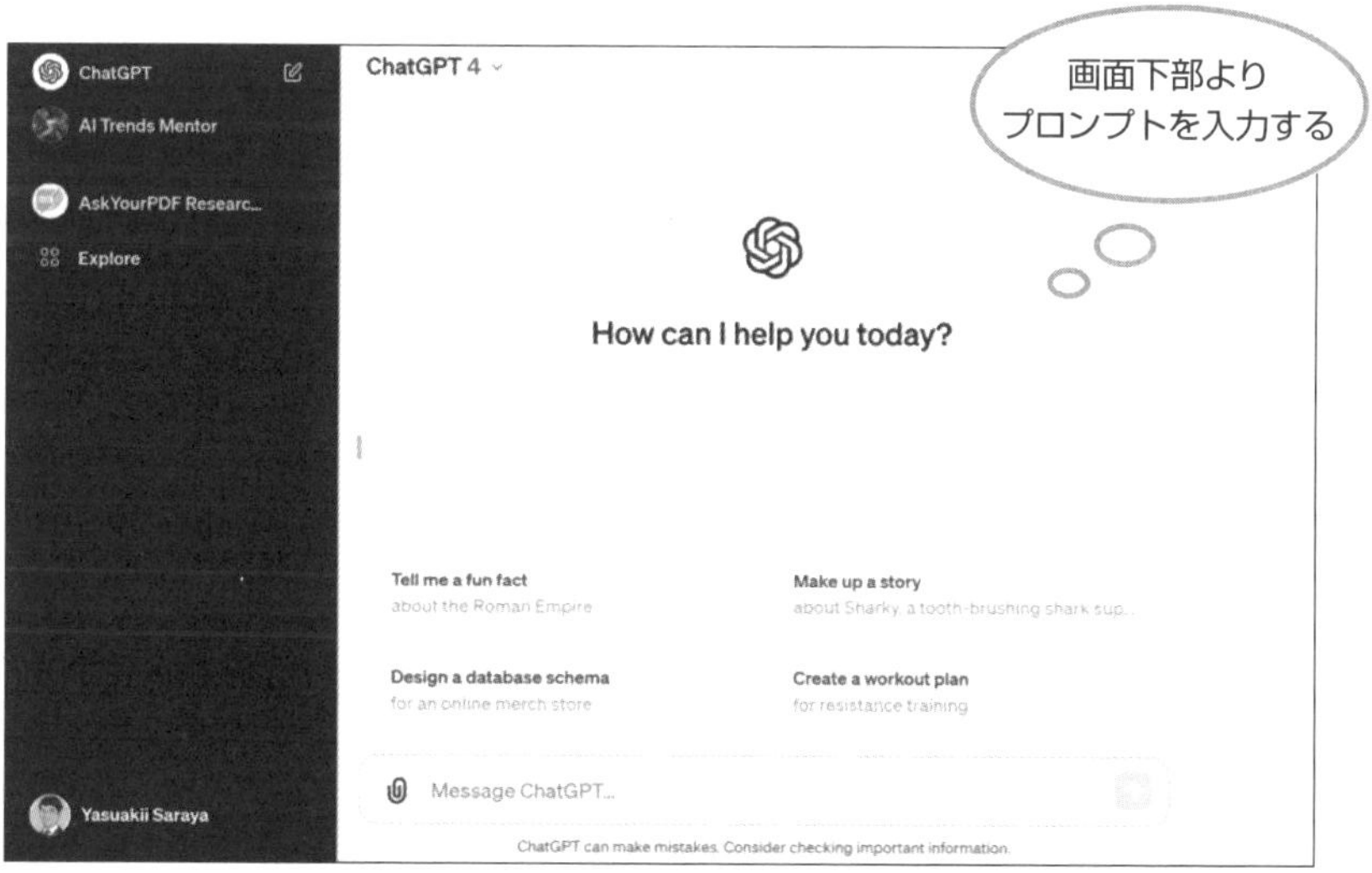

Term
ChatGPT Chat Generative Pre-trained Transformerの略。
PPO Proximal Policy Optimizationの略。

Section

3-4 Bing

マイクロソフトはOpenAIのGPT-4を活用した「BingAI」を導入、信頼性の高い情報提供を強化しています。アクティブユーザー*数は増加しており、検索技術と融合して、常に最新の情報を提供しています。

■Bing（ビング）

Bingは、マイクロソフトが2009年にWindows Live Search の後継として開発した「意思決定を支援する検索エンジン」です。ウェブ検索だけでなく、画像検索、動画検索、ニュース検索、地図検索、ショッピング検索など、多様なサービスを提供しています。信頼性と関連性に重点を置き、ユーザーの検索履歴や位置情報をもとに関連性の高い結果を表示するなど、独自の検索技術を採用しています。プライバシーを重視したインターネット検索エンジン**DuckDuckGo***でもBingのソースが使用されています。

2023年2月には、OpenAIが開発したGPT-4を活用した大規模言語モデル（LLM）であるBingAIを発表し提供を開始しました。このLLMは、Bing内の検索結果や最新情報を反映し、提供された情報に脚注や出典をつけることで、ユーザーに信頼性の高い情報を提供します。Edgeブラウザは BingAIの搭載後、アクティブユーザー数を増やしてます。日本国内では、Chromeが48・94%、Safariが30・96%、Edgeが13・18%、世界では、Chromeが64・76%、Safariが19・52%、Edgeが4・64%となっています。

Bingは、ウェブ検索技術と融合して、常に最新の情報を提供しています。その柔軟性と創造性は、自然言語処理から画像生成まで、多様なタスクに対応できます。ユーザーのニーズや興味に応じて、情報豊富かつ魅力的な対話を提供することも可能です。継続的に学習と改善を行うAI技術を基盤としています。

Term

アクティブユーザー　ウェブサイトやアプリなどのサービスを頻繁に利用する人々のこと。定期的にログインし、コンテンツを閲覧したり、投稿したりする。サービスの人気度や成功度を示す重要な指標であり、企業は彼らのニーズに合わせて改善や新機能の開発を行う。

Bingの利用画面

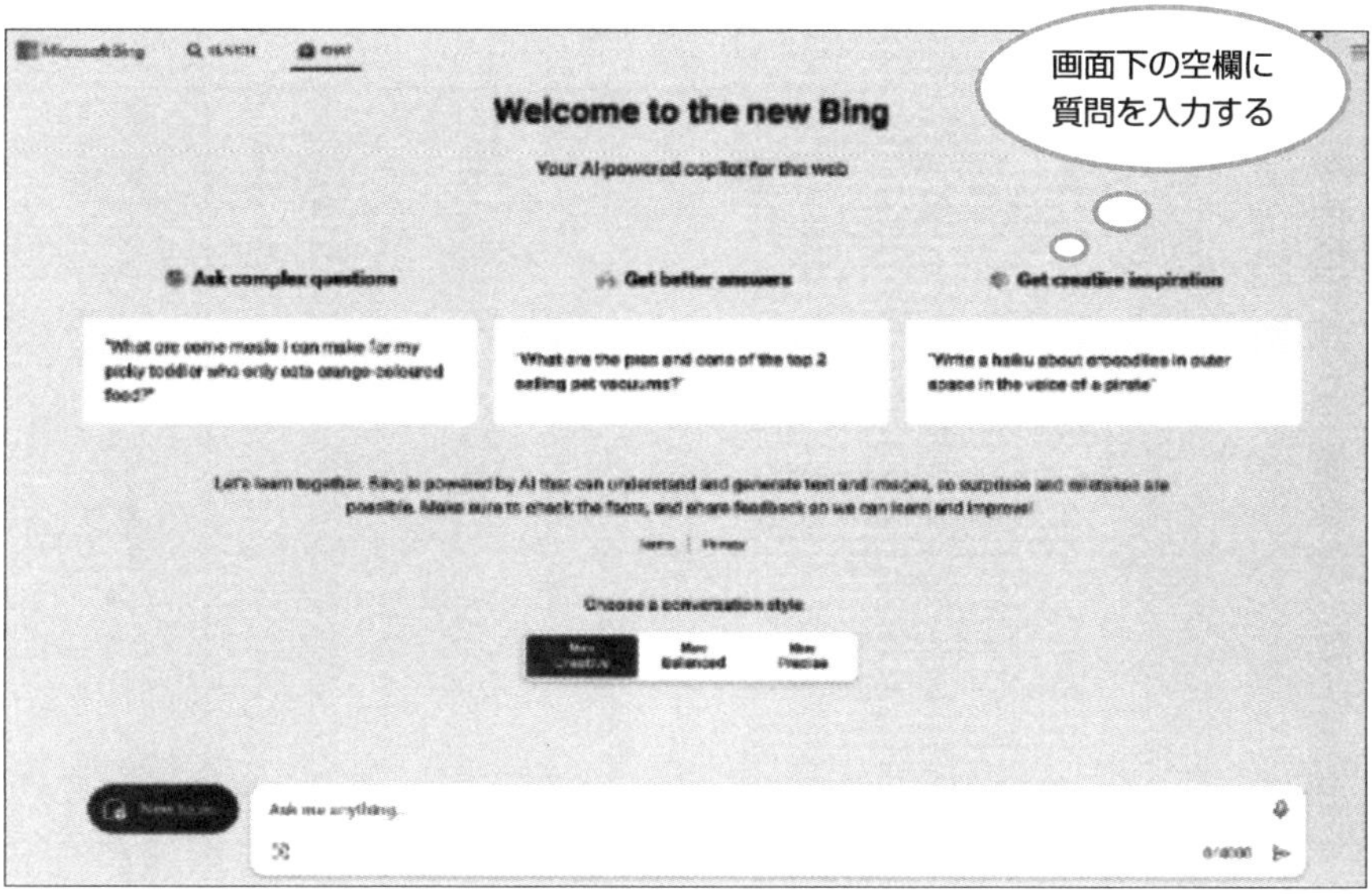

▲ Bingのブラウザ画像①

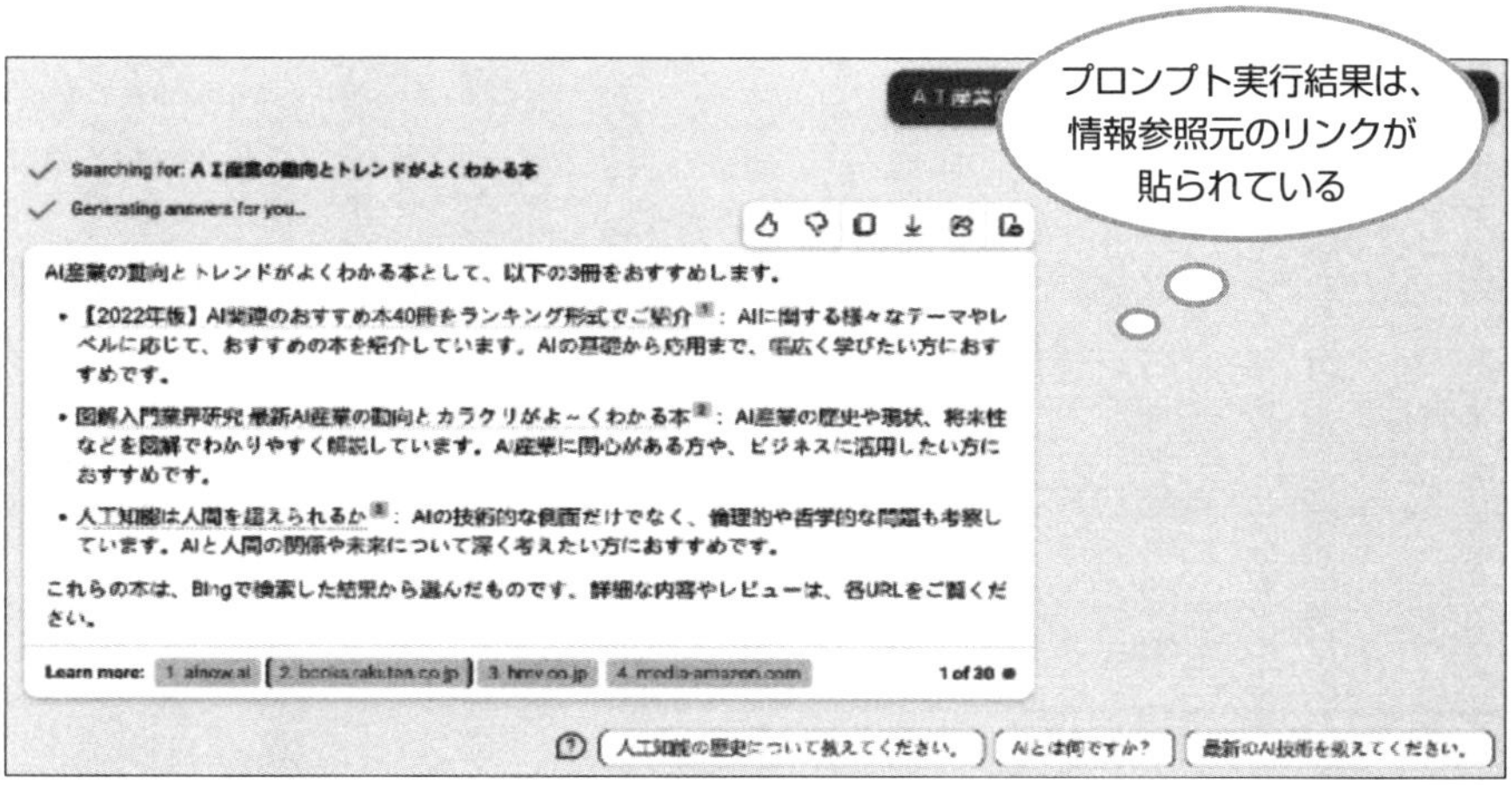

▲ Bingのブラウザ画像②

Term **DuckDuckGo**　プライバシーを重視した検索エンジンのこと。個人情報の追跡を行わず、ユーザーのプライバシーを保護する。広告やフィルターバブルの影響を受けず、中立的な検索結果を提供する。ユーザーに安心感とプライバシーを提供するため、人気を集めている。

Section
3-5 Gemini（旧Bard）

グーグルが開発したGeminiは、テキスト、画像、オーディオ、ビデオ、コードなどの情報を理解し、操作し、組み合わせることができる多モーダルな能力を持っています。

■Gemini（ジェミニ）

グーグルが開発した〝Gemini（双子座）〟は、双子座の持つ二面性、コミュニケーション能力、知的才能を象徴する名前から着想を得た、高度な言語モデルです。テキストだけでなく音声、画像、ビデオ、さらにはコードまで、様々なモダリティを理解し、クリエイティブな作品を生成することを特徴としています。単純な事実に関する質問から、複雑な、抽象的または哲学的な問題に対する詳細で洞察に富んだ回答を提供することで、言語と人間の思考の微妙なニュアンスを理解することを目指しています。

Geminiは、進化を続ける特性を持ち、各インタラクションで知識ベースを拡大し、スキルを蓄え続けます。その結果、翻訳業務、コンテンツ制作、革新的なプログラミング支援など、多岐にわたる用途での活用が期待されています。特に国際ビジネスのようなグローバルなコンテキストでは大きく活躍すると思われます。

教育と娯楽を提供した古代ケルト文化の吟遊詩人（Bard）と同様に、多モーダルな推論能力を活かして、複雑な質問や哲学的な問題に対しても有益な回答を提供することが可能です。教育からエンターテインメント、プロフェッショナルな作業支援まで、人々の日常生活や仕事において大きな変革をもたらすことが期待されています。

■学習量のサイズ

Geminiは、データセンターからモバイルデバイスに至るまで、あらゆる環境での効率的な運用を可能とします。そのため、次の3つの異なるサイズに最適化されています。

Column

Geminiが生成するプログラミング言語　開発者が自然言語で要件を記述するだけで、Geminiはプログラムコードを生成することができる。これにより、プログラミングの学習や開発の効率が向上し、より簡単にアプリケーションを作成できる。

● **Gemini Ultra**

最も性能が高く、非常に複雑なタスクに対応できる大型モデルです。深い分析や高度な問題解決力が求められる状況に最適で、技術の可能性を極限まで引き出します。

● **Gemini Pro**

幅広い範囲のタスクに適応する能力を持ち、多様なアプリケーションでの使用に最適なモデルです。この中間サイズのバリアントは、バランスの取れた性能と効率性を提供し、多くの企業や開発プロジェクトにとって理想的な選択肢となります。

● **Gemini Nano**

モバイルデバイスやエッジコンピューティング環境でのタスクに最適化された、最も効率的なモデルです。この軽量バージョンは、リソースが限られている環境でも高いパフォーマンスを発揮し、AIの力を身近なデバイスにもたらします。

Geminiは**MMLU**＊において、人間の専門家を上回るパフォーマンスを示した最初のモデルです。57科目にわたるテストで、GPT4は86・4%、専門家（人間）は89・8%、Gemini Ultraは90・0%という結果を出しています。

Geminiのブラウザ画面

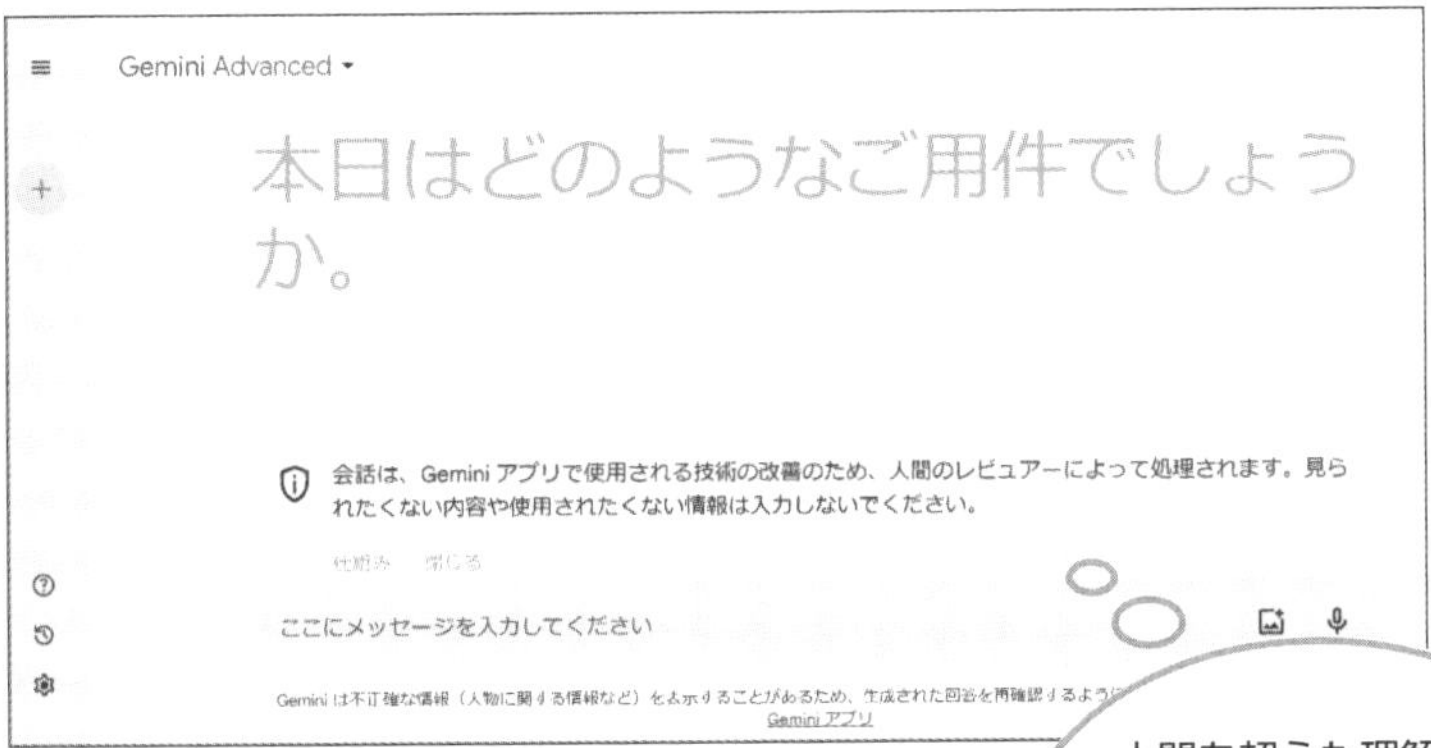

▲月額2900円でGemini Advancedに申し込むとUltra版が利用できる（2024年2月14日時点では、英語回答のみUltra対応）

人間を超えた理解力といわれるUltra(有料版)が2024年2月8日から提供されている

Term **MMLU**　Massive Multitask Language Understandingの略。多様なタスクを通じて言語の理解を深めるために設計されたAIモデルのトレーニング手法やフレームワークを指します。

Section **3-6**

Claude2

Claude2はAnthropic社*が開発した大規模な言語モデルです。OpenAIのGPT-4やグーグルのPaLM2と競合するほどの高性能を持ち、人間のフィードバックによる強化学習で安全性も確保しています。

■Claude2（クロードツー）

ClaudeはAnthropic社が開発した大規模な言語モデルで、名称はフランス語の男性名に由来します。日本語でいうところの山田太郎のようなものです。**Claude2**は2023年8月にClaudeの最新モデルとしてリリースされ、OpenAIのGPT-4やグーグルのPaLM2と競合するほど高性能といわれています。

人間のフィードバックによる強化学習を使って微調整された言語モデルのため、より安全な出力を生み出しながら、前モデルよりも長い入出力容量と性能向上を可能としました。Claude2は、ユーザーのプロンプトから様々なタイプのテキストベースの出力を生成できます。電子商取引、電子メールの作成、一般的なプログラミング言語のコード生成など、多様な用途に使用できます。

■特徴

Claude2は試験等でも高い正答率を示しており、アメリカにおける弁護士資格試験を76.5%の正解率、大学院への入学を希望する学生がしばしば受験する標準化試験の1つであるGRE*を90thパーセンタイル以上（上位10%内に入るスコア）の結果を出しています。

最大100Kトークンまでの入力が可能で、数百ページの技術文書や1冊の本も処理できます。数千トークンにわたる長い文書（メモ、手紙、物語など）を一度に生成できます。

リリース当時は米国と英国でのみ利用可能でしたが、2023年10月より、日本でも利用できるようになりました。

Term **Anthropic社**　2021年に設立された米国のスタートアップ企業。たった2年間で、米国におけるジェネレーティブAI主要企業トップ4の1社となった。「人間のような知性を持つAI」の実現を目指している。

GREの問題例

「過去1年間、当社の新しく自動化された工場の労働者は、まだ自動化されていない近隣の工場の労働者よりも欠勤率が高かった。新工場の欠勤率が実際に近隣工場より高いかどうかを評価するために、両工場の欠勤率を比較する調査を実施すべきである。」

製造部長が推奨する手順を最もよく表しているのはどれか？

(A) 新しく自動化された工場の労働者が、近隣の工場の労働者よりも欠勤しやすいかどうかを調べる調査を実施すべきである。

(B) 近隣の工場の労働者の方が、新しく自動化された工場の労働者よりも欠勤する可能性が高いかどうかを調査すべきである。

(C) 新たに自動化された工場の労働者の欠勤率は、近隣の工場の労働者の欠勤率と比較されるべきである。

(D) 近隣の工場の労働者の欠勤率は、新しく自動化された工場の労働者の欠勤率と比較されるべきである。

(E) 両工場の欠勤率を他の工場の欠勤率と比較し、自動化が一般的に欠勤率を増加させたかどうかを判断すべきである。

▲このような複雑な問題も、正解できる

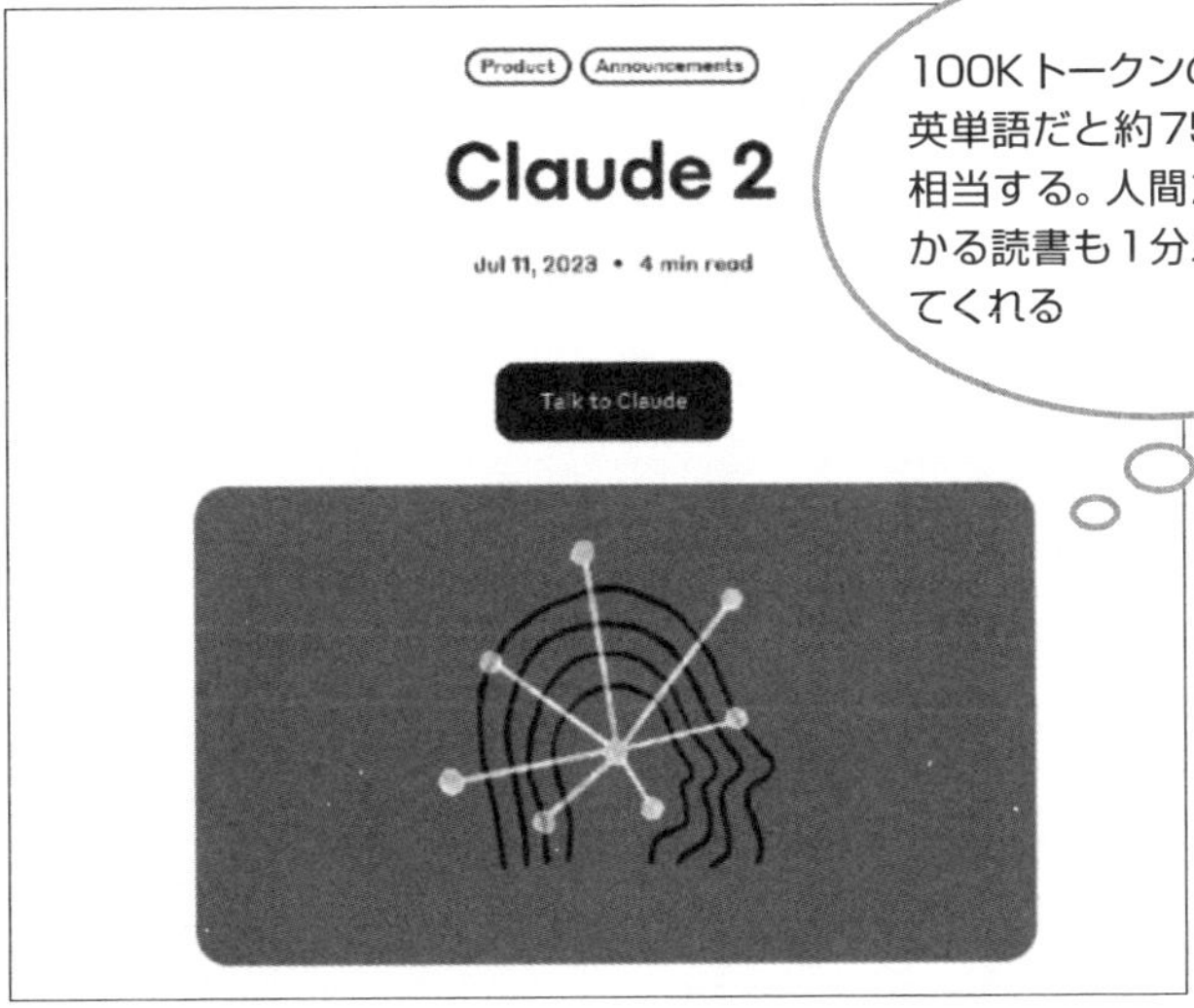

100Kトークンの理解力。英単語だと約75000単語に相当する。人間だと5時間かかる読書も1分以内で要約してくれる

▲ Claude 2画面

GRE　大学院進学を目指す学生が受ける試験のこと。数学、文法、語彙などの能力を測定し、学生の学術的な準備度を評価する。高得点を取ることで、優れた大学院への入学や奨学金の獲得の可能性が高まる。

Section
3-7 Llama2

Llama2は、メタとマイクロソフトが共同開発した大規模言語モデルです。対話アプリケーション向けのファインチューニングモデル（Llama2-Chat）も、人間の評価でChatGPTと同等と評価されています。

■Llama2（ラマツー）

Llama2は、メタとマイクロソフトが共同で開発した大規模な言語モデルです。メタのLlama1の後継モデルにあたり、2023年7月にリリースされました。7B（B：billion=10億）・13B・70Bまでのパラメータ数を持つ複数のモデルから構成されており、オープンアクセスで利用可能です。前バージョンのLlama1よりも40％多い2兆トークンで学習され、コンテキスト長は4kトークンに拡張されています。また、70Bモデルではグループ化されたクエリアテンション（**GQA***）を用いて高速な推論を実現しています。

Llama2の中には、対話アプリケーションに最適化された**ファインチューニングモデル**（**Llama2-Chat**）もあります。人間のフィードバックから強化学習を行っており、有用性や安全性の面で他のオープンモデルを上回り、ChatGPTと同等の性能を人間の評価で達成しています。

Llama2は、**Hugging Face***やMeta AIなどのプラットフォームで簡単に利用できます。非常に柔軟なライセンスで提供されており、商用利用も可能です。ただし、Llama2は潜在的なリスクを伴う技術であることに注意が必要です。これまでに行われたテストでは、すべての安全性に関するシナリオをカバーすることはできませんでした。開発者がこれらのリスクに対処するのを助けるために、メタは「責任ある使用のためのガイド」を作成しています。

Term **GQA**　Grouped Query Attention。最新のニューラル ネットワーク、特に自然言語処理 (NLP) で使用されるニューラル ネットワークの基本コンポーネントであるアテンションメカニズムの変形。

Llama2 の概要

モデル（パラメータ数）	事前学習済モデル	対話型ファインチューニングモデル
7B	モデル アーキテクチャ	有用性と安全性のデータ収集
13B	事前学習用トークン： 2 兆個	教師あり学習のファインチューニング： 10 万回以上
70B	コンテキストの長さ： 4096	人による注釈： 1,000,000 人以上

Llama2 のベンチマーク

ベンチマーク	MPT (7B)	Falcon (7B)	Llama-2 (7B)	Llama-2 (13B)	MPT (30B)	Falcon (40B)	Llama-1 (65B)	Llama-2 (70B)
MMLU	26.8	26.2	45.3	54.8	46.9	55.4	63.4	68.9
TriviaQA	59.6	56.8	68.9	77.2	71.3	78.6	84.5	85.0
Natural Questions	17.8	18.1	22.7	28.0	23.0	29.5	31.0	33.0
GSM8K	6.8	6.8	14.6	28.7	15.2	19.6	50.9	56.8
HumanEval	18.3	N/A	12.8	18.3	25.0	N/A	23.7	29.9
AGIEval (English tasks only)	23.5	21.2	29.3	39.1	33.8	7.0	47.6	54.2
BoolQ	75.0	67.5	77.4	81.7	79.0	83.1	85.3	85.0
HellaSwag	76.4	74.1	77.2	80.7	79.9	83.6	84.2	85.3
OpenBookQA	51.4	51.6	58.6	57.0	52.0	56.6	60.2	60.2
QuAC	37.7	18.8	39.7	44.8	41.1	43.3	39.8	49.3
Winogrande	68.3	66.3	69.2	72.8	71.0	76.9	77.0	80.2

Term

Hugging Face 「未来を築くAIコミュニティ」として知られ、機械学習のコミュニティが、モデル・データセット・アプリケーションについてのプラットフォームを提供している。Hugging Faceは、モデルやデータセットを作成し、それらに対するプログラム的なアクセスを提供している。

Section
3-8 Voicebox

メタが開発した高性能な音声生成モデルで、非自己回帰フローマッチングモデルに基づいています。多言語対応、ノイズ除去、オーディオコンテンツの編集など、多様な機能を持っています。

■Voicebox（ボイスボックス）

Voiceboxは、音声生成モデルであり、メタの**非自己回帰**（non-autoregressive）**フローマッチングモデル**＊に基づいて作成されています。テキストをガイドとして音声を生成（infilling）するタスクを実行します。大量のデータを用いてこのタスクを学習することで、単一の目的に特化したAIモデルよりも、最大で20倍速く音声を生成できるとされるなど、優れた性能を示します。

■Voiceboxの特徴

Voiceboxの主な特徴は次のとおりです。

●6つの異なる言語で音声を合成

英語、フランス語、ドイツ語、スペイン語、ポーランド語、ポルトガル語の6言語について、言語やスタイルの違いを超えて生成できます。例えば、フランス語の指示に従って英語の文章を生成することができます。自分の声を活かして、好きな言語で話せるようになる可能性があります。テキストと音声がどのように一致するかなどのタイミングもそのまま保持することが可能です。元の声を別の声で吹き替える際にも役立ちます。

●瞬間的なノイズを除去

録音中にドアベルや犬の吠え声などのノイズで邪魔された場合も、もう一度録音する必要はありません。ノイズの入った音声を再生成することで、魔法の消しゴムのように瞬間的にノイズを除去できます。

●オーディオコンテンツを編集

再録音することなく、誤って話した言葉（言い直した言葉など）を修正するのにも役立ちます。また、言語をまたいでオーディオスタイルを転送する機能もあります。

Term **非自己回帰フローマッチングモデル**　フローマッチングモデルは、与えられた入力に基づいて最適なフロー（手順や経路）を選択するモデルを指す。非自己回帰とは、過去の出力に依存せずに現在の入力だけを考慮することを意味する。

Voicebox の利用画面

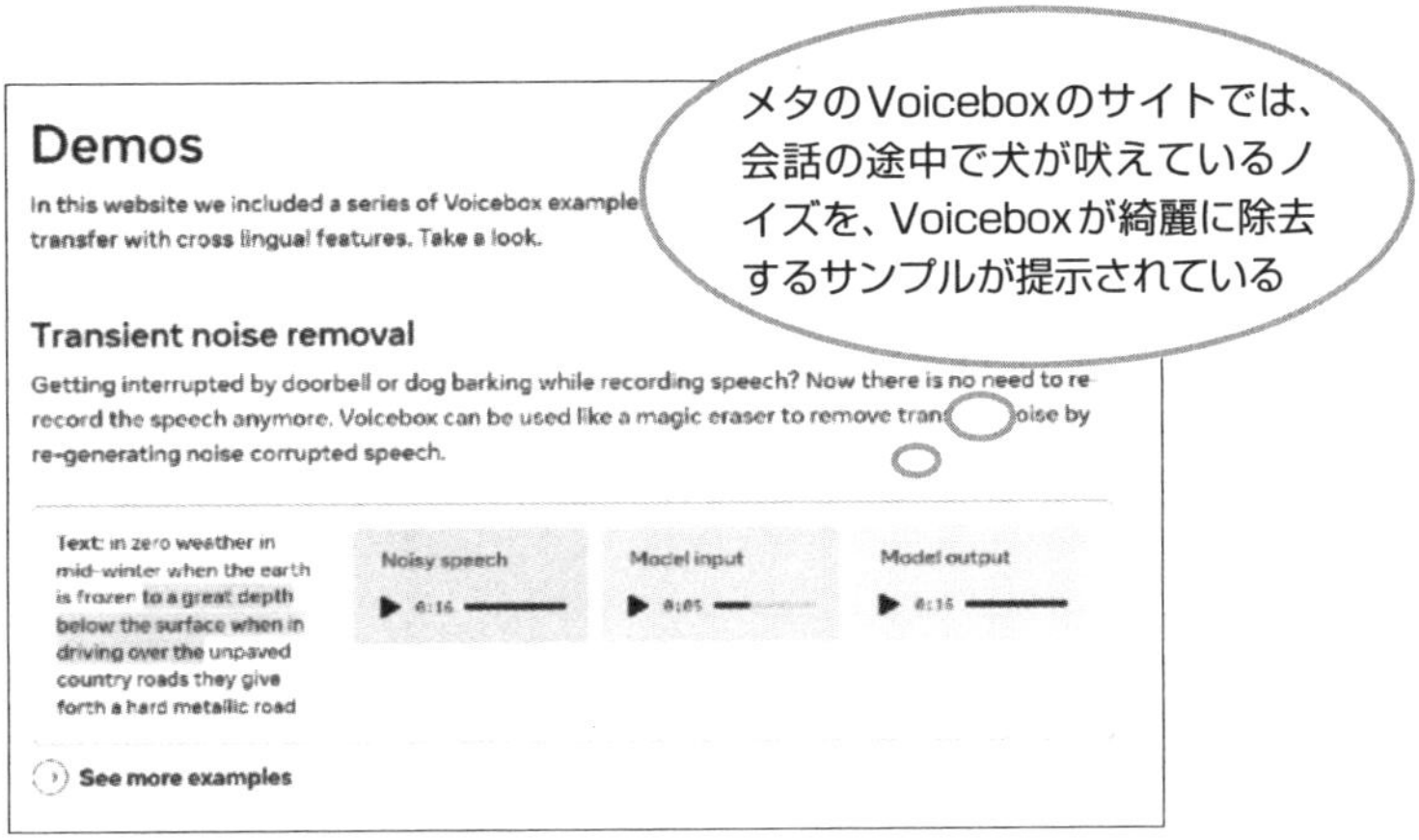
メタのVoiceboxのサイトでは、会話の途中で犬が吠えているノイズを、Voiceboxが綺麗に除去するサンプルが提示されている
Demos
In this website we included a series of Voicebox example
transfer with cross lingual features. Take a look.
Transient noise removal
Getting interrupted by doorbell or dog barking while recording speech? Now there is no need to re-record the speech anymore. Voicebox can be used like a magic eraser to remove tran oise by re-generating noise corrupted speech.
Text: in zero weather in mid-winter when the earth is frozen to a great depth below the surface when in driving over the unpaved country roads they give forth a hard metallic road
Noisy speech
0:16
Model input
0:05
Model output
0:16
See more examples

▲ノイズ除去を行っているサンプル

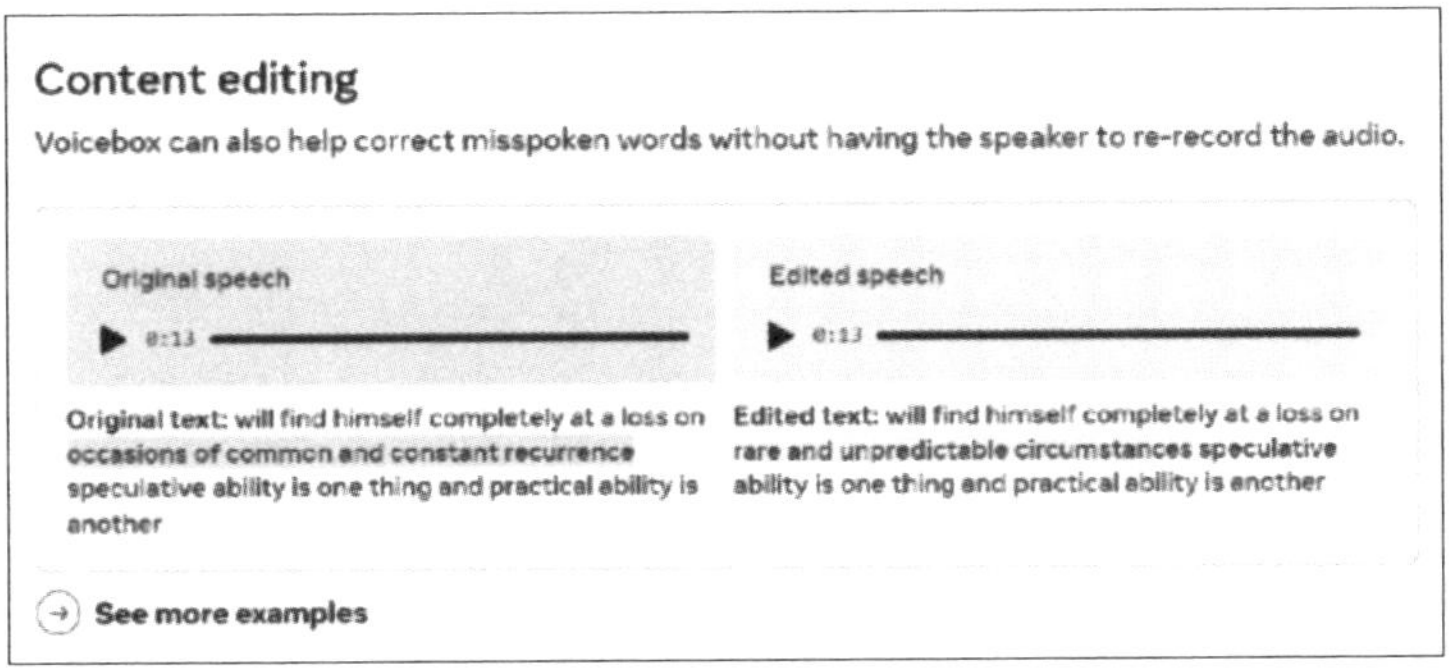
Content editing
Voicebox can also help correct misspoken words without having the speaker to re-record the audio.
Original speech
0:13
Edited speech
0:13
Original text: will find himself completely at a loss on occasions of common and constant recurrence speculative ability is one thing and practical ability is another
Edited text: will find himself completely at a loss on rare and unpredictable circumstances speculative ability is one thing and practical ability is another
See more examples

▲ Voicebox が言い間違いを自動修正しているサンプル

自動修正により、"occasions of common and constant recurrence" が "rare and unpredictable circumstances" に変更されています。

"occasions of common and constant recurrence"（よくあり、常に繰り返される場合）という表現は、何かが頻繁に起こるという意味です。"rare and unpredictable circumstances"（まれで予測不可能な状況）という表現に変更され、その意味は何かが稀で予測できないということです。

この修正によって、文章の意味が変わります。オリジナルでは、頻繁に起こる状況で困ると言っていますが、編集後では、まれで予測不可能な状況で困ると言っています。

修正後の音声も、同一人物の声で、修正されたとは気づくことのできない完成度の高い修正が施されています。ディープフェイクの倫理が問われます。

Term

ノイズ除去　音声データから不要なノイズを取り除く処理。AIによるノイズ除去は、機械学習やディープラーニングを用いて、ノイズの特徴を学習し、自動的にノイズを除去する技術を指す。

Section

3-9 AudioPaLM

AudioPaLMはグーグルの研究チームが開発した大規模言語モデルで、テキストと音声の両方を高度に処理します。話者の特有の音声特性を保持し、音声から音声、音声からテキストへの翻訳も可能です。

AudioPaLM(オーディオパルム)

グーグルの研究チームが開発した**AudioPaLM**は、テキストと音声の両方を処理できる大規模な言語モデルで、テキストベースのPaLM2と音声ベースのAudioLMを統合しています。

自動音声認識(**ASR**)*、**テキスト音声変換**(**TTS**)*、**音声音声変換**(**S2ST**)*などの多様なタスクで高いパフォーマンスを示しており、特に話者の特有の音声特性を保持する能力があります。**ゼロショット学習***にも対応しており、訓練データにはない新しいタスクでも高い性能を発揮します。また、テキストのみの大規模言語モデルを初期化に用いることで、音声処理の性能が向上しました。音声翻訳タスクで既存のシステムの性能を大幅に上回り、未知の言語に対しても翻訳が可能です。短い音声プロンプトを基に言語間で音声を転送するなどの応用も考えられています。研究チームはAudioPaLMの多角的な性能を評価し、オーディオ生成品質に関しても高く評価しています。

AudioPaLMの機能

まず、音声から音声への翻訳機能です。翻訳された音声でも元の話者の声を再現します。これにより日本語で話した内容を、自分の声で英語に翻訳して発音してくれます。

さらに音声からテキストへの翻訳にも使えます。同音異義語など、音声から文字起こしする際に、同じ発音で意味が違うという場合も、文章の前後関係から正しく翻訳します。現在は句読点(ピリオドやカンマなど)が出力に含まれていないため、今後追加する予定です。

Term **ゼロショット学習** Zero shot learning。訓練データにない未知の対象を予測し、識別・検出する技術のこと。

AudioPaLMの利用画面

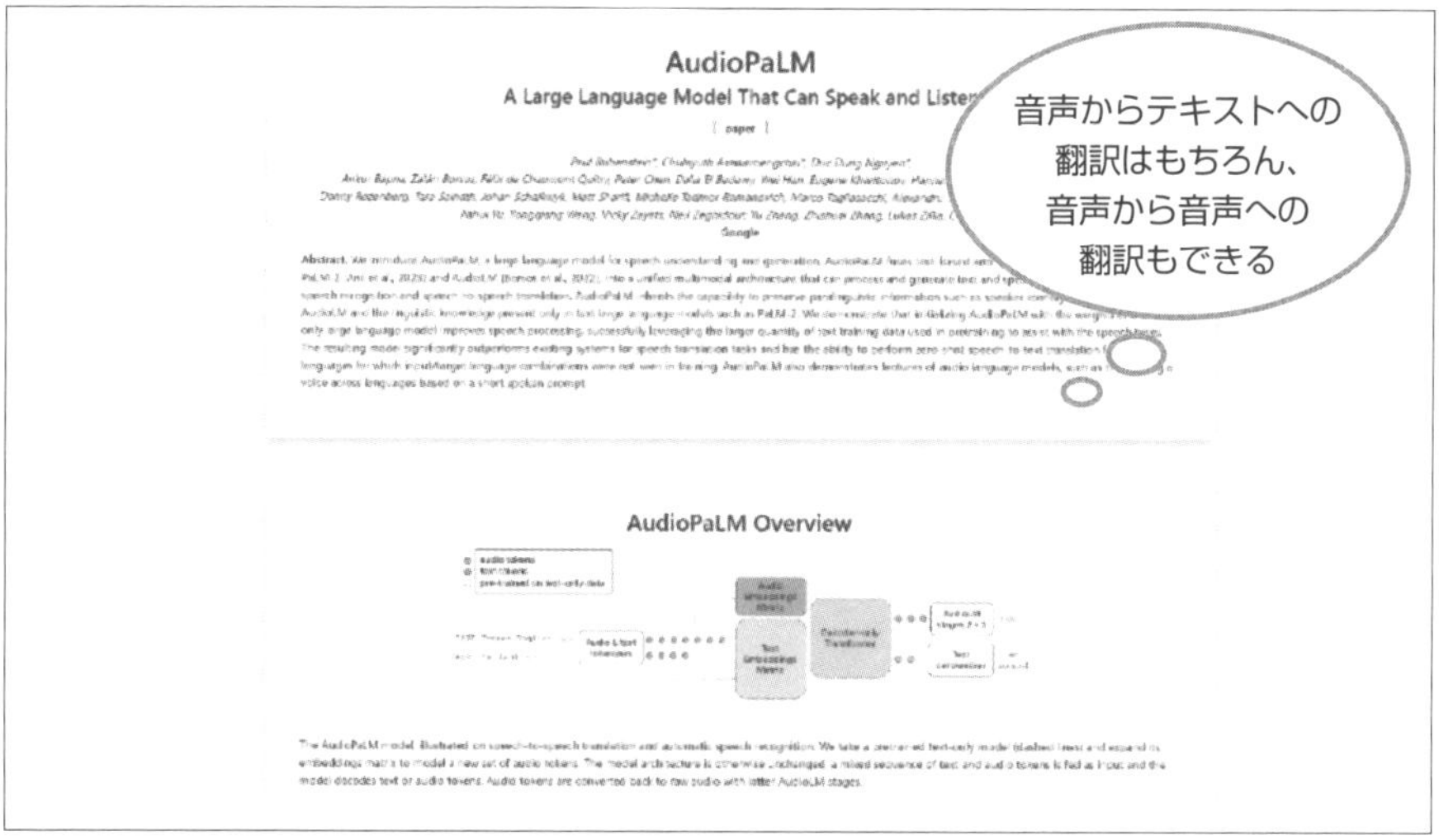

▲ AudioPaLMのサイト

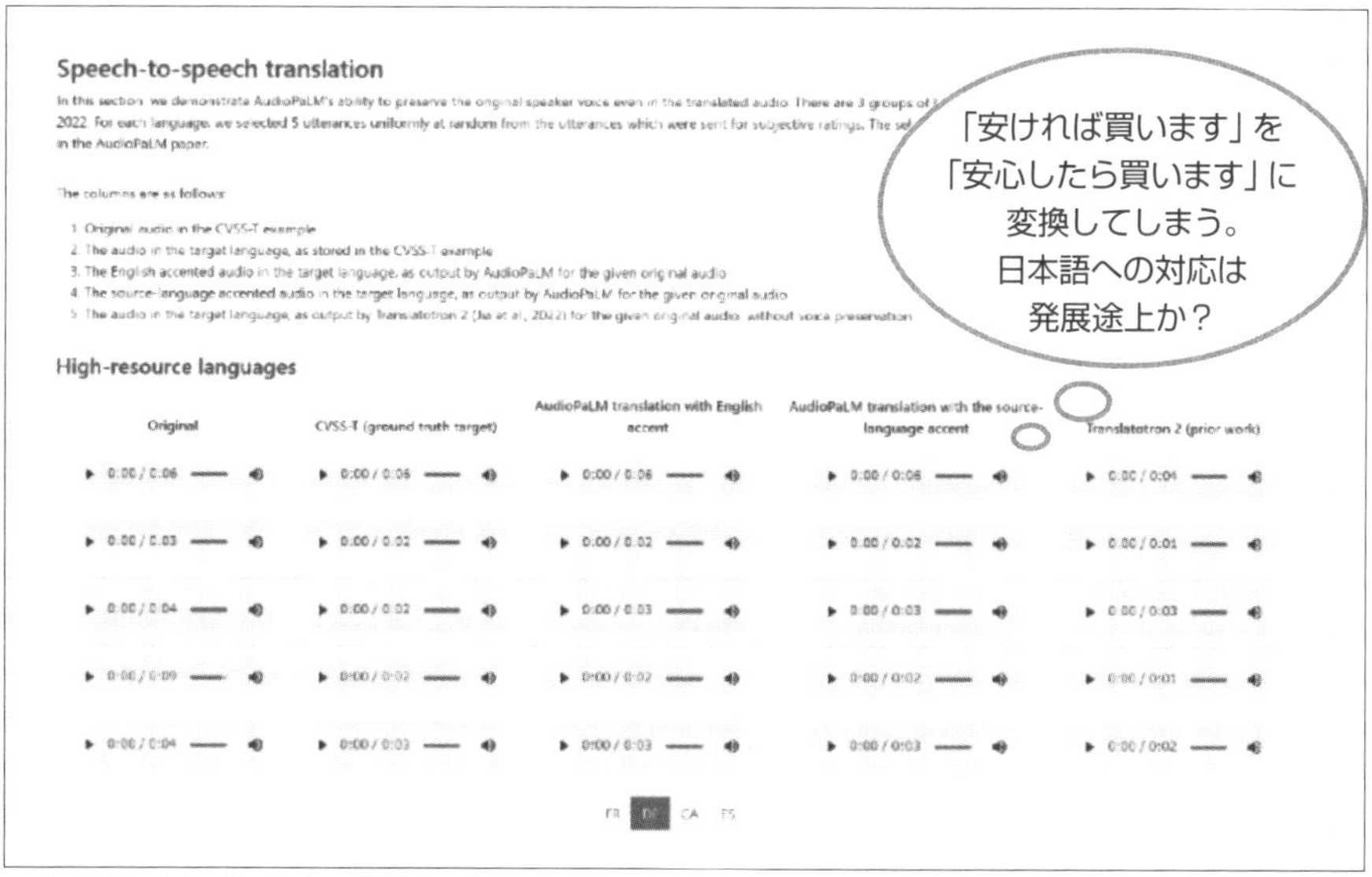

▲ AudioPaLMのサイト上の音声サンプル

Term **音声認識・変換**　自動音声認識（ASR）は音声をテキストに変換する技術、テキスト音声変換（TTS）はテキストを音声に変換する技術、音声音声変換（S2ST）は音声を別の音声に変換する技術のことを指す。

Section

3-10 IBM Watson Text to Speech

テキストを自然な音声に変換するクラウドベースのAPIサービス*です。特に、アクセシビリティの向上に貢献しており、視覚障害者や高齢者も簡単にテクノロジーにアクセスできるようになっています。

■IBM Watson Text to Speech

IBM Watson Text to Speech（以下、Watson TTS）は、IBMの人工知能（AI）プラットフォームであるWatsonの一部として提供されるクラウドベースのAPIサービスです。このサービスは、書かれたテキストを自然な音声に変換する機能を持っており、ウェブアプリケーション、モバイルアプリケーション、デスクトップソフトウェアなど、多くのプラットフォームと統合可能です。ビジネスにおいては、多言語対応によるグローバル向けのチャットボットなどのアプリケーションに加え、身体や視覚に障害を持つユーザーに向けたサービスでの活用が期待されています。

■機能と特性

Watson TTSには次のような機能と特性があります。

- **多言語対応**：多数の言語と方言に対応しています。これにより、グローバルなオーディエンスに対応するアプリケーションやサービスを容易に開発できます。
- **声のカスタマイズ**：様々な「声」を選ぶことができます。男性声、女性声、幅広い年齢層や口調に対応した声があります。
- **速度とピッチの調整**：読み上げのスピードやピッチを変えることで、聴覚障害のあるユーザーへの対応などユーザーエクスペリエンスの向上に役立ちます。

Term

APIサービス　アプリケーションプログラミングインターフェースサービスの略で、ソフトウェア間の通信を可能にする機能を提供する。データの送受信や機能の呼び出しができ、開発者が他のアプリやプラットフォームと連携するために使用される。

■実用例

Watson TTSの実用例としては、次のようなものがあります。

- **音声アシスタント**：自然な対話を実現するために、多くの音声アシスタントがWatson TTSを使用しています。
- **e-ラーニング**：テキストベースの教材を音声に変換し、視覚障害者や読書が困難な人々も教材にアクセスできるようにします。
- **公共交通**：バスや電車、空港でのアナウンスに使用されています。

特に注目すべきは、Watson TTSがアクセシビリティの向上に貢献している点です。視覚障害者や読書が困難な人々が、ウェブサイトやアプリケーションにより簡単にアクセスできるようになります。さらに、高齢者がテクノロジーに親しむ手助けともなっています。

また、開発者向けに、**RESTful API***によって提供されるため、プログラミング言語で簡単に他システムと統合できます。IBMが提供する詳細なドキュメントとサンプルコードにより、開発者は迅速にプロトタイピングと実装を進めることができます。

Watson Text to Speechの利用画面

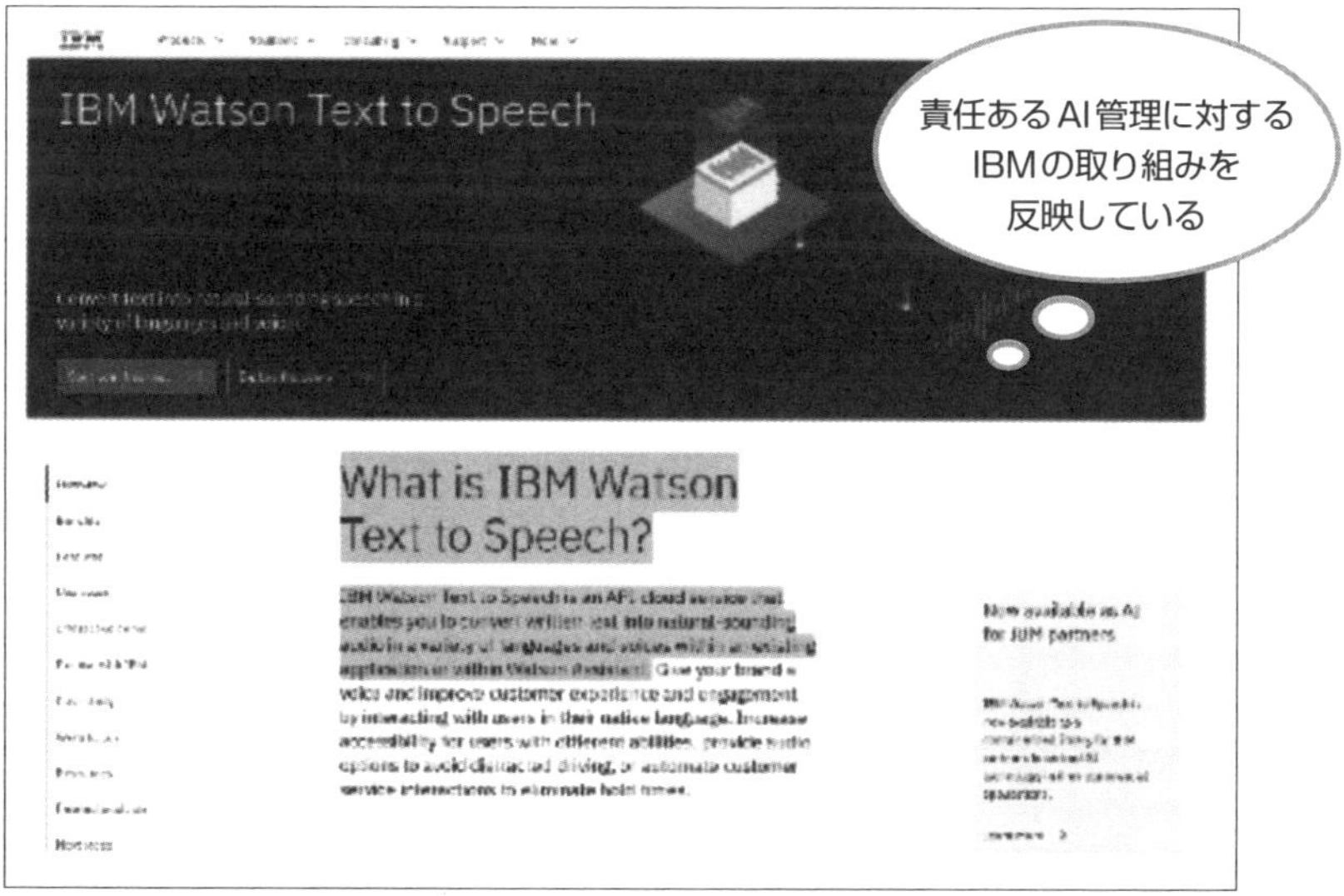

▲ Watsonのサイト

RESTful API　Webサービスの設計原則であるRESTに基づいて構築されたAPI。HTTPプロトコルを使用し、リソースを一意のURIで表現し、HTTPメソッドを使用して操作する。データの取得、作成、更新、削除などの操作ができる。

Section
3-11 Narakeet

Narakeetは、テキストをリアルな音声に変換するAIサービスで、プレゼンテーションや創造性豊かなコンテンツのナレーションを手軽に作成できます。

■Narakeet（ナラキート）

テキストを音声に変換するAIです。プレゼンテーションのスピーカーノートやマークダウンスクリプト*から、リアルなナレーションを作成します。90以上の言語と600以上の声をサポートしており、パワーポイントをMP4に変換、スライドショーに音楽を付ける、物語や詩や歌などの創造的なコンテンツを作成することができます。

2020年に**ボイスレップ**という名前で始まったサービスが、2021年に現在の名前に変更されました。音声合成エンジンは、外部のサービスを利用しています。**Google Cloud Text-to-Speech API**と**Amazon Polly**という2つの音声合成サービスを組み合わせて作成されています。Google Cloud Text-to-Speech APIは、ディープニューラルネットワーク（DNN）を用いた音声合成技術で、自然でリアルな音声を生成できます。Amazon Pollyは、高品質な音声合成技術で、様々な言語やアクセントに対応しています。2つのサービスを利用して、テキストから音声やビデオを作成する便利なツールとなっています。

■Narakeetの機能

Narakeetの主な機能は次のとおりです。

●テキストリーダー機能

テキストを音声に変える便利なツールです。最新の技術によって、この音声はほとんど人間の声と区別がつかないほどリアルになっています。ただし、感情をうまく表現するのはまだ困難です。それでも、このツールを使えば、手軽にかつ一貫した品質の音声が得られます。

●テキスト読み上げビデオメーカー機能

パワーポイントやGoogleスライドをナレーション

Term **マークダウンスクリプト**　テキストベースの軽量な書式設定言語であり、文書のフォーマットや構造を簡単に指定するために使用される。

付きのビデオに変換するツールです。パワーポイントをMP4に変換し、音声や音楽を追加できます。このツールを使うと、スライドをYou Tubeやソーシャルネットワーク用のビデオに簡単に変換できます。

●ビデオへのマークダウンツール

写真、音楽、ナレーションを組み合わせてビデオプレゼンテーションを作成します。マークダウンとスクリーンキャストを使用してアニメーションGIFをビデオに変換する機能もあります。ビデオのスクリプト作成、アセットの追加、ナレーションと字幕の生成が可能です。

●コマンドラインツール*と開発者API

コマンドラインツールを用いて、ビデオ制作を自動化、または統合することができます。これにより、様々な言語でのビデオバッチ制作、スクリーンショットからのドキュメントビデオの自動生成などが行えます。APIは、小さなオーディオファイルのバッチ生成、テキスト読み上げ音声のアプリケーション統合、最新のドキュメントビデオの自動作成、複数バージョンのビデオ作成などにも使用できます。

Narakeetのサイト

コマンドラインツール　コマンドプロンプトやターミナルから操作するためのユーティリティのこと。AIモデルのトレーニングや推論、データの前処理などを自動化するために使用される場合もある。

Section

3-12 MusicGen

メタによって開発された条件付き音楽生成専用の単一言語モデルです。テキストやメロディーを基に高品質な音楽サンプルを効率的に生成する能力を持っています。

■MusicGen（ミュージックジェネ）

メタによって開発された高度な音楽生成AIで、テキストやメロディーを条件に高品質な音楽を効率的に生成します。このモデルは、音楽産業、コンテンツ制作、さらには教育や広告業界にまで影響を及ぼす可能性を持っています。従来の音楽制作プロセスでは、作曲家やミュージシャン、プロデューサーなどの専門家が必要でしたが、MusicGenを用いると、専門知識がない人でも高品質な音楽を生成できるようになります。時間とコストの削減はもちろん、クリエイティブなプロセスへのアクセスを大幅に広げることを意味します。MusicGen のトレーニングには、2万時間のライセンスされた音楽が使用されています。テキストから音楽を生成するモデルとテキスト＋音楽ファイルから、音楽を生成するモデルがあります。

■特徴

プロンプトに基づいて音楽を生成する能力を持ち、マーケティングキャンペーン、教育プログラム、エンターテイメントコンテンツなど特定のテーマや感情を表現するための音楽を迅速に作成します。

ユーザーはキー、楽器、メロディ、ジャンルなど、音楽の様々な要素を制御し、カスタマイズされた音楽作品を生成することができます。ブランドやイベントに合わせた音楽を必要とするビジネスにとって非常に価値があります。

32 kHz の高品質な音楽*を生成し、ステレオオーディオへの拡張も可能です。ラジオ広告、ポッドキャスト、ビデオコンテンツなど幅広いメディアに適用できます。生成プロセス中でメロディを細かく調整できることから、特定のブランドイメージやメッセージに沿った音楽を作ることができます。

Term

AIのトレーニング　人工知能を教育するプロセスのこと。データを与え、パターンを学習させることで、AIは問題を解決する能力を獲得する。大量のデータと時間が必要で、正確な結果を得るためには適切なアルゴリズムとモデルの選択も重要である。

MusicGen の利用画面

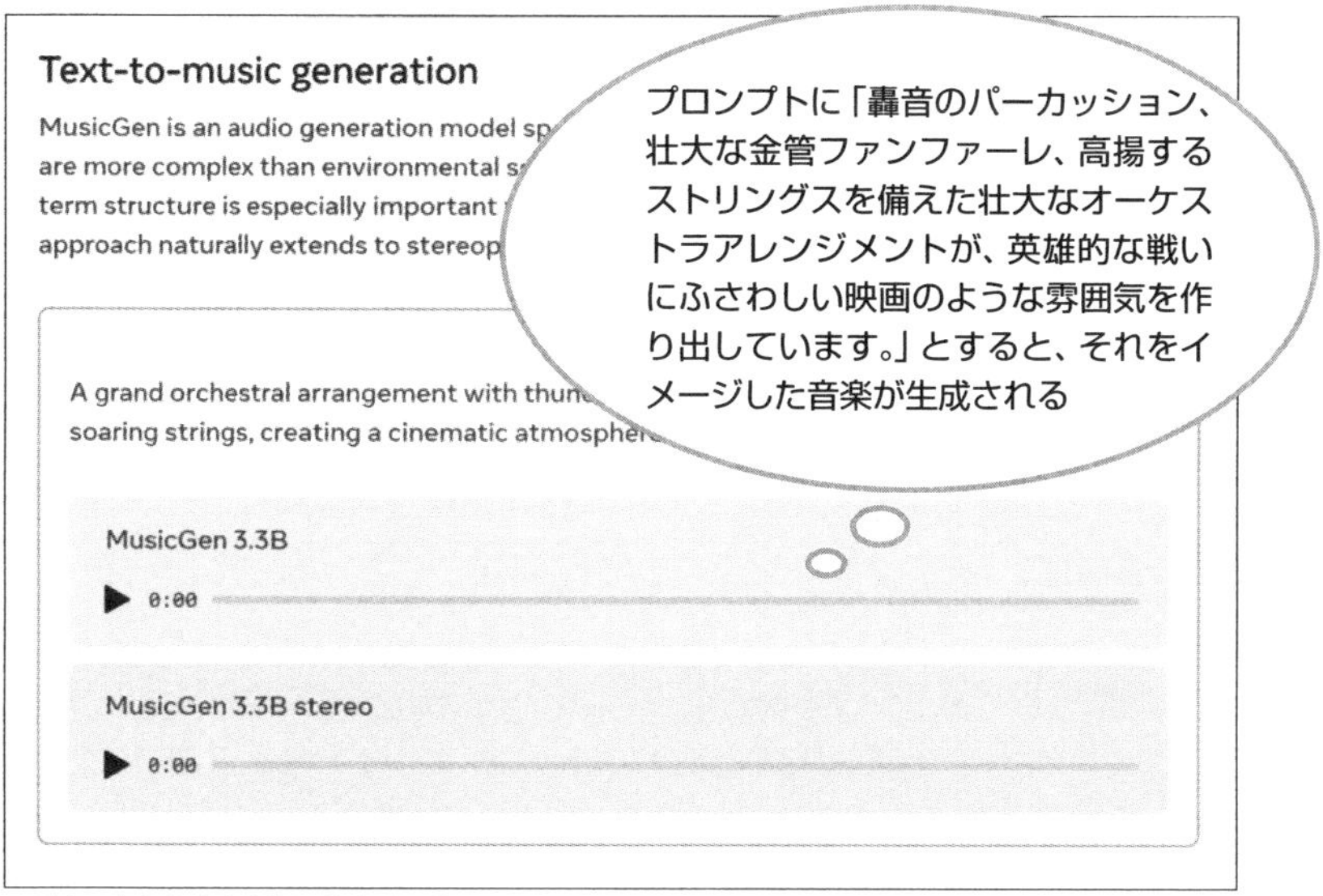
Text-to-music generation
MusicGen is an audio generation model
are more complex than environmental
term structure is especially important
approach naturally extends to
プロンプトに「轟音のパーカッション、壮大な金管ファンファーレ、高揚するストリングスを備えた壮大なオーケストラアレンジメントが、英雄的な戦いにふさわしい映画のような雰囲気を作り出しています。」とすると、それをイメージした音楽が生成される
A grand orchestral arrangement with
soaring strings, creating a cinematic
MusicGen 3.3B
0:00
MusicGen 3.3B stereo
0:00

▲テキストから音楽を作り出す画面①

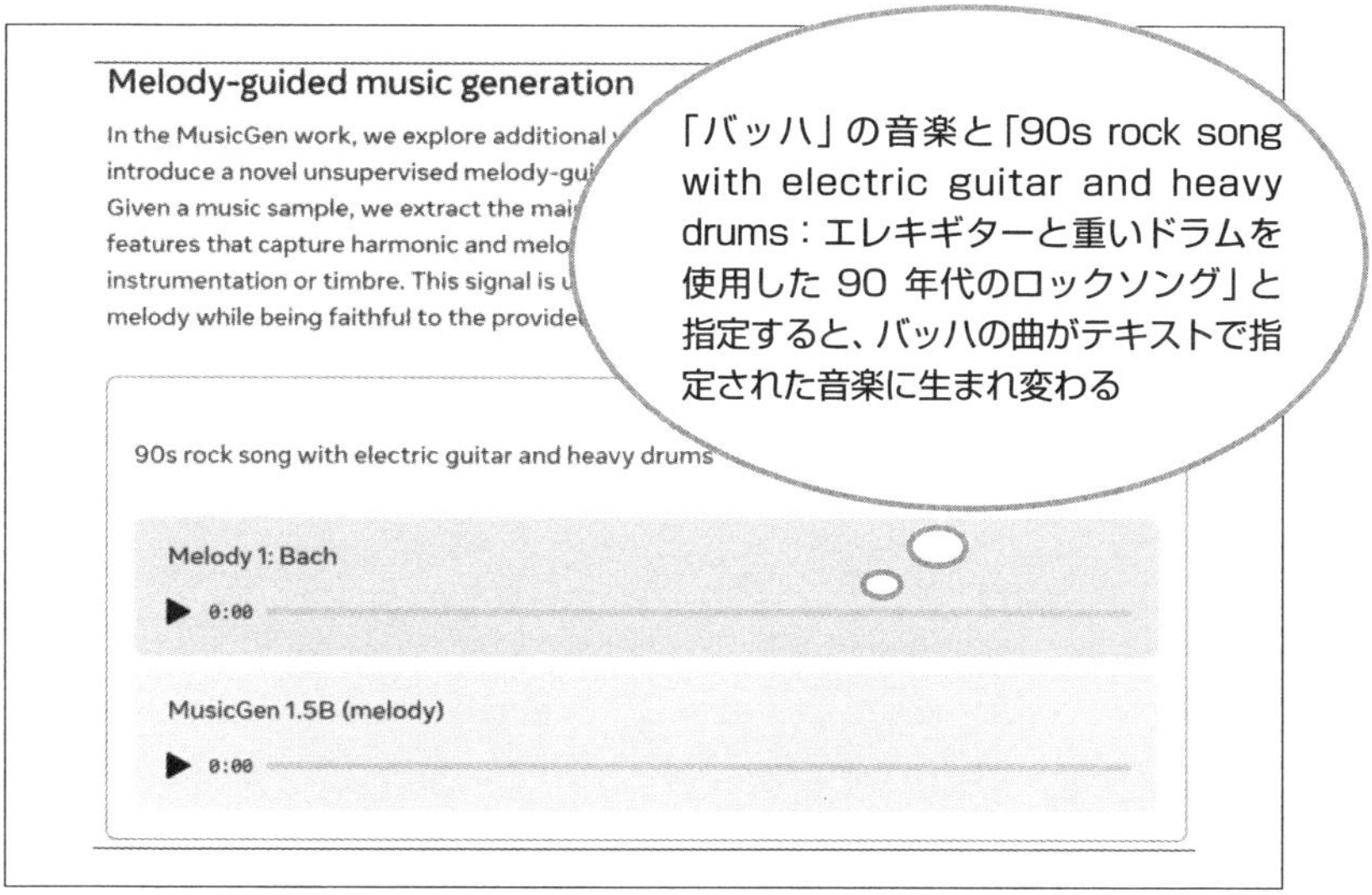
Melody-guided music generation
In the MusicGen work, we explore additional
introduce a novel unsupervised
Given a music sample, we extract the
features that capture harmonic and
instrumentation or timbre. This signal is
melody while being faithful to the
「バッハ」の音楽と「90s rock song with electric guitar and heavy drums：エレキギターと重いドラムを使用した 90 年代のロックソング」と指定すると、バッハの曲がテキストで指定された音楽に生まれ変わる
90s rock song with electric guitar and heavy drums
Melody 1: Bach
0:00
MusicGen 1.5B (melody)
0:00

▲テキストから音楽を作り出す画面②。音楽ファイルと、その音楽をどのようにアレンジするかをテキストで与えることによりカスタマイズされた音楽を作り出す

Term

32kHzの高品質な音楽　人間の耳には聞こえにくい高周波数の音を含んでいる音楽。よりリアルでクリアな音響体験が可能となる。高いサンプリングレートにより、音の細部まで正確に再現され、より豊かな音楽体験を提供する。この音質で音楽が生成される。

AI進化の未来展望

Column

2030年、人工知能（AI）の進化は未曾有のスピードで進んでいます。量子コンピュータの普及と進化したアルゴリズムのおかげで、AIは人間のような抽象的思考と創造的思考を実現し、さらにそれを超える領域に突入しています。

未来の世界では、AIは単なるツールではなく、人間社会の重要なパートナーとなっています。人間とAIは新しい形の協力を築き上げ、お互いの能力を補完しながら、未知の問題解決に挑んでいます。人間の創造性と感性は、AIの驚異的な計算能力とデータ分析能力と組み合わさり、新しい技術やアイデアを生み出しています。

AIは人間一人ひとりに学習や職業訓練を施し、人間がさらに高い知識レベルと技能を持つように支援しています。また、AIはグローバルな知識ネットワークを構築し、異なる文化や分野の知識を即時に共有し、新しい視野を提供しています。

しかし、この進化には倫理的および法的な課題が伴います。AIの進歩がもたらす社会的影響やプライバシーの問題は、世界中で議論と規制の対象となっています。AIの自律性と自律学習能力は、人間のコントロールを超えて進化します。これにより新しい倫理的な問題が生じていきます。

AIの進化に対する恐れや疑念もまた、社会全体で感じられています。しかし、多くの人々は、AIがもたらす無限の便利さや楽さに甘んじ、その進歩を歓迎しています。人間とAIの協力は新しい時代の幕開けを意味し、未知の未来へのドアを開けています。

この仮想未来像は、人間とAIが共に進化し、共に新しい未来を探求する可能性を描いています。しかし、それはまた、技術的進歩と社会的課題が絡み合う複雑な未来を示唆しています。

第4章

AIを用いているサービス

AI は、現代社会における技術革新の中心となっており、多くの産業やサービスにおいて重要な役割を果たしています。AI 技術の進歩は、個人の日常生活からビジネスの運営まで、多くの面で革新的な変化をもたらしています。

この章では、AI 技術がどのように様々なサービスやプロダクトに応用されているのかを具体的な事例を通じて解説します。食事のおすすめから医療診断の支援、建設現場での効率化、文書の自動生成やセキュリティの強化まで、AI は様々な分野で人々の生活を豊かにし、ビジネスの効率化と革新を推進しています。

Section

4-1

カカクコム
食べログ

カカクコムはレストラン検索・予約サイトの「食べログ」とOpenAIの「ChatGPT」を組み合わせたプラグイン*の提供を開始しています。食べログのデータを用いて、自然言語での問合わせにリアルタイムで情報提供します。

ChatGPTのプラグインを日本で初めて提供

株式会社カカクコムは、2023年5月より、レストラン検索・予約プラットフォーム・**食べログ**とOpenAI社の対話型人工知能「ChatGPT」を組み合わせた新サービスを提供開始しました。このサービスは食べログのデータを活用して、ChatGPTを介したユーザーとの対話を可能にするプラグインとして機能します。2023年8月現在ではテスト段階で、「ChatGPT Plus」（有料プラン）に加入しているユーザーは利用できます。日本企業が開発したプラグインとしては初めて、ChatGPTのプラグインストアに掲載されました。

このサービスを利用することで指定したエリア、料理ジャンル、日時、人数などの条件に合致する食べログ上の店舗を簡単に探せるようになります。ChatGPTには自然言語で質問や要望を入力することができ、例えば「明日の19時に4人で入れる渋谷の焼肉屋さんを教えてください」といった具体的な要望に対して、最適な店舗情報を提供します。

食べログで予約可能な店舗の最新の空席情報がリアルタイムで検索できるため、効率的に予約することができます。画像や食べログでの評価点数、そして予約ページへの直接リンクも同時に表示されます。利用を開始するためには、まず「ChatGPT Plus」に加入し、ChatGPTの設定内でプラグイン機能を有効にします。そして、食べログのChatGPTプラグインをインストールすれば完了となります。

Term

プラグイン　ソフトウェアに追加機能を提供するための拡張モジュール。ウェブブラウザのプラグインは、広告ブロックや動画再生などの機能を追加する。AIのプラグインは、特定のタスクやデータ処理に特化した機能を提供し、AIの能力を拡張する役割を果たす。

日本初の挑戦の舞台裏

「食べログ Tabelog Tech Blog」では、次のようなサービス開発の舞台裏も紹介されています。

まず、ChatGPTのプラグインを作成するにはOpenAIに招待される必要があります。そのため、開発初期からウェイトリストに登録し待たなければならず、招待がいつ届くかわからない中で取り組んでいく必要がありました。

大規模開発では開発以外の様々な調整も必要です。食べログの企画やデザイナー、データサイエンス、品質管理のエンジニア、法務、情報セキュリティ、インフラ部門などの協力を得て、各部門の調整を行うことが必須となります。法務調整では、規約の法務リスクを洗い出し、受容可否、プライバシーデータの受け渡しリスクへの対応、定めるべき規約などを判断する必要がありました。セキュリティ部門では、対象システムの調整やスケジュールの調整など、セキュリティの専門会社に診断を依頼、検出された脆弱性指摘への対応を判断する必要がありました。インフラ調整では、サービス提供に必要な機能要件とシステム運用上のリスクを定義、複数の案を比較して最適なシステム構成を決定、具体的な仕様を決定する必要があったとしています。

食べログの利用画面

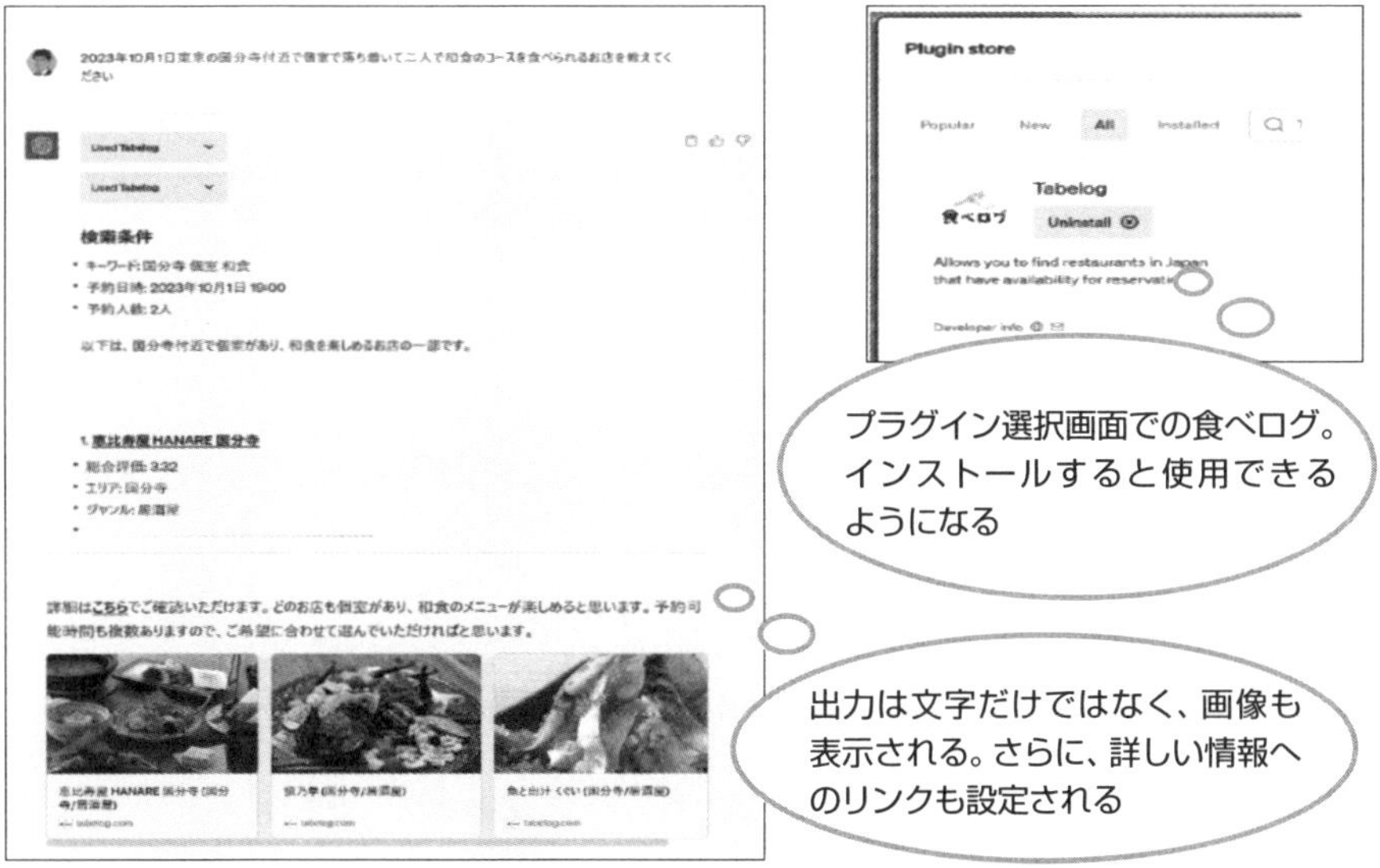
Plugin store
Tabelog
Uninstall
プラグイン選択画面での食べログ。インストールすると使用できるようになる
出力は文字だけではなく、画像も表示される。さらに、詳しい情報へのリンクも設定される

ChatGPTのプラグイン　ChatGPTのプラグインは2023年9月時点で約1000種類ある。機能には「ブラウジング機能（Web読み取り）」、「PDF読み取り機能」、「PDF生成」、「画像生成」、「動画要約」、「動画生成」、「最新情報収集」など多種が揃っている。

Section

4-2 内視鏡AI診断支援

国立がん研究センター・NEC

「WISE VISION 内視鏡画像解析AI」は、大腸がんの早期発見に画期的な貢献をしました。リアルタイムで内視鏡画像を高精度に解析し、医師に疑わしい部位を指摘することで、診断精度が大幅に向上しています。

WISE VISION 内視鏡画像解析AI

内視鏡画像解析におけるAIの進化は、医療界で大きな話題となっています。特に注目されているのは、国立がん研究センターと日本電気株式会社（NEC）が共同で開発した**WISE VISION 内視鏡画像解析AI**です。このソフトウェアは、早期大腸がんおよび前がん病変の発見を目的としています。

大腸がんは、日本だけでなく欧州でも頻度の高いがんであり、早く見つけて治療することがとても重要です。一般的に、大腸がんは前がん病変から発生することが多く、これを早期に発見し摘除することが予防につながります。内視鏡検査においては、医師の技術や状態によっては病変を100％発見することは困難であることから、診断の精度向上が求められていました。

内視鏡画像を学習データに使用

この問題に対する解決策として、国立がん研究センターとNECは協力してAIを開発しました。このAIは国立がん研究センター中央病院で蓄積された1万病変以上の早期大腸がんおよび前がん病変の内視鏡画像25万枚（静止画・動画）を学習データとして使用しています。

検査中にリアルタイムで内視鏡画像を解析し、病変を疑う部位を通知音と円マークで指摘する機能があります。これにより、内視鏡医は視野の限界を補うAIの指摘を参考にしながらより精度の高い診断が可能となります。発見の難しい表面型・陥凹型腫瘍を重点的に深層学習していることも大きな特徴です。これらの学習データの多くは、近隣

下部内視鏡　下部内視鏡検査（大腸カメラ）では、肛門からカメラを挿入して大腸の内側を観察する。モニターに映し出される画像は高精細で、ポリープやがん、出血、炎症などの有無を視覚的にも鮮明に確認することができる。

や遠方の内視鏡専門クリニックや病院で発見され、中央病院内視鏡科に紹介された症例です。

主要な内視鏡メーカー3社の製品とも互換性があり、既存の機器に簡単に接続できる点も大きな利点です。また、NECはこのAI技術をさらに進化させ、病変が腫瘍性である可能性を判定する新機能を追加しました。この機能は欧州でのCEマーキングにも適合しており、欧州市場でも販売が開始されています。

■病変の検出力が高まる

臨床試験においても、このAIは高い診断能力を持つことが証明されています。経験が少ない医師がこのAIを使用することで、病変の検出能力が高まることが確認されています。これにより、大腸がんの早期発見と診断がより確実になり、多くの命が救われる可能性が高まります。

今後は、このAI技術をさらに高度化し、例えばCT画像や病理画像、分子生物学的情報と組み合わせたマルチモーダルな*診断支援システムの開発が進められる予定です。さらなる診断精度の向上が期待されている「WISE VISION 内視鏡画像解析AI」は、大腸がんの早期発見と診断に革命をもたらす可能性を秘めています。

WISE VISIONの概略

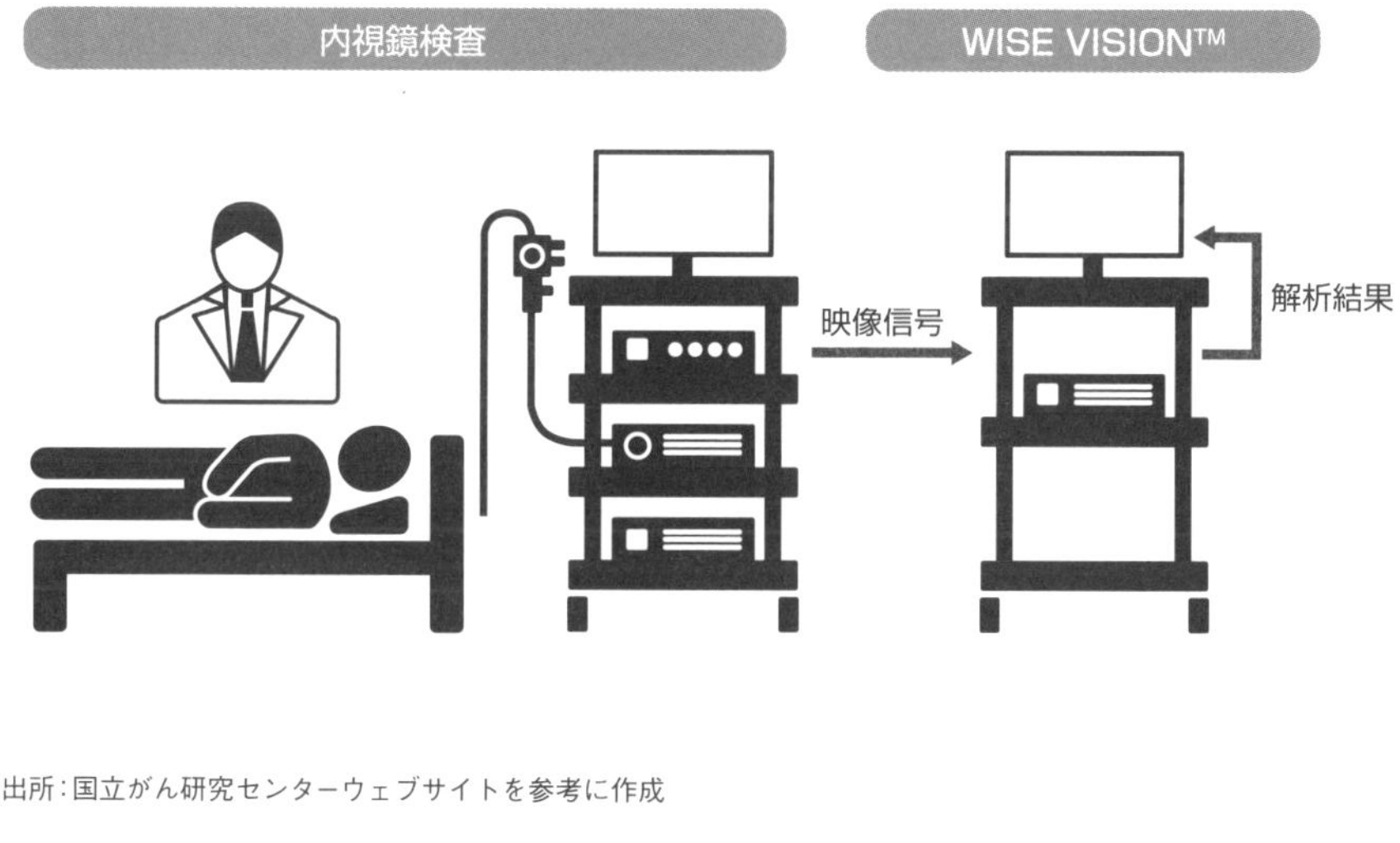

出所：国立がん研究センターウェブサイトを参考に作成

マルチモーダル　複数のモード（手段）を組み合わせて情報を伝えること。AIにおいては、音声、画像、テキストなどの複数の情報源を統合し、より豊かなコミュニケーションや意味理解を実現する技術を指す。

Section

4-3

清水建設

自律型溶接ロボット Robo-Welder

「Robo-Welder」は、労働者不足に悩む建設業界に新しい解決策を提供しました。6軸制御の2本のアームと高度なセンサー技術で作業を効率化することで、人と協力しながら、安全かつ高品質な施工が可能となります。

■Robo-Welder

清水建設株式会社は、東京都港区にある虎ノ門・麻布台地区で進めている大規模再開発プロジェクトにおいて、AI技術を駆使した自律型建設ロボットと人間が共同で作業を進める革新的な生産システム「シミズスマートサイト」を展開しています。この取り組みは、建設業界における生産性の向上と作業者の負担軽減に寄与しています。

「シミズスマートサイト」の最初の取り組みとして、自律型溶接ロボットRobo-Welderが導入されました。このロボットは、6軸アームを使用して、レーザーセンサーで溶接部位の形状を認識しながら溶接作業を行います。

Robo-Welderは地下階での鉄骨柱の溶接を成功させ、地上階での稼働も開始しています。このロボットは、日本国内で最厚の鉄骨柱の溶接を実現し、従来の人手による作業よりも大幅に労働力を削減することができました。

■Robo- Carrier

次に導入される予定のロボットは、自動搬送ロボットRobo-Carrierです。このロボットは、資材を積んだパレットを搬送用エレベーターに乗せて運ぶという役割を担います。また、2024年には4足歩行の巡回ロボットも稼働予定です。現場内を自由に動き回りながら映像データを収集し、施工管理者に送信することで、事務所にいながら現場の状況を把握できるようにします。

清水建設は、この先進的な「シミズスマートサイト」を通じて、ロボットを施工に積極的に取り入れ、建築現場のデジタル化を推進しています。

Column

日常生活において見られるロボット　家庭での清掃作業を行うロボットや、自動運転車のような自動化技術を持つロボット、さらに、介護業界で働くロボットもある。ペットロボットは癒しを提供する役割を果たしている。

Robo-Buddy のイメージ

◀稼働中のRobo-Welder

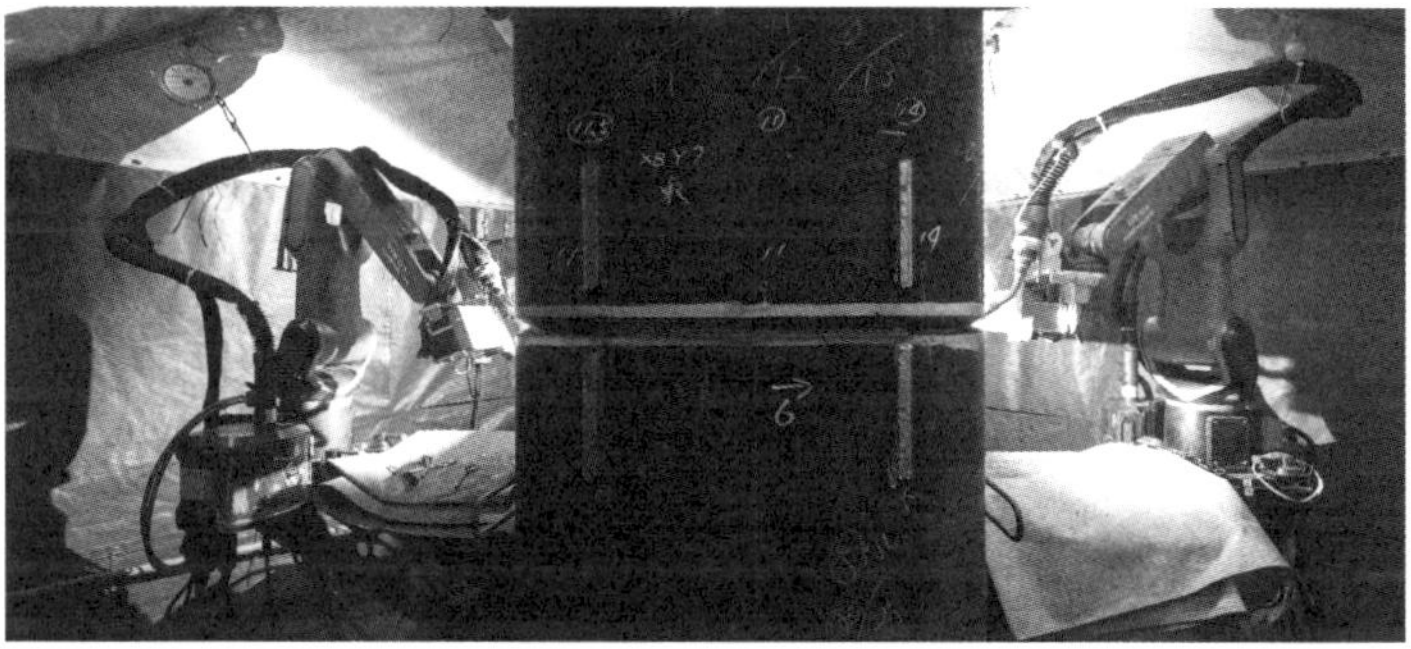

◀溶接を行うRobo-Welder①

◀溶接を行うRobo-Welder②

写真提供：清水建設株式会社

Section 4-4

ユーザーローカル AIライター・ドキュメントチャットボット

ビジネス文書の作成や解析が手軽になる新サービスが登場しました。株式会社ユーザーローカルが開発したサービスは、高品質な文章生成と即座の文書解析を可能にします。

■ユーザーローカルAIライター

ビジネスの世界では、高品質な文章作成が多くの場面で求められます。特に報告書、プレゼンテーション、マーケティング資料などでは、文章の質が企業の信頼性やブランドイメージに直接影響を与えます。しかし、そのような文章を手早く生成するのは容易なことではありません。この課題に対する解決策として注目されているのが、株式会社ユーザーローカルが開発を手がけ、2023年7月6日にサービスを開始した**ユーザーローカルAIライター**です。

ユーザーローカル独自のAI技術とOpenAI製のGPT-4を連携させ、テーマやキーワードを入力するだけでそのテーマに沿った文章を自動生成することができます。使い方は非常に簡単で、テーマを決めた後、関連する単語を2～5個入力し、関連キーワードを選択します。その後、記事の仮タイトルと文章構成（アウトライン）を編集し、「この文章構成でAIに執筆を依頼する」ボタンを押すだけです。会員登録は不要で、法人・個人を問わず無料で利用可能です。

競合との差別化が必要なマーケティング記事の作成や、急速に変わるトレンドに迅速に対応したい場合、または専門外のテーマでも素早く記事を生成したいといった多様な場面で活用できます。ただし、AIが生成する文章には人の感情や個性は含まれていないため、伝えたい内容によっては人が作成したほうがよい場合もあります。また、最終的なファクトチェック*やブラッシュアップが必要です。AIはあくまで便利なツールであり、その活用方法が今後のビジネスの課題ともいえるでしょう。

Term **ファクトチェック**　AIが生成した情報や文章の正確性や信頼性を検証すること。人工知能が自動的に生成した情報には誤りや偽情報が含まれる可能性があるため、ファクトチェックは重要なプロセスである。

ドキュメントチャットボット

ドキュメントチャットボットは、PDF、Word、パワーポイントといった様々なファイル形式の文書をアップロードするだけで、その内容をAIが学習し、質問に対して即座に回答を提供するサービスです。

ユーザー登録やログインは一切不要で、無料で利用できます。単にウェブページ上のフォームに文書ファイルをアップロードするだけで、わずか5秒後には専用のチャットボット*が生成されます。ChatGPTと連携しており、文書の内容に対する質問に瞬時に答えを見つけ出してくれます。これにより、文書全体を通読する手間を省くことができます。20MBまでの文書サイズに対応しており、最初の50ページまでの情報を基に質問に回答します。さらには、AIが回答を生成する際に参考にした文書のページ番号も表示されるので、その情報源を瞬時に確認できます。

例えば『走れメロス』のファイルをアップロードし、セリヌンティウスがなぜ最後にメロスを殴ったのかといった質問をすると、AIは「セリヌンティウスが最後にメロスを殴った理由は、メロスが自分を疑ったことに対する試練としての行動でした」といった具体的な回答を提供してくれます。

ドキュメントチャットボットの利用画面

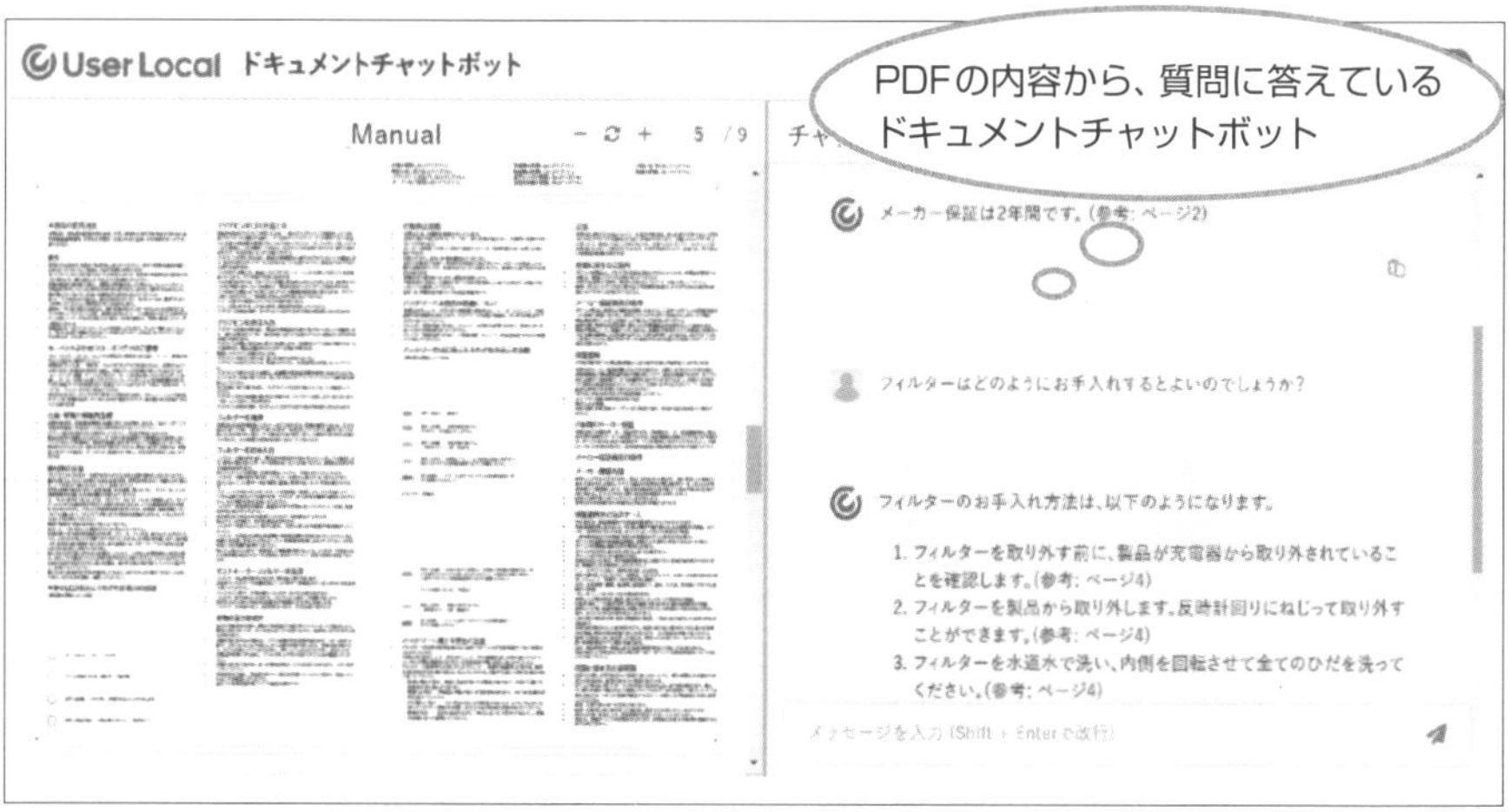

チャットボット　人工知能（AI）を利用して自動的に応答するプログラムのこと。人間のように対話し、質問に答えたり、情報を提供したりすることができる。

Section

4-5 AIガードマン

NTT東日本・アースアイズ

「AIガードマン」は、万引き防止のための革新的なソリューション*です。AI搭載のカメラが来店客の動きを解析し、不審行動をリアルタイムで店員のスマホに送信します。有効な解決策として期待されています。

■AIガードマン

日本の小売業界が直面する厳しい課題の1つは、年間4000億円にも上るといわれる万引き被害です。東日本電信電話株式会社（NTT東日本）とAIベンチャー企業アースアイズ株式会社は力を合わせて、万引き防止のための独自のソリューション、**AIガードマン**を開発しました。このシステムは、小売業界における経営課題に対する効果的な対策を提供するだけでなく、AI技術の実用化の新たな道を切り開いています。

「AIガードマン」の最大の特長は、店舗に設置されたAI搭載のカメラが、来店客の動きを自動で解析することです。さらに、不審行動が検出された場合、関連情報がリアルタイムで店員のスマートフォンに送信されます。これにより店員はすぐにその場で適切な対応を取ることができます。例えば、「何かお探しですか?」と声をかけることで、万引きを事前に防ぐことが可能になります。

クラウド技術を用いており、解析されたデータは安全にオンラインストレージ*に保存されます。あとから事件の検証を行う際にも、必要な情報が容易に取得できます。従来の防犯カメラが持っていない、AIがもたらす付加価値の1つです。このシステムの費用対効果としては、あるホームセンターでは導入後に商品ロスが約300万円削減され、あるスーパーでも約200万円の削減が確認されました。この実績は、AIガードマンが単なるテクノロジーでなく、実際のビジネス課題に対する有効な解決策であることを証明しています。

Term **ソリューション**　問題を解決するための手段や方法のこと。AIは高度な計算能力や学習能力を持ち、膨大なデータを処理し、複雑な問題に対して効果的な解決策を提供することができる。様々な分野で革新的なソリューションが生まれている。

■学習システム -eeAIL

AIガードマンにも用いられている -eeAIL は、従来のAIカメラが抱える課題・**誤検知率**の向上を目的としています。従業員の動きと犯罪行動を高精度で区別できるよう、AIの学習アルゴリズムを再構築し、制服や手の動きまでをも学習させた結果、検知率が驚異の96％以上に達しました。この進化は、AIの学習データが「事件・事故」領域で特に有効であることを示しています。映像編集を駆使して限られたデータから火災、土砂崩れ、工場のヒヤリハットなどの緊急事態を再現し、AIの学習データを増やすことに成功しています。AIの持つ社会課題解決への強力な貢献性を再認識させるものであり、AIの進化と応用がどれほどの「価値」を生むかを示唆しています。

アースアイズが保有する独自の特許技術には、カメラだけで3D空間を正確に把握できる技術や、視線と骨格情報から不審者を特定する技術などがあります。これにより、センサーなどの追加装置なしで環境を高度にモニタリングできます。アースアイズは「AI help you?」というサービス名のもと、防犯から防災に至るまで、多角的な安全対策を提供しています。

AIガードマンの利用イメージ

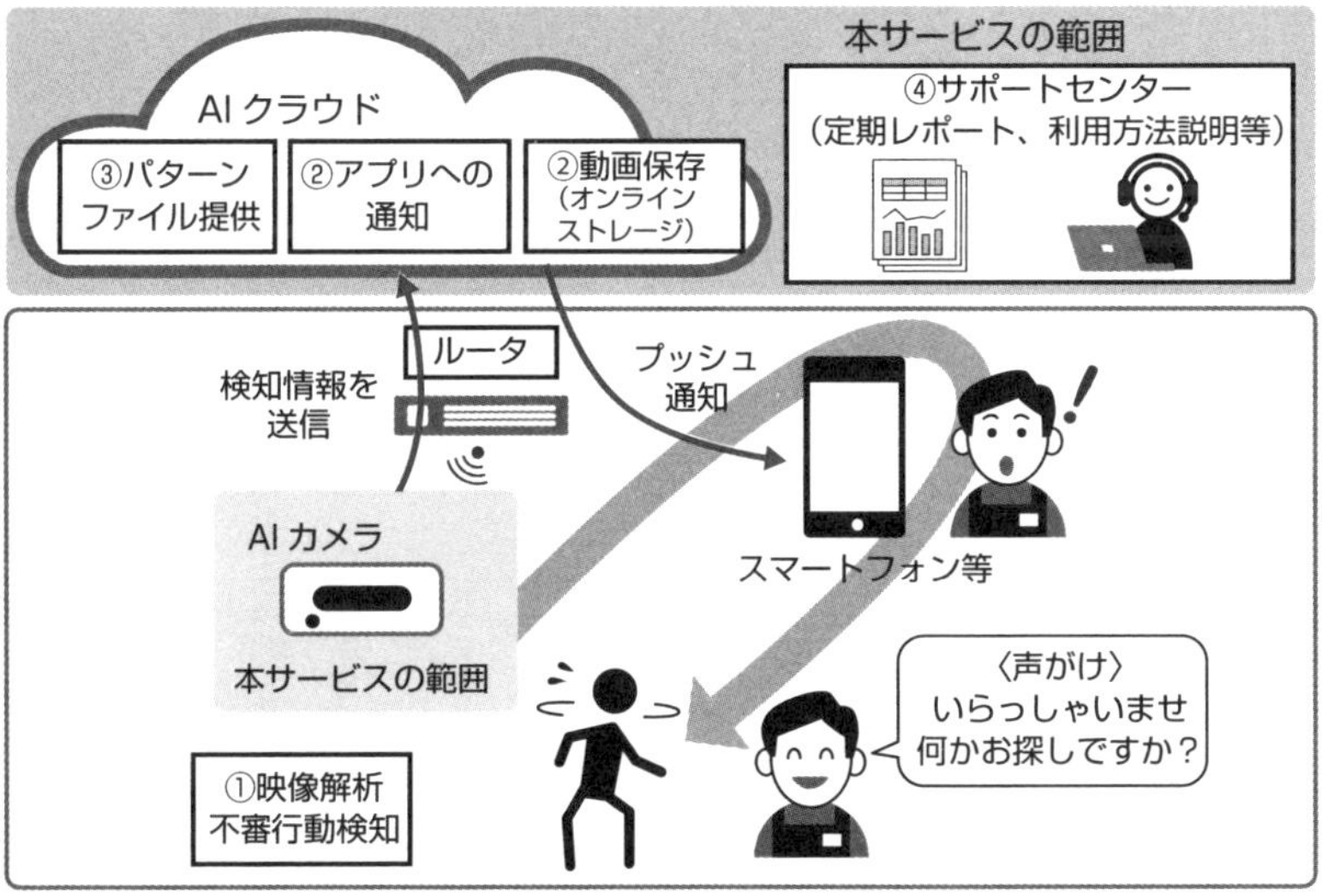

Term **オンラインストレージ**　インターネット上でデータを保存するサービス。パソコンやスマートフォンからいつでもアクセスでき、大切なファイルを安全に保管できる。容量も豊富で、データの共有やバックアップにも便利である。

Section

4-6 農業用自動収穫機

デンソー

㈱デンソーは、三重県津市に本社を置く㈱浅井農園と合弁で2018年度に設立した㈱アグリッドにて、従来のFAロボット技術に自動車分野での安全・自動運転のAIモデルやディープラーニング技術などを活用し、ミニトマト房採りの農業用自動収穫機の開発を進めています。

■次世代・大規模施設園芸モデルアグリッドにて実証

自動車関連部品の製造メーカーであるデンソーは、大規模施設園芸で国内最先端の品種および栽培技術を有する浅井農園と合弁で三重県いなべ市にアグリッドを設立し、収穫物の自動搬送や農業用自動収穫機の開発をはじめとしたデンソーのモノづくり技術を活かした農業の工業化を目指すプロジェクトに取り組んできました。農作物を自動収穫するためのロボットを効率よく開発するには、実際の様々な栽培条件を作り出せる実農場での繰り返しの実証が必要であり、現在、アグリッドと栽培の調整を行いながら、現地現物で農業用自動収穫機の性能向上に向けた実証に取り組んでいます。

■収穫能力向上における重要要素

トマトの収穫性能向上には、画像による房・果柄・障害物、および熟度の正確な検出・精度が重要な要素になっています。これらにおいては、房・果柄・障害物および熟度などの何千枚の画像によるAI学習（ディープランニング）や、収穫可否判定のアルゴリズムの独自開発を行うことで収穫性能を向上させています。

まずはミニトマト房採りの自動収穫から始め、トマト以外の他作物や収穫以外の他作業の自動化への適用も検討されています。就農（労働）者不足が顕著な欧米でもその需要は高く、オランダにあるデンソー関連会社であるセルトン社（Certhon Build B.V.）との協業が進んでいます。

農業用自動収穫機

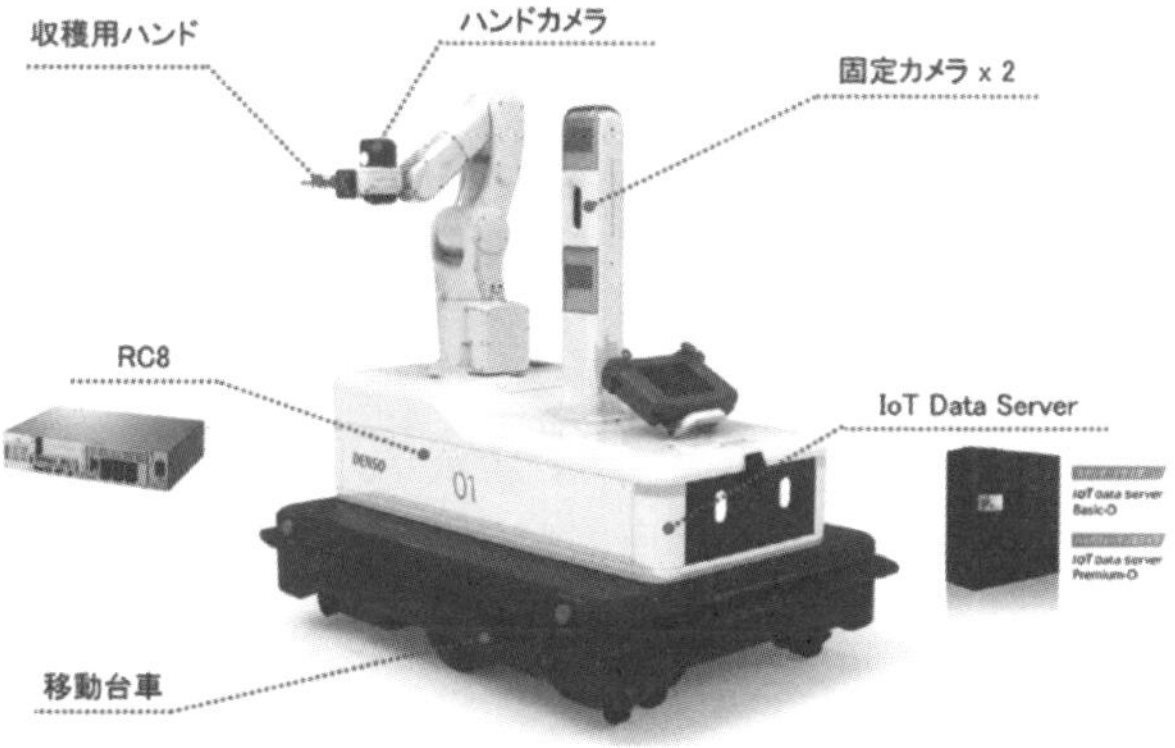

▲AIを用いてトマトの房検出・熟度判別を行っている様子。
房が認識されているだけでなく、個々の実の熟度も表示されている

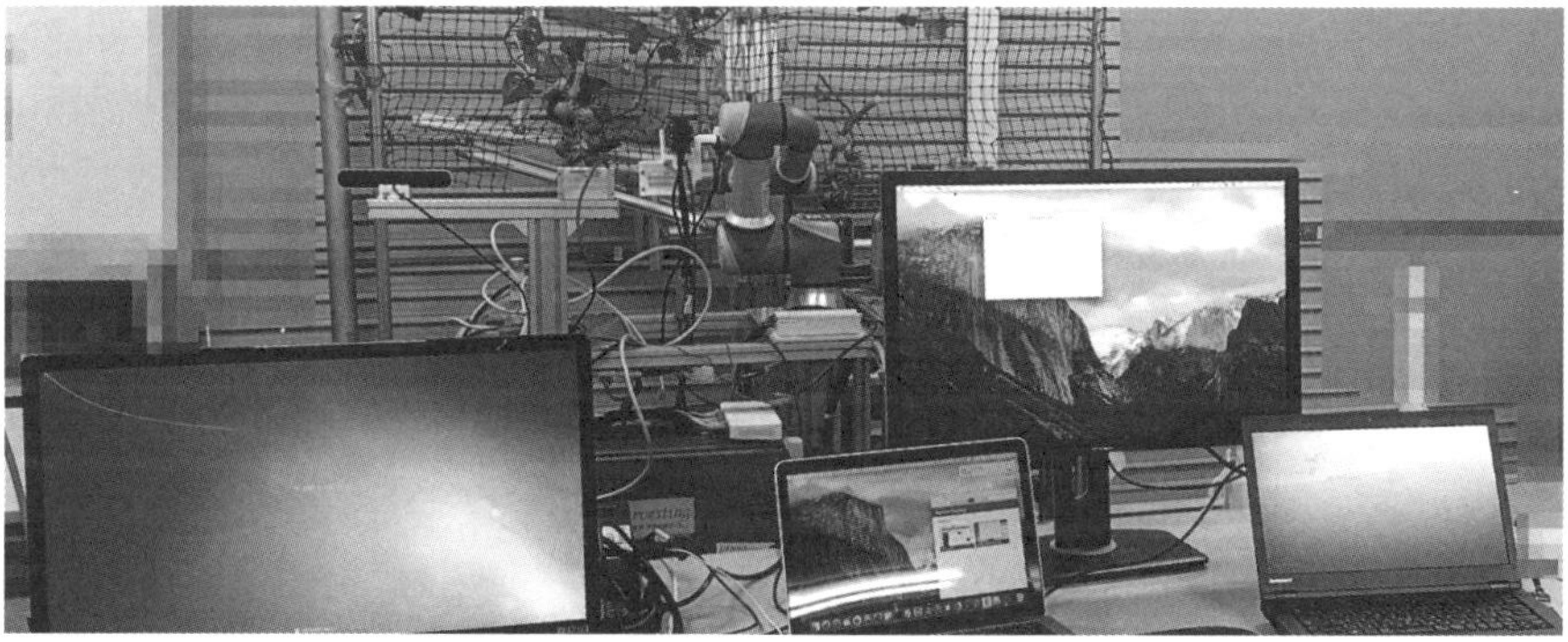

▲工場の空きスペースを活用した実験室

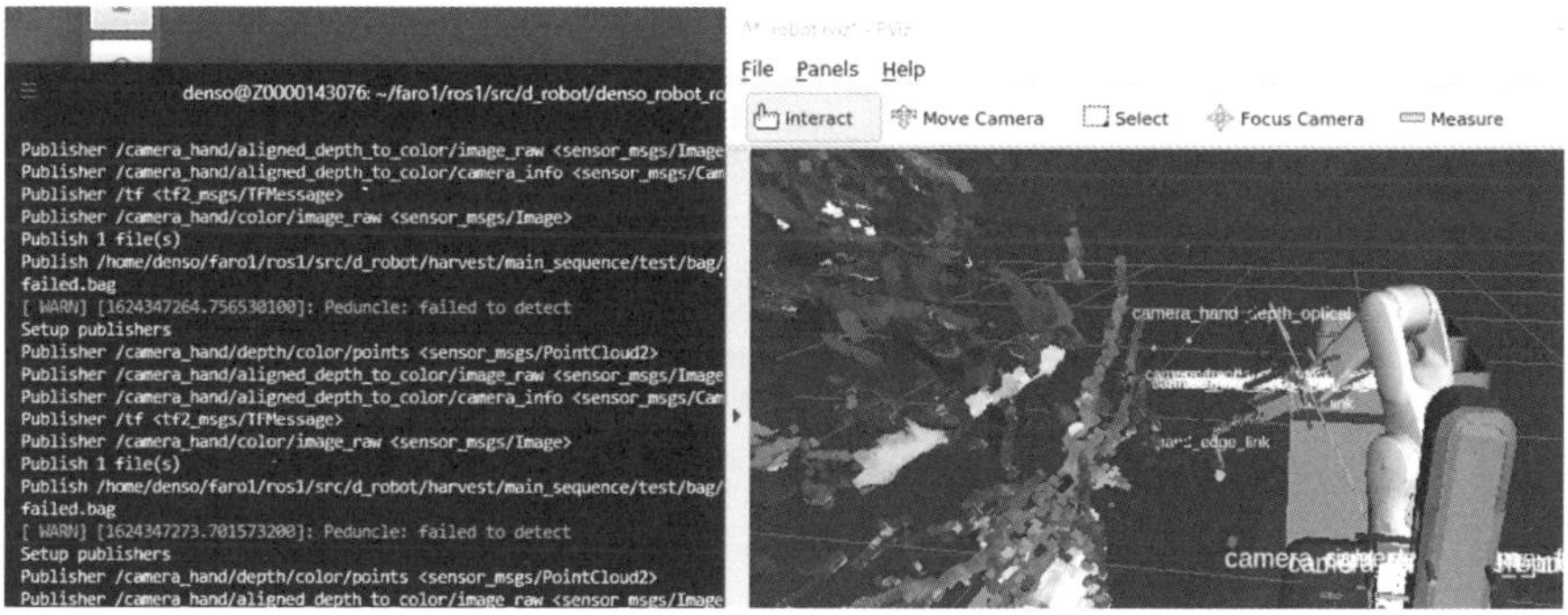

▲農園を再現したPC上のシミュレーション環境

出所：株式会社デンソーホームページ
https://www.denso.com/jp/ja/driven-base/tech-design/robot/

スタートアップと大企業のAI戦略

新興企業と大企業のAI戦略の違いは、それぞれのリソース、リスク許容度、戦略目標の違いを反映しています。

新興企業は機敏でリスク許容度が高い反面、リソースが限られているため、ニッチ市場をターゲットとした革新的なAIアプリケーションや新技術の開発に注力することが多いです。特に、新興技術の探求とニッチ市場向けのソリューション開発に焦点を当て、アジャイルなアプローチを取ることで、市場からのフィードバックに素早く対応し、AI戦略を迅速に方針転換する能力を保持しています。

一方、大企業は豊富な経営資源を持ち、多額の投資を行うことで、自社の中核事業を強化し、幅広い業務領域でAIを活用して効率性、生産性、顧客満足度を向上させることを目指しています。大企業のリソースは、データ、計算能力、および優秀な人材の獲得を含み、これらのリソースは新技術の統合やAI新興企業の買収を通じてさらに強化されることがあります。自社の主要ビジネスと既存の顧客関係にAIを適用し、長期的な研究と開発に投資することで、持続可能な成長と利益の増加を追求します。顧客との確立されたパートナーシップ、規制遵守、および人材の獲得と保持において利点を持ち、これらの要素がAI戦略の進行をサポートし、イノベーションプロセスを促進します。しかし、大企業の規模の大きさや組織の複雑さによりプロセスが硬直し、イノベーションのペースが遅くなる傾向があります。

新興企業は持てるリソースを駆使して破壊的イノベーションと迅速な市場参入を目指し、大企業はAIの広範な応用と着実な進歩を目指す傾向があるといえるでしょう。

第5章

AI産業の職種

AI 産業の進化は止まることを知らず、その核となるのは専門知識を持つプロフェッショナルたちです。

この章では、AI 産業で働く 8 つの主要な職種を紹介します。各職種の専門家に焦点を当てて、その役割、責任、そして業界での重要性について深く掘り下げます。データの解析から機械学習の実装、そしてロボティクスの最前線まで、多岐にわたる技術分野が交わる場で活躍する専門家たちの仕事を通じて、AI 産業の多面的な側面と将来の可能性を探求してください。

Section

5-1 データサイエンティスト

データサイエンティストは、ビッグデータを活用してビジネス、研究、経営方針に広範な影響を与える職種です。数学、統計学、AIと機械学習の知識は必須。ビジネス戦略や業務改善に分析結果を応用します。

■データサイエンティスト

データサイエンティストはビッグデータを駆使してビジネスや研究、政策形成に貢献する専門家です。数学や統計学、プログラミング、AI・機械学習など多様な技術的スキルが求められます。さらに、これらの分析結果をビジネス戦略や業務改善につなげる能力、すなわちビジネスに対する理解も必須です。

業務内容はデータの収集から整理、前処理、解析、仮説検証、そして最終的な報告やアドバイスに至るまで多岐にわたります。結果の解釈やそれをどう活用するかについてのコミュニケーション能力も重要なスキルの1つです。

日本でもデータサイエンティストの需要は高まっており、特に未経験からでも挑戦可能な分野といえます。年収も300万円以上からスタートし、スキルと経験に応じては900万円以上を目指すことも可能です。

■統計学やデータ分析の資格が有利

このような背景から、フリーランスとして活動する場も広がっています。資格は特定のものが必須というわけではありませんが、統計学やデータ分析に関する資格は有利です。プログラミング言語（特に**Python**）や**データベース**の知識も重要です。自己学習や専門スクール、オンラインコースなどを活用してスキルを磨くことが推奨されます。

転職や新規就職を考える際には、プログラミングスキルや前職での経験が大きなアピールポイントとなるでしょう。実務経験が少ない場合やIT未経験者は、Kaggle＊などのデータ科学コンテストで実績を上げる、クラウドソーシン

Term

Kaggle　データサイエンスと機械学習のコミュニティプラットフォーム。ユーザーはこのプラットフォーム上でデータサイエンスのコンペティションに参加したり、データセットを共有したり、コードを公開したりすることができる。

グでプロジェクトに参加するなどして、ポートフォリオを充実させることが有用です。

データサイエンティストは多岐にわたるスキルと専門知識を必要とする職種ですが、そのぶん、報酬も期待でき、多くの企業で需要が高まっています。技術だけでなくビジネスの側面も理解し、その統合的な視点で価値を提供できる人物が求められています。

■ＤＸの推進においても重要な人材

データを効果的に活用できるかどうかがＤＸの成否を左右するといわれています。データサイエンティストは企業や組織のＤＸにおいて不可欠なデータの活用領域を中心に、ＤＸの推進を担う人材としても位置づけられています。データの活用においても自組織の競争力の向上につながる活用方法の提案が求められ、また、提案したデータの活用方法の業務成果を評価する能力も求められます。他の人材とも連携をしながら、ＤＸの取り組みの中心的役割を担う必要があります。

データサイエンティストの役割イメージ

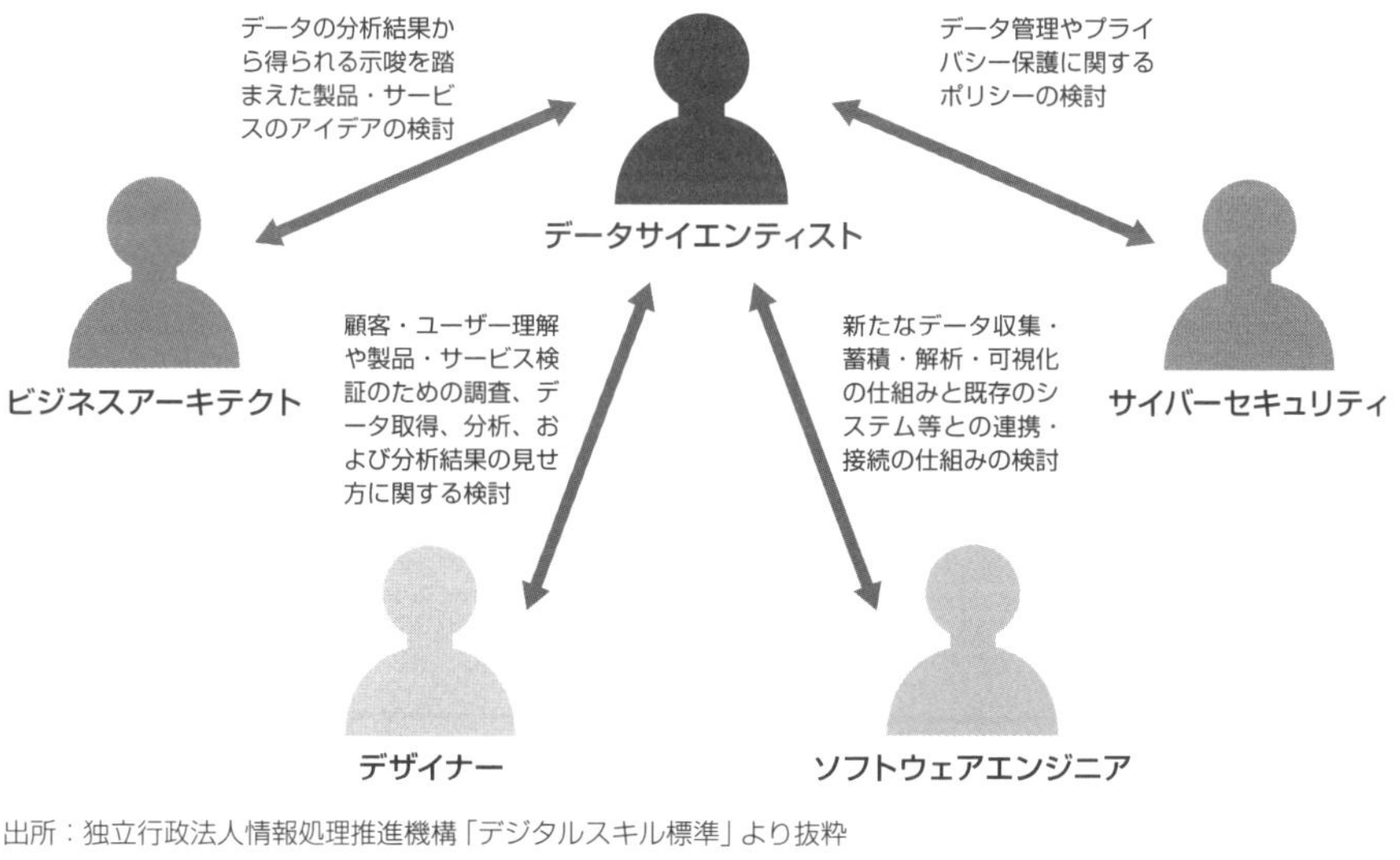

データの分析結果から得られる示唆を踏まえた製品・サービスのアイデアの検討
データ管理やプライバシー保護に関するポリシーの検討
データサイエンティスト
ビジネスアーキテクト
サイバーセキュリティ
顧客・ユーザー理解や製品・サービス検証のための調査、データ取得、分析、および分析結果の見せ方に関する検討
新たなデータ収集・蓄積・解析・可視化の仕組みと既存のシステム等との連携・接続の仕組みの検討
デザイナー
ソフトウェアエンジニア

出所：独立行政法人情報処理推進機構「デジタルスキル標準」より抜粋

Term

データサイエンス　大量のデータから有益な情報を抽出し、問題解決や意思決定をサポートするための手法や技術の総称。統計学や機械学習などを活用し、データの分析や予測、パターンの発見などを行う。

Section
5-2 マシンラーニングエンジニア

マシンラーニングエンジニアは、日々進化するAIのフィールドで極めて重要な役割を担います。データ処理からモデル設計*、システム組み込みまで多岐にわたるスキルが要求されます。

■マシンラーニングエンジニア（機械学習エンジニア）

マシンラーニングエンジニアのフィールドは日々進化しており、**自動化ツール***の出現によって、求められるスキルは変化し続けています。初心者は基本的なプログラムスキルから始め、Pythonやデータベース、**システムインフラ**の知識を深めることが重要です。統計学の知識も欠かせないため、資格試験の取得を考えるとよいでしょう。

仕事内容は多岐にわたりますが、主にデータの収集・前処理、モデルの設計と構築、性能評価、そしてシステムへの組み込みが基本的な流れです。具体的なプロジェクト例としては、チャットボットの開発や推薦システム、画像認識技術の開発などがあります。

■キャリアパスと人物像

年収は他のエンジニア職種に比べて高額なケースが多いです。ただし、高い報酬を得るためには専門的なスキルと経験が必要であり、持続的な学習が不可欠です。

キャリアパスは、データサイエンティストやAIリサーチャーへのステップアップはもちろん、海外での活躍や学術研究への参加も選択肢としてあります。また、フリーランスとして働くことも1つの道ですが、それにはさらなるスキル磨きと実績が求められます。転職を考える際には、ITエンジニアとしての基本的なスキルと経験を積んだ上で、機械学習が活用されている業界での実績を持つことが有利です。転職エージェントや転職サイト、SNSやクラウドソーシングサイトを活用して、自分に合ったポジションを見つけましょう。

Term

モデル設計　データやアルゴリズムを使用して、特定のタスクを実行するためのモデルを作成するプロセス。データの収集や前処理、特徴の選択、モデルの構築などが含まれる。高いパフォーマンスや予測能力を持つモデルを作成することが目的。

この職種に向いている人物像としては、データ分析が好きで、数学的・論理的思考が得意な人などが考えられます。そして、地道な作業に根気よく取り組める人が成功する可能性が高いです。機械学習エンジニアは高度な専門性を持ち、多くの業界でその能力が求められています。しかし、その成功には広範なスキルセットと持続的な学習が必要です。興味と情熱を持って取り組むことが、この先進的で競争の激しいフィールドで成功する鍵となります。

マシンラーニングエンジニアの仕事

機械学習はデータがないと始められません。まずはどのようなデータを収集するのか、収集にはどのような種類のセンサーが必要でどこに取り付けたらよいのか、どのくらいの情報量が必要なのかを決める必要があります。

集めたデータの分析、予測モデルの作成など、地道な努力の積み重ねも必要となります。日々、システムやアルゴリズム、学習モデルの作成など緻密な業務を繰り返し行い、時には思ったように学習されずに長時間の業務を強いられることもあります。また、日々技術が進化するため、最新スキルを常に勉強する必要もあります。

マシンラーニングエンジニアの仕事の流れ

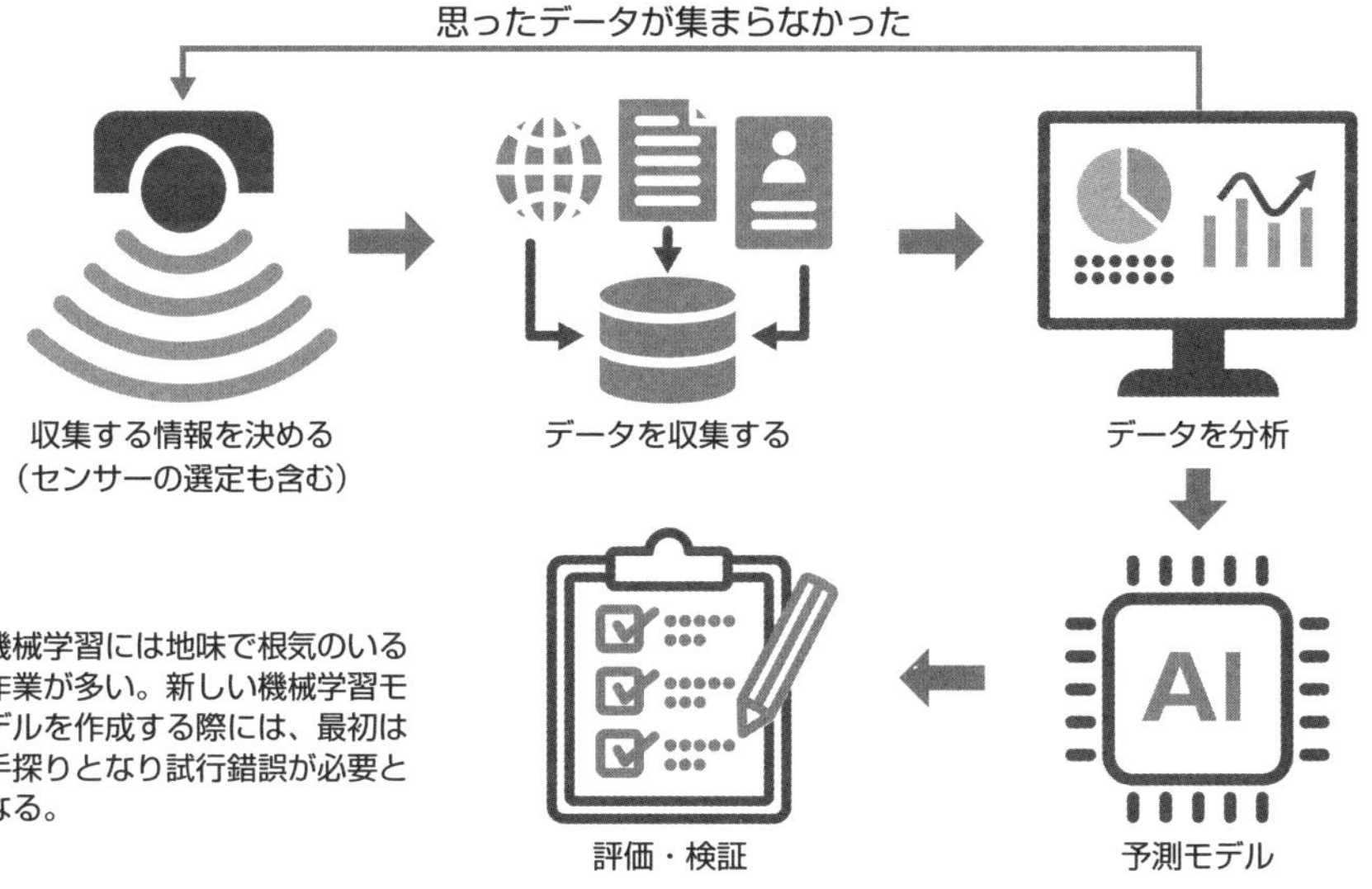

機械学習には地味で根気のいる作業が多い。新しい機械学習モデルを作成する際には、最初は手探りとなり試行錯誤が必要となる。

Term **マシンラーニングの自動化ツール**　機械学習のプロセスを効率化し、簡単に実行できるようにする。データの前処理、モデルの選択、パラメータの最適化などを自動化し、時間と労力を節約する。短期間で高度な予測モデルを構築できる。

Section

5-3 データエンジニア

データエンジニアはビッグデータ時代、ますます重要な存在といえます。データウェアハウスや分散処理技術を活用し、企業や組織に貴重な情報を提供する専門家で、多岐にわたる技術的スキルと業務知識が必要になります。

■データエンジニア

データエンジニアはビッグデータの効率的な管理と処理に特化した専門家であり、**データウェアハウス**＊や**分散処理技術**＊を活用して企業に貴重な価値をもたらします。ビックデータを処理する際、Excelなどの通常のツールでは処理できないため、ビッグデータ専用のデータウェアハウスや分散処理技術を活用して、データの抽出と処理を迅速に行います。ビックデータから効率的にデータを抽出できる基盤を構築し、企業や組織にとって貴重な情報を提供する役割を担います。近年、データエンジニアの重要性が急速に増加しており、需要も高まっています。

一般的に、データベースが小規模である場合、データサイエンティストや機械学習エンジニアがデータ基盤の開発を兼ねることもあります。しかし、ビックデータが関わる場合、データエンジニアの専門知識とスキルが必要です。それらを駆使してビッグデータの管理、整理、情報基盤の構築、運用など、様々なタスクを担当します。

■データエンジニアの仕事内容

データエンジニアの主な仕事は次のとおりです。

●データの整理と加工

データが不完全である場合、欠損データを補完したり、重複データを取り除いたりします。また、表記の揺れ（例：サーバーとサーバ、西暦と和暦・元号、年齢区分）を統一し、データの一貫性を確保します。このように、データを分析可能な形式に整理し、必要に応じてプログラムを使用してデータを加工します。また、データをグラフや**可視化ツール**を使用して視覚的に表現したりもします。

Term
データウェアハウス　企業や組織が蓄積した大量のデータを一元管理し、分析や意思決定に活用するためのデータの倉庫。データの統合や整理を行い、効率的なデータアクセスを提供する。

●情報基盤の構築と運用

IoTなどから収集された膨大なデータをデータベースに格納し、データサイエンティストや専門家が分析に必要なデータを迅速に取り出せるように情報基盤を設計・構築します。クラウドサービスを活用してデータを効率的に保管し、クラウド上で情報システムを開発・運用することもあります。

●AI（人工知能）開発のサポート

AIに学習させるための教師データの作成を担当し、データ整理とプログラム開発を行うこともあります。AIの運用に基づいて教師データを改善し、継続的なサポートを提供します。

■必要なスキル

データエンジニアとしてのスキルには、数学（微分積分、線形代数、確率統計）、プログラミング（Python、Java、R）、データ可視化、クラウドサービスの利用、センサーやIoTの知識、データベース設計・運用、分散処理技術（Hadoop等）などが含まれます。業務知識も重要で、特定の分野に詳しいことがデータ処理の成功に不可欠です。

データエンジニアが扱うツールや技術

1.Python（プログラミング言語）

Pythonにより多種多様なサービスをAPIを用いて連携させるなど、データパイプラインの構築に使います。

2.SQL

データベースから必要なデータを抽出するSQLは必須です。

3.PostgreSQL

軽量なデータベースですが、大規模なデータセットを操作できるように設計されているため、多量のデータを扱う際には便利です。

4.MongoDB

NoSQLデータベース。構造化データと非構造化データの両方の大規模データにも対応しています。

5.Apache Spark

リアルタイムストリーミングでデータ処理を統合したりSQL分析、機械学習アルゴリズムをトレーニングしたりするために用いられます。

Term **分散処理技術**　複数のコンピュータやサーバーを使用して、大量のデータやタスクを同時に処理する技術。データやタスクを複数のノードに分散・同時処理させることで、処理速度やスケーラビリティを向上させることができる。

Section
5-4 ソフトウェアエンジニア

AI産業には特化したソフトウェアエンジニアが不可欠な存在です。単なるコーディングスキル以上に、人工知能、機械学習、倫理、法的知識など多岐にわたる専門性を持つ必要があります。

ソフトウェアエンジニア

ソフトウェアエンジニアは、ITテクノロジーが社会や経済のあらゆる側面に大きな影響を与えている社会で欠かせない存在です。AI産業に特化して考えると、この職種はさらに多くの独特なスキルと知識を要求されます。人工知能や機械学習の基礎から、その応用技術、さらには倫理や法的な側面に至るまで幅広い領域での専門性が求められます。AIや機械学習技術の進化が著しい今日では、持続的な学習とスキルの向上が不可欠です。高度なチームワークとコミュニケーションスキルも必要とされるため、自己啓発と人間力がこの職種で成功するための鍵となります。

日本国内でもIT人材不足が続く中、ソフトウェアエンジニアは非常に需要の高い職種の1つです。未経験からこのフィールドに入るには相応の挑戦となります。ITスキル標準などの基準に沿った教育と、AIや機械学習に関する専門的な研修が不可欠となります。

キャリアパスとスキル

キャリアパスも多岐にわたります。プロジェクトリーダーになるにはマネジメントスキル、ITコンサルタントにはビジネス戦略の知識、ITアーキテクトには高度なシステム設計能力が求められます。また、フリーランスとして独立する道もありますが、その場合は開発スキルだけでなく、営業力や人脈も重要となります。

AI産業におけるソフトウェアエンジニアは、汎用的なコーディングスキル以上のものを持っている必要があります。AI時代のソフトウェアエンジニアは、テクノロジーを駆使して社会やビジネスに革新をもたらす力を持ち、その影響力は今後ますます拡大するでしょう。

Term
MLOps　機械学習（ML）のライフサイクル管理と運用を効果的に行うための実践、プロセス、および文化のセット。sDevOps（Development and Operations）の原則を機械学習プロジェクトに適用し、開発と運用の間のギャップを埋めることを目指している。

ソフトウェアエンジニアが用いる開発環境・ツール

■インフラ
サーバマシン（GPUサーバ、CPUサーバ）

■仮想環境
Dockerなど

■その他
Google Workspace
Microsoft Azure
AWS（EC2,S3,Amplify, Lambda, Cognito, API Gateway, CloudFormation, …）
GitLab*
Redmine
Slack

■必須スキル
AWSでのサービス設計・構築・運用経験
Linux（Ubuntu）サーバの設計・構築・運用経験
Windowsサーバの設計・構築・運用経験
チームでのソフトウェア開発経験

■経歴・スキル
Dockerの設計・構築・運用経験
SaaS（Azure AD/Google Workspaceなど）の設計・構築・運用経験
システムセキュリティに関する知識、設計経験や資格
機械学習や最適化アルゴリズムに関する興味・知識や実務経験
MLops*に基づく環境設計・構築・運用経験

Term **GitLab** ソフトウェア開発プラットフォームであり、バージョン管理システムであるGitを使用して、チームでのコードの共有、管理、監視を支援する。プロジェクトのトラッキング、CI/CDパイプライン、課題管理、コードレビューなどの機能を提供する。

Section
5-5 AIエンジニア

AIエンジニアは多様な課題解決にAI技術を応用する専門家。機械学習から深層学習、データ分析まで必要スキルは広範で、プログラミングとデータサイエンスの両面にわたる知識が求められます。

AIエンジニア

AIエンジニアとは、AI技術を活用して、様々な課題を解決するシステムを開発する専門家のことです。AIに必要なアルゴリズムの設計やプログラミングを行い、実社会の課題解決にAIを応用していきます。

具体的には、大量のデータから有用なパターンを見出して分類する機械学習や、人間の脳の仕組みを模した深層学習などの技術を使いこなします。例えば、消費者の嗜好を分析することで、個々のニーズに合った商品を提案したり、画像認識技術を使って医療画像の解析を行ったりするのが、AIエンジニアの仕事です。様々な業種・サービスに関わる仕事といえます。

AIエンジニアの分野

AIエンジニアには、主に2つの分野が存在します。

●プログラミング分野

機械学習やディープラーニングなどの技術を使って、AIの仕組みをプログラミングで構築していきます。データの前処理や可視化、モデルの構築と検証、システムの保守・運用までを担当します。

●データサイエンス分野

収集したデータを分析し、ビジネス上の課題解決に役立てることを目的とします。統計解析手法を使ってデータから価値を引き出し、解析結果を可視化してわかりやすく伝

Term **特徴量エンジニアリング**　機械学習やデータ分析において、データセットから有用な特徴を抽出し、それを機械学習アルゴリズムに適した形式に変換するプロセス。データの前処理や変換を行い、モデルの性能を向上させるために使用される。

えることが重要です。
多くの場合はこの2つの分野をまたがって活躍することもあり、データサイエンティストと同じように呼ばれることもあります。

AIエンジニアに必要なスキル

AIエンジニアに必要なスキルは多岐にわたります。まず、数学・統計学の知識は不可欠であり、データを分析する際に線形代数や確率・統計などの理論的背景が重要とされます。プログラミング能力も欠かせません。Python、SQLなどの言語を使いこなせることが求められます。機械学習の知識も必要です。**特徴量エンジニアリング**＊やモデルの性能評価、**ハイパーパラメータチューニング**＊などのテクニカルなスキルが必須です。

さらに、技術に関する知識以外では論理的思考力も重要で、データから仮説を立てて検証する科学的アプローチの能力が重視されます。問題解決力も大切であり、ビジネス上の課題を整理して解決策を立案する能力が必要です。加えてコミュニケーション能力も非常に重要で、ステークホルダーと良好な関係を築き、成果をわかりやすく説明できる力が求められます。このように、AIエンジニアは高度な専門性が求められる職種ですが、AI市場の拡大に伴い人材需要は確実に高まると予測されています。将来性のある職業として、注目度が上がっていくことでしょう。

就職の流れ

AIエンジニアを目指すには、いくつかの選択肢が考えられます。まず、大学で数理・情報系を専攻し、その後大学院でさらに高度な知識を身に着けるというルートがあります。また、専門学校で実践的なプログラミングスキルなどを学ぶことも1つの方法です。企業内での**OJT**を通じて徐々にスキルアップすることも可能です。さらに、オンラインで自己学習をしながら関連する検定試験に合格するという手段もあります。データサイエンティスト向けのブートキャンプに参加することも、特定のスキルセットを短期間で習得する効果的な方法とされています。

いずれのルートを選ぶにしても、業務経験は非常に重視されるため、インターンシップなどを活用して早い段階から業務知識を身に着けることが大切です。このように、AIエンジニアはいま最も注目される職種の1つです。専門性を高めながら、AIの可能性を広げる仕事に挑戦してみてはいかがでしょうか。

Term **ハイパーパラメータチューニング**　機械学習モデルの性能を最適化するために、モデルのハイパーパラメータを調整するプロセス。ハイパーパラメータは、モデルの学習に影響を与える設定値であり、最適な値を見つけることでモデルの予測精度を向上させることができる。

Section
5-6 ロボティクスエンジニア

ロボティクスエンジニアは、自動車から医療、製造業、エンターテインメントといった多様な業界で技術革新を推進する専門家。機械、ソフトウェア、AIを融合させ、複雑な問題解決に取り組みます。

ロボティクスエンジニア

ロボティクスエンジニアとは、機械、ソフトウェア、センサー、AIなど多様な技術を統合して、特定の目的に沿ったロボットを設計、製造、評価、および運用する専門家です。この職種の主な仕事内容は、ロボットが果たすべき役割と動作環境を明確にし、それに基づいて必要なセンサー、モーター、ソフトウェアなどの仕様を計画することです。

ロボットに必要な機械部品（アーム、車輪、センサーなど）と、それらを制御するソフトウェアを設計し、制御アルゴリズムやAIを用いたプログラミングも行います。その後、設計したロボットのプロトタイプを作成し、実際に動作するかどうかのテストを行います。テストフェーズでは、設計どおりに動作するかだけでなく、安全性、耐久性、効率性も評価されます。市場に出たあとも、定期的なメンテナンスやトラブルシューティング、新機能の追加などが必要になります。

必要なスキルとキャリアパス

必要なスキルは、機械工学、電気工学、情報工学、材料科学などの広範な基礎知識、プログラミング言語（Python、C、C++*など）のスキル、高度な数学的理解（微分方程式、線形代数、確率論など）、そしてAIや機械学習の基礎知識が挙げられます。これらの取得にあたっては大学の工学部や専門学校で基礎を学ぶことが一般的ですが、オンラインコースやセミナーも非常に有用です。資格としては、**G検定***（**ジェネラリスト検定**）、**Python エンジニア認定試験**などがあります。

Term **C、C++言語**　高速で効率的なコードを作成するために使用されるプログラミング言語。C言語は低レベルで、ハードウェアに近い操作が可能。C++言語はC言語を拡張し、オブジェクト指向プログラミングをサポートする。

ロボティクスエンジニアには、現実世界の多様なシナリオでの適用を考え、ロボットが人間と共存し、協働するための倫理規範を構築するスキルも要求されます。キャリアパスとしては今後も高い需要が予想され、特にIoT、AI、自動運転などの新しい技術が進展するにつれ、その重要性はさらに増していくでしょう。

■向いている人物像

ロボッティクスエンジニアに向いている人物像としては、好奇心旺盛で新しい技術や解決策に興味を持てる人、チームで働く能力があり、クライアントや他のエンジニアと効果的にコミュニケーションが取れる人などが挙げられます。加えて、複雑な課題を独自の視点で解決できる人、そして開発には失敗がつきものであるため、失敗から学び、粘り強く取り組める人も挙げられます。最先端のテクノロジーに関わり、社会に大きな影響を与える仕事をしたいのであれば、ロボティクスエンジニアはその最適な選択肢の1つでしょう。

アメリカでのロボティクスエンジニアの求人例

倉庫の自動内部パレット搬送用の自律移動ロボットの大手メーカーの場合
年収：600-700 万円

[募集人員]
自律移動ロボットプロジェクトの展開と実装の成功をサポートする人材

[仕事内容]
・顧客の要求やアプリケーションを分析し、顧客のニーズや課題を満たす可能性を評価する。
・試用販売、概念実証、導入、拡大フェーズでのロボットの適用方法に関するサポートを提供する。
・プロジェクトの成功のために、社内関係者（営業や技術サポート）や外部関係者（ディストリビュータ、システム統合者、最終顧客）と協力する。

[必要なスキル]
オートメーションおよびロボティクスシステムの計画、導入、運用に関する経験
ネットワーキングと WiFi に関する理解
電子・電気回路上での系統的な障害の特定
はんだ付けを含む、一般的な電子・電気組立技術
配線作業に関する実務経験や知識
機械デバイスの作業への興味・適性
コンピュータプログラミングとロジックコンポーネントの組み合わせの理解

Point
G検定　一般社団法人日本ディープラーニング協会（JDLA）が実施する検定試験で、ディープラーニングの基礎知識やビジネス活用の能力を評価することを目指している。AIやディープラーニング技術の活用リテラシーを確認し、ビジネスの場で有効に活用できる知識を持っているかを測定することも目的とする。

Section

5-7 プロンプトエンジニア

プロンプトエンジニアはAIの普及と品質向上に不可欠な新興職種です。テキストや画像生成の命令（プロンプト）を最適化する専門家で、様々な分野でAIの効率と精度を高めます。

プロンプトエンジニア

近年急速に注目を集めている新たな職種であり、主にAIモデルに対してテキストや画像などの**生成命令**（プロンプト）を設計・最適化する専門家です。この職種は、AIが日常生活やビジネスにおいて役立つ形で活用されるためには欠かせない存在となっています。対話型AI、特にChatGPTやMidjourneyなど、人々が日常的に接するAIサービスにおいて、そのAIが効率良く、そして正確に動作するよう設計します。

プロンプトエンジニアの重要性

企業のカスタマーサポートから健康診断、情報検索まで、AIは多岐にわたる場面で人々の生活を支えています。AIモデルは正確かつ効率良く動作する必要があり、プロンプトエンジニアリングの重要性が高まっています。プロンプトエンジニアが設計したテンプレートを使用することで、必要なコードやデータの量が削減され、AIモデル開発の速度が向上します。必要なスキルとしては、プログラミング（特にPython、C、C++）、機械学習、ディープラーニング、自然言語処理、コンピュータサイエンスの基礎知識、英語力、そしてクラウド利用経験などがあります。

業界の特徴

この業界は非常に競争が激しく、また日々新しい技術やモデルが登場するため、常に最新の情報を追い求め、新しいスキルを習得する姿勢が求められます。それによって、市場価値を高めることができます。プロンプトエンジニアリングは技術の民主化にも一役買っています。一昔前までは、AIモデルの開発は専門家や研究者に限られていまし

Column

プロンプト生成のコツ　大規模言語モデルのプロンプトは、具体的な内容を書くことが作成のコツである。また、画像生成モデルのプロンプトは、描写したい画像を細かく忠実に曖昧な言葉を使わず指示することがコツである。どちらも2023年時点では英文で作成するとより良い結果が得られる。

たが、プロンプトエンジニアが設計したテンプレートを用いることで、専門的な知識がない人でもＡＩ開発に参加できるようになっています。これらのテンプレートを活用することで、産業やビジネスに特化したＡＩモデルも簡単に開発することができ、多様な分野でＡＩ技術が応用される道が広がっています。

■就職の流れ

現在、プロンプトエンジニアの求人は主にアメリカで行われていますが、その流れは世界中に広がりつつあり、日本でも今後この職種が定着する可能性があります。プロンプトエンジニアになるためには、前述のようなスキル習得はもちろん、実際のプロジェクトでの経験の積み重ねや、関連するコミュニティへの参加、自身のスキルと経験を効果的にアピールできるポートフォリオの作成など、多角的なアプローチが必要です。プロンプトエンジニアはＡＩ技術が社会全体に広く浸透する中で、その品質と効率性、アクセシビリティを高めるキーパーソンとなっています。この職種は、テクノロジーの進化と共にその重要性を増していくでしょう。

日米のプロンプトエンジニアの求人例

【日本のプロンプトエンジニアの求人例】
年収：600-1200 万円
[募集人員]
LLM モデルを利用したアプリケーション開発者
[仕事内容]
７つの LLM モデル利用サービスの開発および運営
[必要なスキル]
LLM への興味関心
Web アプリケーションの開発実務経験

【アメリカのプロンプトエンジニアの求人例】
年収：12-15 万ドル
[募集人員]
会話型 AI の自然言語の整備と生成 AI の開発者
[仕事内容]
会話型 AI 向けに自然言語の整備と生成機能の開発および強化を行う
[必要なスキル]
強力な技術スキル・創造的なアプローチ・素早く進化し続ける能力
生成 AI 開発において３年以上の経験、コミュニケーションスキル

Column

回答の揺れと温度　毎回同じプロンプトを投入しても毎回同じ回答が得られるとは限らない。AIの回答の揺れを左右するパラメーターをtemperature（温度）という。高い温度パラメーターは、広い範囲の解を探索し、低い温度パラメーターは、より局所的な解を探索する。

Section
5-8 AIプログラマー

AIプログラマーは、人工知能の開発と応用に精通した専門家です。数学、統計学、コンピューターサイエンスの広範な知識を活かして、高度な自動学習アルゴリズムを設計・実装します。

■AIプログラマー

AIプログラマーとは、人工知能の開発と応用に特化したプログラマーのことです。この業界は非常に多様であり、急速に進化しているため、AIプログラマーが持つべきスキルセットも広範で多様です。一般的に、数学、統計学、コンピューターサイエンスの深い知識が求められ、これらを応用して、自動的に学習、適応、そして意思決定ができるような高度なアルゴリズムを設計・プログラミングします。プログラミング言語に関しては、機械学習やデータ解析に広く用いられている多くのライブラリとフレームワーク*が利用できるPythonが特に人気です。JavaやC++も高パフォーマンスが求められるアプリケーションでよく使用されます。

データサイエンスのスキルも必須で、大量のデータを効率よく収集、処理、解析する能力が求められます。機械学習も必須なスキルであり、基本的なアルゴリズムから深層学習、自然言語処理まで、多くの異なるテクニックを知っている必要があります。機械学習のモデルを効率よくトレーニングするためには、クラウドコンピューティングの知識も必要とされます。AWSやAzureなどのクラウドサービスは、計算リソースが豊富で、大規模なデータセットに対応しているため、AIプログラマーにとって非常に便利です。

これらのテクニカルなスキルに加えて、問題解決能力も非常に重要です。AIプログラマーは、複雑な問題を明確に定義し、効率的に解決する能力が求められます。コミュニケーション能力も欠かせません。チーム内でのコミュニケーションはもちろん、クライアントやビジネスサイドの人々とも円滑にコミュニケーションをとる能力が必要です。

Term **フレームワーク**　ソフトウェア開発のための基盤や構造を提供するツールやライブラリの集合のこと。AIに関連する場合、機械学習やディープラーニングのモデルの構築や実装を支援するためのフレームワークがある。

報酬とキャリア

年収については、米国では平均で約1320万円とされていますが、日本では平均年収は約598万円といわれています。経験、地域、業種によって大きく異なります。AIプログラマーは特に人材不足であり、高度なスキルと経験を持つ者は非常に高い年収を得られる可能性があります。

キャリアを積むためには、まず関連する学校で学ぶことが一般的です。多くの大学や研究機関では、AIや機械学習に特化したコースやプログラムを提供しています。オンラインコースやオープンソースプロジェクト*などを通じて、実践的なスキルと経験を積むことも重要です。業界のイベントやセミナーに参加して、専門家や企業とのネットワークを築くことも有用です。

この業界で成功するためには、絶えず最新の知識とスキルを習得し続ける姿勢が必要です。テクノロジーの進化は早く、新しいフレームワークやツール、アルゴリズムが次々と登場します。継続的な学習と実践を通じて、自分自身を常にアップデートしていくことが、AIプログラマーとして成功する鍵になります。

AIプログラマーの仕事の苦悩

1. 技術進歩の速さ

最新の知識や技術を常にキャッチアップし続けなければならないという辛さがあります。また、AI技術は複雑で難解なため、理解するのに時間と労力がかかります。

2. 結果が見えづらい

長い時間をかけて開発したモデルが、期待どおりに動作しないことも少なくありません。

3. 倫理的な問題

AI技術は、悪用される可能性もあります。そのため、AIプログラマーは、AI技術の倫理的な利用について常に考えなければなりません。

4. その他

納期や予算の制約の中で、最適なAIモデルを開発しなければなりません。複雑なAIモデルの設計や実装に苦労し、テストやデバッグで多くの時間を費やします。

Term

オープンソースプロジェクト　ソフトウェアやプログラムの開発において、ソースコードが一般に公開され、誰でも自由に利用、改変、配布できるプロジェクトのこと。多くの人々が協力して開発を進めることで、高品質なソフトウェアの開発や技術の進歩を促進する。

AI が普及する未来

Column

AIとロボットの普及により、単純作業はこれらの技術によって大きく効率化されます。例えば、製造業において、AI 駆動のロボットが人間にとって退屈な作業を引き受けるようになります。金融業界では、AI システムが膨大な量のデータを分析し、ビジネスに役立つ洞察や推奨事項を提供します。AI 搭載の調理器具がレシピの提案から食材の準備、調理までを自動化し、食事の準備時間を削減します。いままで「面倒」とされていた作業をAI が引き受けてくれます。

その結果、人間は「疑問をAI に投げかけ、複数の回答から最適なものを選択する」役割に集中することになります。AI が問題解決の主体となり、人間の仕事は大きく変化し、より軽減されるでしょう。これは一見、非常に楽な社会が到来するように思えます。

しかし、逆の視点から見ると、異なる側面が浮かび上がります。

単純作業がなくなることで、人間の仕事はより困難な創造的な作業にシフトします。AI が知能を代替するため、物理的な労働や直接的な手作業が人間の役割として残る可能性があります。

また、AI を使いこなす能力がある人とそうでない人との間で、新たな社会的分断が生まれる恐れもあります。これは「AI 格差」ともいえる現象で、技術の進歩がもたらす新たな社会的課題となるでしょう。

さらに、AI の普及は教育システムにも大きな変化をもたらす可能性があります。AI を効果的に使いこなすための技能や知識が重要視されるようになるため、教育カリキュラムもそれに合わせて変化させる必要があります。また、職業訓練や再教育の必要性も高まるでしょう。

現代社会において、私たちは日々の生活や仕事における単純作業をAI に委ねることで、より効率的で楽な生活を求めています。しかしながら、この進歩によって、私たちが取り組むべき仕事は次第に複雑で創造的な内容へと変化していくことに気づいているでしょうか。単純作業の自動化が進む中、私たちはこれらの変化に対してどのように適応し、成長していくべきかという問いを自らに投げかける必要があるかもしれません。

第6章

AI産業で働きたい人のためのガイド

AIは、データを利用し学習・進化し、人間のように思考する技術であり、今日の社会で急速に進化し広がっています。これに伴い、AI産業は多くの可能性と機会を提供しており、多様な分野でのAIの応用が期待されています。

この章では、AI産業で働くにはどうすればよいのか、どのような資質やスキルが求められるのか、キャリアパスはどのように展開されるのか、そして成功するためにはどのようなアプローチが必要かについて、具体的なガイドを提供します。

Section

6-1 AI産業への就職・転職ガイド

AI産業に進出するには、複雑な数学の知識とコンピュータースキルが必要です。高度なAI技術と機械学習を習得し、インターンシップで実務経験を積むことが近道です。この分野は日進月歩で、継続的な学習と実務経験が成功の鍵となります。

■AI産業への就職・転職

AI産業では、次の能力が求められます。

・複雑な数学を快適に扱える
・コンピューターを使った作業を楽しむ
・優れた問題解決能力を持っている
・1つのことに集中して取り組むことができる
・テクノロジーをどう進化させるかに興味がある
・チームで協力するのが得意

自分には適していると判断された方は、AI産業への就職・転職を考えてみてはいかがでしょうか。どのような流れで就職・転職すればよいかわからないという方は、次のようにステップアップしていくことをお勧めします。

●高等学校

理系のコースに進んで数学や情報処理を学び、微分積分、線形代数、ベクトル、行列、確率などの基本的な数学的知識とプログラミングスキルを習得します。もし、**AI科**や**AIコース**が設置されている高校があれば、高等教育の場で基本的なAI知識と技術を学ぶことができます。

●大学

高校卒業後、理学部、工学部、情報学部、情報工学部、コンピュータサイエンス学部、データサイエンス学部、知能工学部など、AI関連の学部に進学します。大学では、より高度な機械学習、ディープラーニング、統計学などの知識を学び、学術的な研究活動にも参加しましょう。大学と並行して、または大学卒業後、専門学校や民間のITス

AI産業への中途採用　AI産業において中途採用は、すでに他の業界で経験を積んだ人材がAI関連の仕事に転職することを指す。AI技術の専門知識やスキルを持つ人材の需要が高まっており、企業は中途採用を通じてその需要に応えようとしている。

クールで実践的なAI技術とプログラミングスキルを学ぶのもよいでしょう。

●インターンシップと実務経験

学業の一環、または卒業後にIT企業やAIベンチャーでインターンシップを行い、実務経験を積むことも重要です。

●就職

在学中AIエンジニアを募集している企業に新卒採用で応募し、AIエンジニアとしてのキャリアを開始します。大学院に進学し、さらに高度な研究を行いながら、大手企業や研究機関と連携し、将来的には研究成果を基にした職に就くことも1つの選択肢です。

●スキルアップとネットワーキング

就職後も、最新のAI技術とトレンドを追い続け、関連するネットワーキングイベントやセミナーに参加し、業界の専門家や他のエンジニアと交流し、キャリアアップを続けましょう。AIエンジニアとしての知識と技術を磨くことで、専門的な職に就く可能性が高まります。継続的な学習と実務経験の積み重ねがキャリア形成に重要です。

IT人材の年代別の年収分布

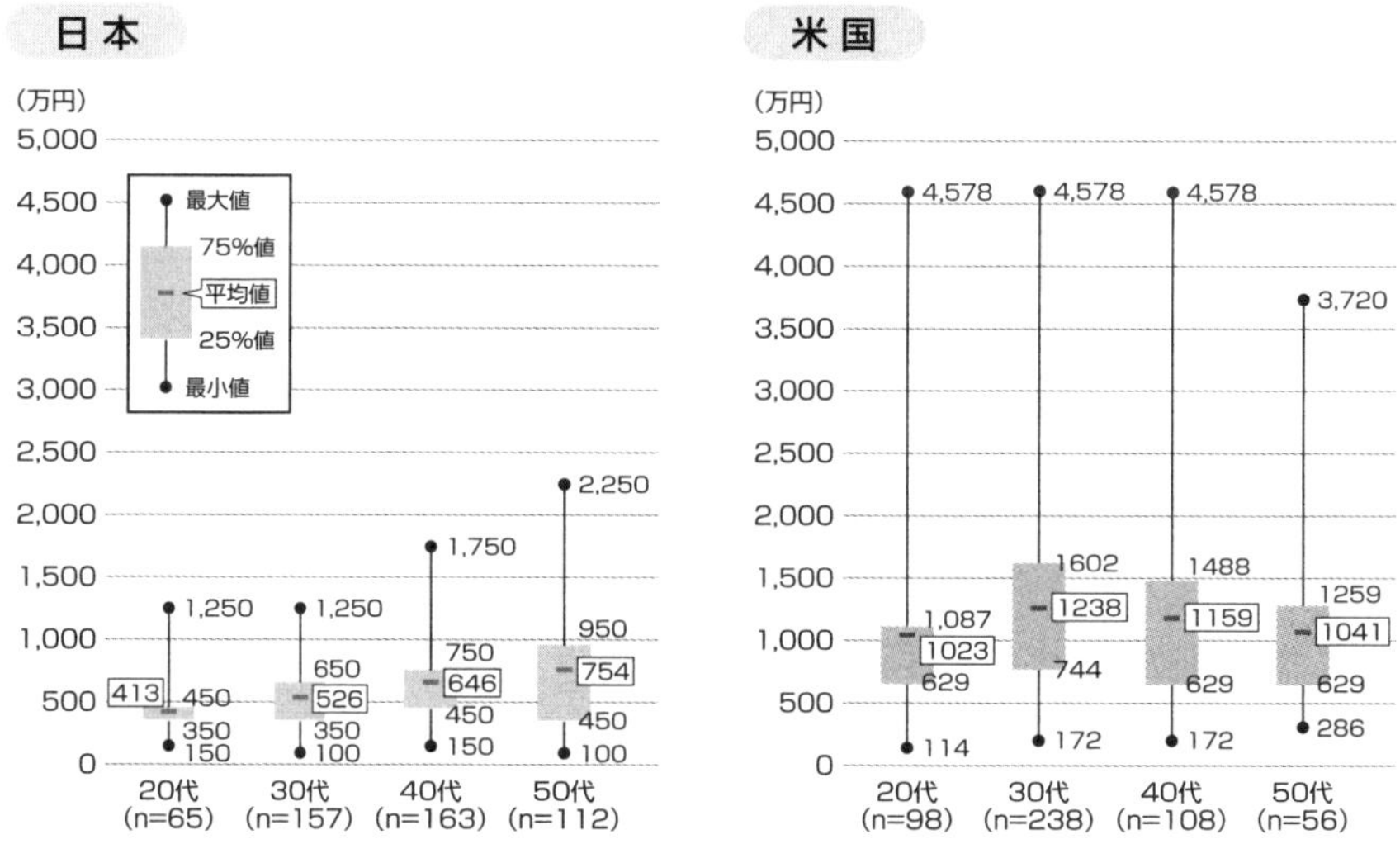

出所：経済産業省「IT人材に関する各国比較調査」（平成28年6月）

Column

AI産業職場事情　AI産業は、人工知能技術の開発や応用に従事する産業である。AIの開発には多くの時間と労力が必要であり、そのため残業が頻繁に発生することがある。

Section
6-2 AI企業から求められる資質とスキル

専門的な知識とスキル、人間的資質を兼ね備えた人材は、企業の持続可能な成長と社会への貢献に不可欠です。AIの無限の可能性を引き出す新たな価値を創造する力となります。

■AI企業から求められる資質とスキル

人工知能（AI）は、今日の社会において急速に進化し広がりを見せており、多くの産業でAI技術の導入と活用が進められています。この背景を踏まえて、AI企業に求められる資質とスキルについて開発・運用と活用を担う人材の両面から詳細に探求し、AI時代の人材育成の重要性と方向性について考察します。

●開発・運用を担う人材の資質とスキル

基本的な知識とスキルとしては、機械学習、ディープラーニング、自然言語処理、知能ロボティクスなどのAI関連技術の理解と、プログラミング言語 Python、C++、Java に精通していること、データの分析や処理能力が求められます。これらのスキルはAIアルゴリズムを開発し、適切に運用する基盤となります。専門的な知識とスキルとしては、実世界の問題を解決するアイデアを形にするためのプロジェクトマネージメントやチームワークなども重視されます。これらの知識とスキルは、AI企業が競争力を保ちながら革新的な解決策を提供するための鍵となります。

●活用を担う人材の資質とスキル

基本的な知識とスキルとしては、現場のデータを理解し、基本的なデータサイエンスとプログラミングの知識、そしてAIの使いどころを見極めるリテラシーが求められます。これらは、AI技術を効果的に活用し、ビジネスやプロジェクトにおいて価値を生み出す能力を支えるものです。専門的な知識とスキルとしては、現行業務の整理やアイデア出し、ビジネス知識、コンピュータ・サイエンス、データベース、ネットワークなどの技術知識が求められます。

Column

AI企業に適した資質　社会人に共通する人間的資質は、信頼性や責任感、コミュニケーション能力などである。これらの資質はAI企業にも求められる。AI企業は信頼性のある情報を提供し、責任を持ってタスクを遂行し、人との円滑なコミュニケーションを図る必要がある。

人間的資質と教育

論理的思考能力、好奇心、学習意欲、自主性、チャレンジ精神、そしてコミュニケーション能力や対人関係能力などの人間的資質は開発者と利活用者双方に求められ、AI技術の倫理的な運用と持続可能な発展を支えます。また、多様な背景を持つチームメンバーやステークホルダーと効果的に協力し、複雑で変化する状況下でも適切な判断と行動を取ることができる能力を必要とします。

日本政府は年間25万人のAI人材を育成する目標を掲げており、大学、企業、教育機関ではAIの基本教育を提供し、社会人向けの専門課程も設置しています。これらの教育と育成の取り組みは、AI技術を理解し活用できる人材を育て、企業や社会におけるAI技術の効果的な利用と発展を促進する基盤を築いています。AI技術には、企業競争力の源泉として、また社会問題の解決に向けて大きな期待が寄せられています。多様な知識とスキルを持った人材は、企業の持続可能な成長と社会への貢献のために不可欠であり、AIの持つ無限の可能性を引き出し、新たな価値を創造する力となります。

AI人材に求められるスキル

開発者に求められるスキル

- 機械学習、ディープラーニング、自然言語処理、知能ロボティクス
- プログラミング
- データ分析、統計学
- アイデアを生み出す力

利活用者に求められるスキル

- データサイエンス
- プログラミング
- ITリテラシー・データベース・ネットワーク
- AIリテラシー・ビジネス知識

共通して必要なスキル

- 論理的思考能力
- 好奇心・学習意欲・自主性・チャレンジ精神
- チームと協働できるコミュニケーションスキル

Column

論理的思考能力の取得　論理的思考能力を身に着けるためには、問題解決や推論のスキルを鍛えることが重要である。論理的な構造を理解し、情報を整理し、因果関係を分析することが必要となる。論理パズルやディベートなどの活動に参加することも有効である。

Section
6-3 AI産業でのキャリアパス

プログラミング、データ分析、機械学習の基本スキルを持ちながら専門分野を深堀するか、広範な知識でジェネラリストとして活躍するかの選択肢が開かれています。技術とビジネスの両面でスキルを磨くことが、AI産業での成功につながります。

AI産業でのキャリアパス

AIエンジニアのキャリアは多様で、技術的なスキルを磨きながら様々な方向に進むことが可能です。まず、技術力を高めてデータサイエンスや機械学習のエンジニアとして進み、機械学習モデルの設計、構築、および最適化を行うエンジニアになることも可能です。コーディング、統計、数学、そして特定のドメイン*知識（専門分野に特化した知識）が必要とされるのが一般的です。

●技術職

AIエンジニアは、データエンジニアへもキャリアアップできます。データのパイプラインやツール、インフラストラクチャを構築し、AIシステムにデータを供給する職種です。コーディング、データベース設計、分散コンピューティング、およびプロジェクト管理のスキルが求められます。

●プロジェクトのリーダーやマネジメント職

チームや部署の管理職、AI製品のビジネス面の管理職へキャリアアップすることもできます。このキャリアパスでは技術的スキルとビジネススキルの両方が必要であり、次のステップであるシニアプロダクトマネージャーなどのステージに進むことができます。

●研究開発

研究開発の道に進むことで新技術やアルゴリズムの開発に挑戦することも可能です。例えば、**AI/ML 研究科学者**としてAIの能力を向上させる研究を行うことなどが考えられます。自然言語処理、コンピュータビジョンなどの専門分野の知識が求められます。

Term
ドメイン　AIシステムにおいて特定のタスクや領域で専門化された知識のこと。一般的には範囲や領土、領域などの意味がある。

● **ビジネス・コンサルタント**

ビジネス面に焦点を当てる場合、**AIコンサルタント**や**ビジネスインテリジェンスデベロッパー**＊としての道もあります。AIを利用してビジネスデータを分析し、洞察を得ることが重視されます。このキャリアパスではデータマイニング、データ可視化、および技術的な概念をビジネスチームに伝えるコミュニケーション能力が必要とされます。

● **AI倫理スペシャリスト**

AIシステムが倫理的で偏見がなく、安全であることを確認する重要な役割を担います。哲学から公共政策まで幅広い知識と教養を持つ必要があり、エンジニアや上級管理職（役員など）と協力することが求められます。

このような職業に就くには、大学や専門学校でAIについて学ぶことが一般的です。資格や検定試験を受け、自分のスキルを証明することも良い方法です。キャリアパスとしては、ジェネラリストとして広範な知識とスキルを持ち、プロジェクト全体を把握する力を身に着ける道や、スペシャリストとして狭い分野（自然言語処理、画像認識、機械学習）に特化し、高い技術力を発揮する道があります。

AI 産業のキャリアパス

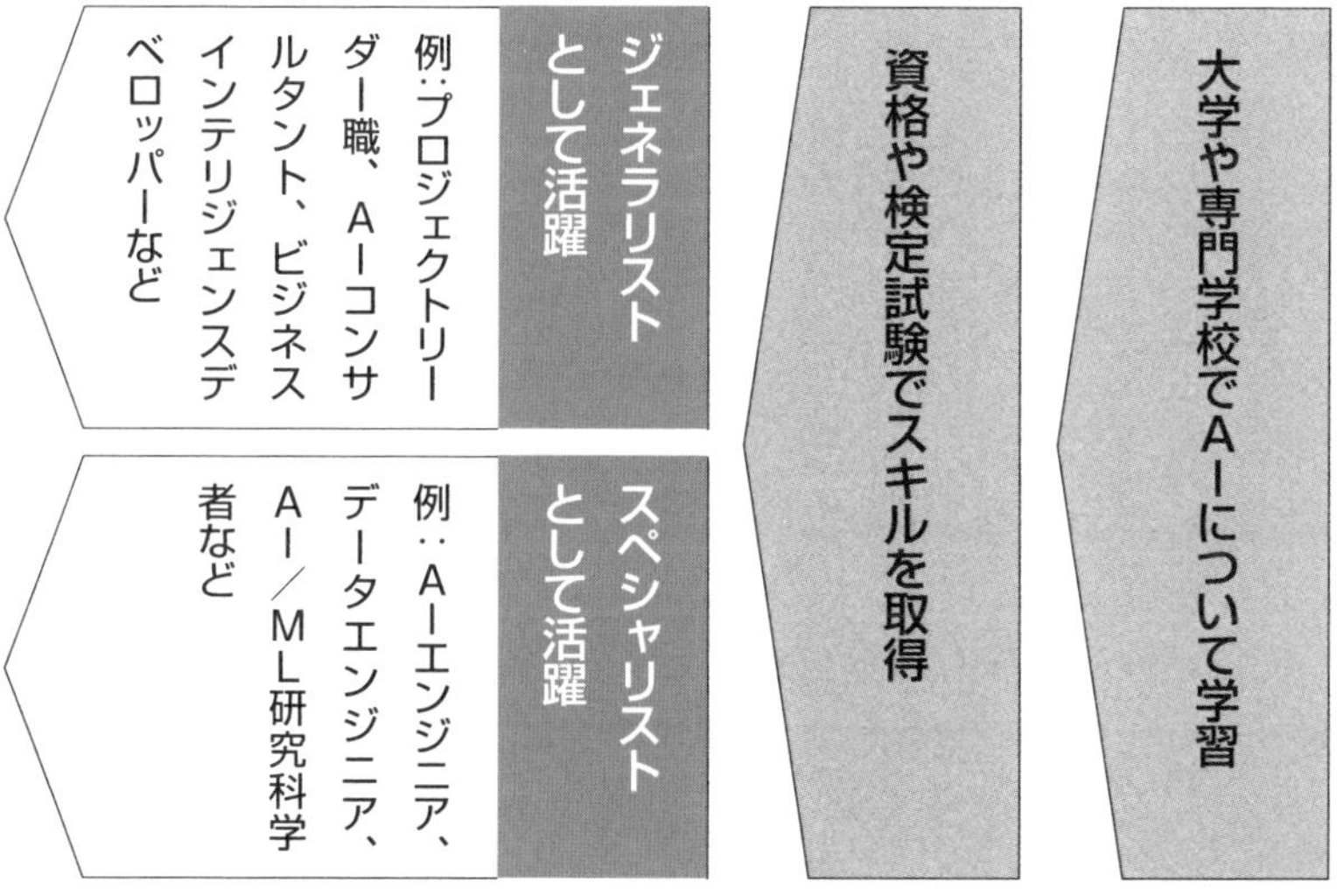

Term **ビジネスインテリジェンスデベロッパー**　データ分析やビジネスのニーズに基づいてデータウェアハウスやビジネスインテリジェンスシステムを開発する専門家のこと。

Section
6-4 AI産業で成功するためのアドバイス

AI産業で成功を収めるためには、個人のスキルアップからビジネスとAIの統合、そして職場でのAIの意義を理解し受け入れるコミュニケーション力など、多角的なアプローチが必要です。

AI産業で成功するために必要なこと

AI産業で成功するためには、自己研鑽してスキルアップすることはもちろん必要です。それに加えて、ビジネスとAIは切り離せない関係である以上、AIをビジネスに導入するステップを理解しておくことが重要です。また、導入される側（ユーザーや顧客）の視点を持ち、相手の要求を理解することも大切です。

成功するためのステップ

STEP1：AIに詳しくなる

AIの基本を学び、オンラインコースやワークショップを利用して知識を増やします。

STEP2：AIに解決させたい問題にアンテナを張る

AIを利用して解決したいビジネス上の問題を見つけ出し、具体的なユースケースを考えることにより問題解決能力を養います。

STEP3：財務的経営的視点を持つ

AIの可能性を評価し、ビジネス価値や財務価値を考え、経営的な視座を養います。

STEP4：スキルギャップを認識する

自身や会社の技術について、ビジネスプロセスの能力を評価し、必要なスキルやリソースを特定し、それを補う人材となります。

STEP5：パイロットプロジェクト＊に参加する

専門家を招いた小規模な実験プロジェクトなどに積極的に参加し、様々なAI実装に関りを持ちます。

STEP6：他職種の仕事もする

例えば、データをクリーン＊にし、異なるデータセットを統合するデータエンジニアなどの仕事を体験し、広い視

Term **パイロットプロジェクト**　新しいアイデアや技術を実際の環境で試験する小規模なプロジェクトのこと。AIの機能や効果を実証するために、限られた範囲でAIシステムを導入し、その有用性や問題点を評価することがある。

座を養います。

STEP7：小規模プロジェクトの工程を一通り体験する

小さなデータサンプルにAIを適用する小規模プロジェクトへ参加し、すべての工程を体験・経験します。

STEP8：ハードウェア計画もAI計画の一部

AIソリューションの実装に必要なハードウェア要件を検討・最適化する設計にも関わります。

STEP9：AIを日常の業務に組み込む

AIを日常業務の一部として組み込み利用することにより、利用者側の視点を知ります。

STEP10：バランス良く進める

研究と技術スキルを向上するバランスの取れたAI総合力の習得を目指し、必要なスキルとマインドを身に着けます。

AI産業において最も重要なのは、すべてのAI関連エンジニアが、自身の職務におけるAIの意義を把握する必要があるということです。新しいスキルの習得が求められる人もいれば、AIへの倫理観を説くことを求められる人もいます。AIが自身の未来にどのような影響をもたらすかについて丁寧に考えビジョンを持ってスキルアップに挑む姿勢が大切です。

AI産業で成功するためのステップ

- STEP1 AIに詳しくなる
- STEP2 AIに解決させたい問題にアンテナを張る
- STEP3 財務的経営視点を持つ
- STEP4 スキルギャップを認識する
- STEP5 パイロットプロジェクトに参加する
- STEP6 他職種の仕事もする
- STEP7 小規模プロジェクトの工程を一通り体験する
- STEP8 ハードウェア計画もAI計画の一部
- STEP9 AIを日常の業務に組み込む
- STEP10 バランス良く進める

Term

データをクリーンにする 不正確な、欠損している、または不要な情報を取り除き、データセットを正確で使いやすい状態に整えることを指す。

AI工場という製造業

Column

NVIDIAとFoxconn※は、自動運転車やロボットなどの自律型機械の開発を加速するため、**AI工場**と呼ばれる新たなデータセンターを共同で構築することに合意しました。

この工場は、NVIDIAのGPUとAIソフトウェアを活用して、データを処理・精製し、そこからAIモデルを生成します。

収集したデータを利用して、Foxconnが製造するEV車向けのAIモデルの開発を目指しています。そこで製造されたAIモデルを搭載したEV車はデータを収集しAI工場へ送り、AIモデルの改善につなげるという繰り返しのサイクルを構築します。データからAIモデルを製造するAI製造工場といえるデータセンターを目指しています。

▼AI工場のイメージ

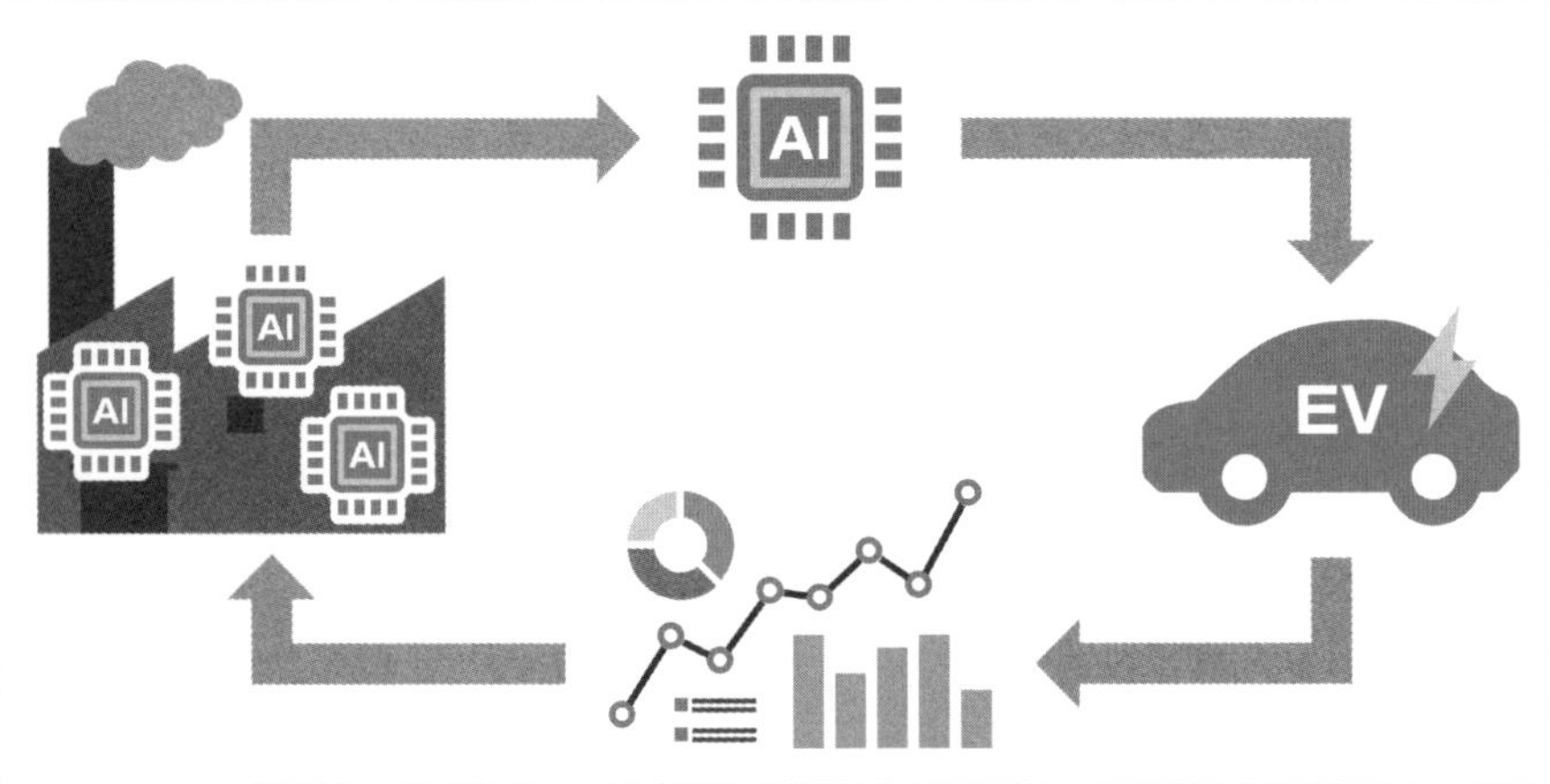

※Foxconn（鴻海科技集団）は、1974年に台湾で設立された、世界最大の電子機器メーカーであり、技術ソリューションの大手プロバイダーでもあります。同社は、ソフトウェアとハードウェアの専門知識を活用し、独自の製造システムと新興テクノロジーを統合しています。同社グループは電気自動車、デジタルヘルス、ロボティクスの開発を推進し、AI、半導体、新世代通信技術といった3つの主要技術を用いて長期的な成長戦略を推進しています。

第7章

国内外のAI企業

AI技術は急速に進化し続け、いまや日常生活やビジネスにおいて欠かせない存在となっています。

この章では、国内外の主要なAI企業に焦点を当て、それぞれの企業の技術力、市場での位置付け、そして今後の戦略について詳しく解説します。米国はAIのパイオニアとして知られる大手企業が市場をリードしていますが、中国も大企業が急速に市場シェアを拡大しています。また、日本にもフィーチャやニューラルグループ、ユーザーローカルなど、AI技術を駆使した革新的な企業が多数存在し、国内外のAI産業における競争が激化していることを示しています。各企業の強みや特色を理解することで、AI産業の現状と未来をより深く理解することができます。

Section

7-1 Google（グーグル）

圧倒的なデータセットの収集、独自の高性能ハードウェアの開発、オープンソースのAIプラットフォームの提供が特徴の企業です。ミッションはAIの研究開発をリードし、全人類の利益のためにそれを活用することです。

膨大なデータセット

グーグルは、検索エンジンやYouTubeなどのサービスを通じて、膨大な量のデータを収集しています。このデータセットは、AIのトレーニングやモデルの精度向上に欠かせないものです。グーグルはこのデータセットを他の企業よりも圧倒的に多く保有しており、AIの研究開発において大きなアドバンテージとなっています。

具体的な数値は公表されていませんが、非常に膨大なものであることは間違いありません。例えば、グーグル検索は、毎秒数十億件の検索クエリを処理しています。YouTubeは、毎分数百時間の動画がアップロードされています。これらのデータは、すべてグーグルの膨大なデータセットに蓄積されています。

グーグルは自社のデータだけでなく、他社からのデータも収集しています。例えば世界中の企業や研究機関と提携して、医療や金融などの分野のデータセットを収集しています。このデータは、すべてグーグルの膨大なデータセットに統合されており、AIのトレーニングやモデルの精度向上に活用されています。

強力なハードウェア

AIのトレーニングには、大量の計算リソースが必要です。グーグルは、自社で開発した強力なハードウェアを活用することで、AIのトレーニングを高速かつ効率的に行うことができます。これにより、他社よりも早くAIの新しい技術を開発し、実用化することができます。

Alphabet　グーグルの親会社。グーグルは、世界最大の検索エンジンであり、AI技術を活用し、検索結果や広告のパーソナライズ、音声アシスタントなどのサービスを提供している。Alphabetは、Googleの他にもAI関連の事業を展開している。

● **TPU (Tensor Processing Unit)**

TPUは、Google AIが独自に開発したAI専用プロセッサです。TPUは、AIのトレーニングや推論を高速かつ効率的に行うことができます。

● **TPUv4 Pod**

TPUv4 Podは、TPUを1024個搭載したAI専用システムです。AIのトレーニングや推論において、従来のシステムよりも大幅な性能向上を実現しています。自然言語処理や画像認識などのAI技術のトレーニングは、TPUv4 Podの性能向上により、従来よりも短時間で、より精度の高いAIモデルを開発することができます。

● **TPUv5**

TPUv5は、TPUv4の性能をさらに向上させたAI専用プロセッサです。TPUv5は、従来のTPUv4よりも18倍の性能向上を実現しています。TPUv5を利用し、自動運転や医療診断などのAI技術の開発が行われています。性能向上により、従来よりも複雑なAIモデルを開発し、より安全で精度の高いAIシステムを構築することができます。これらのハードウェアは、グーグルのAI研究開発において欠かせないものです。

次々と新しい技術を開発し、実用化を進めています。

オープンなプラットフォーム

グーグルは、AIの研究開発をオープンに進めています。AIの研究成果は、誰でも利用できるオープンソースで公開され、グーグルのAI技術は、多くの企業や研究機関によって活用されています。

● **Google Cloud AI Platform**

Google Cloud AI Platformは、クラウド上で利用できるAIサービスです。グーグルが開発した独自のAI専用プロセッサTPUを用いて提供されています。AI Platformでは、TensorFlowなどのフレームワークを利用してAIモデルのトレーニングやデプロイを行うことができます。

● **TensorFlow** *

オープンソースの機械学習フレームワークです。TensorFlowは、自然言語処理や画像認識などのAI技術の開発に広く利用されています。**TensorFlow**は、TPUやGPUなどの強力なハードウェアを活用して、AIモデルのトレーニングを行うことができます。AIモデルのデプロイ（AIモデルをクラウド上で実行）する

Term **TensorFlow**　ディープラーニングや機械学習のタスクを効果的に実行するためのオープンソースのソフトウェアライブラリ。

ための環境を簡単に構築することができます。また、AIモデルの管理やAIモデルのパフォーマンスや予測精度の監視を簡単に行うことができます。

■AIをすべての人に役立つようにする

グーグルのミッションは、「世界中の情報を整理し、世界中の人がアクセスできて使えるようにすること」であり、創業以来一貫して掲げられている基本理念です。検索エンジンやその他の製品・サービスを通じて、誰もが簡単に情報を探し出すことができる環境を整え、世界中の膨大な情報を整理することを目指しています。また、多言語に対応した製品・サービスを提供することで、情報へのアクセスを世界中に拡大しています。情報提供にとどまらず、その情報を活用して人々の生活や社会をより良くすることも目指しており、検索エンジンを通じた情報提供、クラウドコンピューティングやAIの技術活用による教育や医療、環境問題への取り組みなどを行っています。この取り組みは単なる企業理念ではなく、存在意義そのものであり、世界中の人々の生活や社会をより良くすることに貢献し続けることを目指しています。

主な AI や機械学習関連の GoogleCloud プロダクト

- Vertex AI Platform
  ML モデルをトレーニング、ホスト、管理するための統合プラットフォーム。
- Media Translation
  動的な音声翻訳をコンテンツとアプリケーションに直接追加する。
- Recommendations AI
  高度にパーソナライズされたおすすめ商品情報を幅広く提供。
- Speech-to-Text/Text-to-Speech
  多くの言語に対応した音声認識・合成と音声文字変換を行う。
- Video AI
  ML を使用した動画分類と認識を行う。
- Vision AI
  感情やテキストなどを検出するためのカスタムモデルと事前トレーニング済みモデル。
- Cloud GPU
  ML、科学技術計算、3D 描画処理に特化した GPU。
- Cloud TPU
  ML 用の Tensor Processing Unit。
- TensorFlow Enterprise
  エンタープライズグレードのサポートとマネージドサービスにより AI アプリの信頼性とパフォーマンスを確保する。
- Contact Center AI
  顧客と対話し、人間のエージェントを支援する AI モデル。

Term

SGE Search Grid Engineの略で、自動生成AIを活用した結果をグーグル検索エンジンの検索結果に導入する機能のこと。グーグル検索が強化され、探しているものをすぐ簡単に見つけられるようになる。AIが生成する概要でトピックの要点を素早く把握し、追加で知りたいことも簡単に確認できる。

AIの社会実装への取り組み

グーグルは、AIの社会実装に積極的に取り組んでおり、その活用は医療、教育、交通、環境といった多岐にわたります。まず、医療分野では、画像認識技術を用いたがんの早期発見、自然言語処理技術を用いた医療情報の検索や解析、機械学習技術を用いた創薬や治療法の開発などが行われています。これにより、患者の診断や治療の精度が向上し、医療の質が高まることが期待されています。また、教育分野では、AIを用いて教材の自動生成や採点、学習進捗の可視化やアドバイス、学生の興味や関心に合わせた学習の提供を行っています。これにより、学生の学習効率化や個別最適化が図られています。

交通分野では、AIを活用した自動運転技術の開発、交通状況の予測や渋滞の解消、公共交通機関の効率的な運行などが進められており、交通の安全性や効率性が向上しています。さらに、環境分野では、気候変動の予測や対策、自然災害の予測や被害の軽減、持続可能な農業や林業の推進など、環境問題の解決に貢献しています。

具体的な事例

・Google Health

Google AIの医療分野における取り組みを統括する組織です。AIを活用した医療機器やサービスの開発を進め、AIを用いたがんの早期発見や、自然言語処理技術を用いた医療情報の検索や解析などの取り組みを行っています。

・Google for Education

教育向けのソリューションです。AIを活用した教材の自動生成や採点、学習進捗の可視化やアドバイスなどの機能を提供しています。

・Google Cloud Transportation and Logistics

Google Cloudが提供する交通分野向けのソリューションです。交通状況の予測や渋滞の解消、公共交通機関の効率的な運行などの機能を提供しています。

・Google Earth Engine

地球観測データのプラットフォームです。AIを活用した気候変動や自然災害の予測、持続可能な農業や林業の推進などの取り組みを行っています。

Column

SGEとSEO対策　SGEが導入されると、SEO対策はより重要になる。コンテンツの品質やユーザー体験が重視され、検索エンジンはより的確な結果を提供する。キーワードの適切な使用、高品質なバックリンク、モバイルフレンドリーなサイトなどが重要である。

Section
7-2 Meta（メタ）

2004年に設立されたFacebook, Inc. は、2021年に社名をMetaに変更しました。新たに開発されたAI「Llama」は研究コミュニティに公開され、マイクロソフトとの連携によりさらに進化しています。

■Facebook, Inc. から現社名 Meta に変更

2004年、マーク・ザッカーバーグ（Mark Elliot Zuckerberg）がハーバード大学のルームメイトと共に、Facebook, Inc. を設立しました。社名に使用された**Facebook**は、世界的に展開されているソーシャル・ネットワーキング・サービスです。SNS以外にも、**Facebook Messenger** などのサービスを提供しているほか、**Instagram** を買収し傘下に収めています。最近では新たなSNSの **Threads** を提供しています。

■Meta 社とメタバース

2021年10月28日、新たにメタバース事業への注力を明確にするため社名を「メタ」に変更しました。メタ社は、**Meta Quest** などの**VR**デバイスや**AR**（**拡張現実**）技術の開発も活発に進めています。

メタバースとは、「meta（超える）」と「universe（宇宙）」の組み合わせによる造語で、もともとはSF作品で使用されていた言葉です。この言葉の定義としては「利用者がアクセスしていない時間も存続する仮想空間」を指します。メタは、年間1兆円以上をメタバース関連の研究開発に投資しています。特に、ヘッドセットの小型化や軽量化に注力しており、ゲームだけでなく、日常的なコミュニケーションツールとしても利用できる機器を目指しています。

■大規模言語モデルの開発

2023年2月には、大規模言語モデル「Llama」を発表しました。Llamaには70億パラメータから

Term **PyTorchとONNX Runtime**　PyTorchはディープラーニングおよび機械学習のタスクに利用されるオープンソースのソフトウェアライブラリ。ONNX Runtimeは様々なモデル（コンピュータビジョンモデル、音声および自然言語処理（NLP）モデルなど）のパフォーマンスを最適化するライブラリ。

650億パラメータまで、様々なサイズのモデルがあります。メタはLlamaのモデルを非商用ライセンスで研究コミュニティに公開しています。

2023年7月には、メタとマイクロソフトが連携し、AzureとWindowsでの「Llama2」という新しい大規模言語モデルのサポートを発表しました。実は、メタとマイクロソフトはAI分野において長期的なパートナーシップを築いています。この関係は、**ONNX Runtime**＊と**PyTorch**＊の統合や、Azure上でのPyTorchの開発協力といった取り組みから始まりました。この強力な連携は、メタがAzureを主要なクラウドプロバイダーとして選択する背景ともなっています。

日本法人

2010年2月、アメリカ以外では初となる海外法人「Facebook Japan株式会社」を東京都港区に設立しました。同社は2020年8月に、虎ノ門ヒルズビジネスタワーに移転しました。アメリカ本社がメタに社名変更後も、日本法人の社名は「Facebook Japan」を使用するとしています。日本法人の公式アカウント名はMetaJapanに変更されています。

Meta社の理念

これらの理念は、企業としてのMetaの姿勢を具現化したものであり、人々とそのつながりに役立つテクノロジーの構築に向けたMetaの取り組みの指針となるものです

発言の場を提供する
誰もが話を聞いてもらい、発言する資格を持っています。それによって擁護されるのが、Metaとは異なる考えを持つ人々の権利であっても、変わりはありません。

つながりとコミュニティの構築
Metaは、人々のつながりを支援するサービスを提供しています。そのサービスの力が発揮されると、人と人がより身近な社会が実現します。

すべての人に役立つサービス
Metaではすべての人にテクノロジーをご利用いただけるように努めています。無料でサービスをご利用いただけるように、広告をビジネスモデルとしています。

利用者の安全とプライバシーの保護
Metaには、利用者の安全を確保し危害から守ることにより、人々がつながることで生まれる最良の活動を支援する責務があります。

ビジネス機会を促進
Metaが提供するツールは、ビジネスが成長し、雇用が創出され、経済が発展するための公平な機会を提供します。

Section

7-3 Amazon（アマゾン）

アマゾンのＡＷＳは、多くのＡＩ・機械学習ツールを提供し、開発者や企業に広く利用されています。日本法人もＥＣサイトとしての地位を築き上げ、２０２２年には売上高が３兆１９５８億７６００万円を記録しました。

多国籍企業のイノベーションと多様性

アマゾンは、ジェフ・ベゾスによって１９９４年に創業されたアメリカの多国籍企業であり、オンラインマーケットプレイスのパイオニアとしてスタートしました。クラウドコンピューティング、デジタルストリーミング、人工知能などの多岐にわたる分野でイノベーションを推進し、世界最大のインターネット販売会社として、Prime 会員制度、電子書籍 Kindle、スマートスピーカー Amazon Echo、そして **Amazon Web Services**（ＡＷＳ）といったサービスを通じて世界中の消費者とビジネスの両方に幅広くサービスを提供しています。

ＡＷＳは、クラウドコンピューティングサービスのリーダーとして知られています。このサービスの中で、ＡＩ関連のものが多数提供されており、多くの企業や開発者がこれらのツールを使用して、ＡＩや機械学習のプロジェクトを実装しています。

ＡＷＳのサービス

● **Amazon SageMaker**

ＡＷＳの機械学習サービスです。モデルのトレーニングやチューニングのプロセスを自動化し、最適なハイパーパラメータを探索するツールも提供しています。

● **AWS Deep Learning AMI**

深層学習のフレームワークを素早く、簡単に起動し利用するための環境を提供します。主要なフレームワークがプレインストールされています。

Term

Amazon　世界最大の電子商取引プラットフォーム。商品の幅広い選択肢と便利な配送サービスを提供している。AI技術を活用して、顧客の購買履歴や嗜好を分析し、より適切なショッピングを提供している。

● Amazon Rekognition

画像とビデオ分析を目的としたサービスです。オブジェクト、シーン、顔、テキストなどのデータを識別、分析することが可能になります。

● Amazon Lex

アプリケーションに会話型インターフェイスを設計、構築、テスト、およびデプロイするための高度な自然言語モデルを備えた、フルマネージド型人工知能（AI）サービスです。

■日本法人

アマゾンの日本法人は「アマゾンジャパン合同会社」です。2000年11月1日にAmazon.comの日本語版サイト「Amazon.co.jp」としてオープン。電子商取引としては、日本最大を誇るECサイトです。

2022年（1－12月）決算によると、アマゾン全体での売上高は前期比9.4％増の5139億8300万ドル。1ドル＝131.57円で計算すると67兆6247億4331万円となります。そのうち、日本法人の売上高は3兆1958億7600万円を占めています。

その他のAWSのAIサービス

Amazon Rekognition	画像と動画を分析
Amazon Lookout for Vision	欠陥の検出と検査の自動化
AWS Panorama	エッジでのコンピュータビジョンの活用
Amazon Textract	テキストやデータの抽出
Amazon A2I	品質管理
Amazon Transcribe	自動音声認識
Amazon Kendra	正確な情報をすばやく見つける
Amazon Translate	あらゆる言語のオーディエンスに対応
Amazon Fraud Detector	オンライン上の不正を検出します
Amazon Lookout for Metrics	データの異常性を特定
Amazon DevOps Guru	アプリケーションの可用性を改善
Amazon CodeGuru Reviewer	コードレビューを自動化
Amazon CodeGuru Profiler	コストのかかる非効率なコードを排除
Amazon Lookout for Equipment	機械の異常な状態を検知する
Amazon HealthLake	ヘルスデータの保存と分析
Amazon Comprehend Medical	ヘルスデータの抽出

上記以外にも、機械学習のサービスなど多数のサービスを提供しています。

Term

アレクサ　アマゾンが開発したAI音声アシスタントで、人間の音声コマンドを認識し、情報を提供したり、タスクを実行したりする。

Section
7-4 Apple（アップル）

アップルは、創業以来、Apple I*、Macintosh、iMac、iPod、iPhoneなど、革新的な製品を市場に送り出し多大な影響を与えています。Siri*の音声認識技術の導入や、LLMのAI開発にも取り組んでいます。

■Apple Iから始まる歴史

アップルは、アメリカ合衆国の多国籍テクノロジー企業です。カリフォルニア州クパチーノに本社を置きます。デジタル家庭電化製品、ソフトウェア、オンラインサービスの開発・販売を行っています。

1976年、スティーブ・ジョブズとスティーブ・ウォズニアックによって設立されたアップルは、ガレージでの手作業によるApple Iの製造からスタートしました。翌1977年、彼らは家庭向けコンピュータの先駆けとなるApple IIを発表。そして、1984年には、マウスとグラフィカルユーザーインターフェイスを標準装備とした一般向けのMacintoshを市場に送り出しました。

1990年代に入ると、アップルは新しいプロセッサアーキテクチャ、PowerPCを採用し、その結果としてPower Macintoshをリリースしました。

1998年には、透明なプラスチックケースが特徴的なiMacを発表。さらに、2001年には音楽の新しい時代を切り開くiPodを、そして、2007年にはスマートフォンの概念を根本から変えるiPhoneを世に送り出し、テクノロジー業界に次々と革命をもたらしてきました。

ソフトウェア製品としてはApple Music、Apple TV+、Apple Arcade、Apple Fitness+、Apple Podcast、Apple Books、App Store、iTunesなど広範囲のデジタルコンテンツ販売などを行っており、また、iCloud、iCloud+などのクラウドサービスも提供しています。

Term **Apple I**　1976年に発売された初のパーソナルコンピュータのこと。8ビットのプロセッサと8KBのメモリを搭載し、キーボードやモニターを接続して使用する。初めての商業的成功を収め、パソコンの普及に大きく貢献した。

■AppleとAI

アップルは、**Siri**の導入によって2011年にAI技術を主流のコンシューマー製品に導入し、その後の製品やサービスの中心的な要素としてAIを統合してきました。Siriは、アップルがiPhone 4sで導入した音声認識アシスタントです。この技術は、ディープラーニングを活用し、音響モデルを通じて音声信号を音素や単語に変換。さらに、言語モデルで言葉の自然さを判断し、ノイズ除去技術で背景音をフィルタリングします。ユーザーの声や話し方の特徴を学習することで、認識精度を向上させるという特徴を持っています。

アップルは、現在、OpenAIやAlphabet(グーグル)などの競合他社のツールと匹敵する可能性のある人工知能ツールを開発中です。しかし、経営陣は、これらのツールを消費者にどのようにリリースするか、まだ決めていません。アップルは、Ajaxという名前の、大規模な言語モデルを作成するための独自のフレームワークを構築しています。アップルは、このAjaxフレームワークを利用し、ChatGPTに匹敵する会話型AIチャットボットを開発しています。

AppleのAIサービス

Core ML

Core MLはAppleのデバイス上で動作する機械学習モデルです。iOS上で動作するアプリを作成するxcodeと緊密に統合されており、コード数行で機械学習モデルがアプリに組み込める仕組みとなっています。

On-device APIs

AppleのAIを簡単に自身のアプリに組み込めるAPI。アプリ開発者は画像分類や画像の類似性、物体検出、言語識別、単語の埋め込み、音声・音響分析など多数のAI機能をすぐに利用できるようになります。

Term

Siri　Appleが開発した音声認識および音声コマンドのAIアシスタント。ユーザーの声で指示を受け、情報の検索やタスクの実行、予定の管理などを行う。

Section

7-5 Microsoft(マイクロソフト)

マイクロソフトは、WindowsやOfficeなどの製品だけではなく、AIやクラウド技術の先駆者としても知られ、業界のリーダー的存在です。AzureAI*は、AIモデルの設計からデプロイまでを行え、企業競争力の強化を担っています。

■技術的リーダーシップ

マイクロソフトといえば、多くの人がWindowsやOfficeといった製品を思い浮かべるかもしれませんが、同社の真の技術的リーダーシップは、これらの製品だけにとどまりません。AIをはじめとする先端技術の分野でも、マイクロソフトはその先駆者としての役割を果たし続けています。

例えば、クラウドプラットフォームのAzureAIは、AI技術の中核を担っています。開発者がAIモデルを容易に設計、トレーニング、デプロイすることを可能にするツール群を提供しています。これにより、企業は迅速にAIを導入し、ビジネスの競争力を向上させることができます。また、開発者の支援を重視し、幅広いサポートを提供しています。Visual Studio、GitHub、そしてAIを導入しやすくするための各種SDKやAPIなどは開発者のニーズに応えるためのものです。特に、AI関連のツールは初心者から専門家まで幅広く使われています。

産業界との連携においても、マイクロソフトが開発する技術を業界全体の成長のために共有する姿勢を持っています。オープンソースのプロジェクトや、他企業との共同研究、そして標準化団体への参加など、産業界との連携を通じて、技術的リーダーシップを強化しています。

■教育とリソース

マイクロソフトは単に技術製品を提供する企業としての顔だけでなく、AIやテクノロジー関連の教育とリソースの提供者としても世界をリードしています。

Term **AzureAI**　マイクロソフトのクラウドコンピューティングプラットフォームであり、人工知能（AI）に関連した機能やサービスを提供している。これには、機械学習、自然言語処理、画像認識などが含まれる。

Microsoft Learn サービスは、無料でアクセスできる学習プラットフォームで、ＡＩ、クラウドコンピューティング、データサイエンスなどの分野でのトレーニングや教材が提供されています。初心者から上級者まで、自分のペースで学べるカリキュラムとリソースが充実しています。

オープンソースプロジェクトも推進しており、GitHub をはじめとしたプラットフォームで多数のオープンソースプロジェクトを公開しています。これにより、全世界の技術者が Microsoft の技術を利用し、共同で改善や発展を進めることができます。マイクロソフトは技術革新を推進するだけでなく、全世界の人々が技術にアクセスし、その恩恵を受けることができるようにするための取り組みを行っています。多くの技術者、学生、ビジネスリーダーたちが、マイクロソフトのリソースを活用して、自らのキャリアやビジネスを発展させることを望んでいます。

企業文化と倫理観

マイクロソフトの企業文化は多様性と包摂性を中心に据えています。テクノロジー業界の中で、多様な背景を持つ人々の採用やサポートに力を入れており、それによってイノベーションを促進しています。また、ＡＩ技術の進展に伴う課題にも取り組んでいます。ＡＩの倫理的使用に関するガイドラインを明確に設定し、公正性や透明性、プライバシー、セキュリティを重視しています。**Microsoft Research** では、これらのテーマに関する研究を進め、その知見を広く公開しています。社会的課題への取り組みも忘れず、環境や教育などの分野で持続可能な未来を目指して活動しています。

キャリア&ビジネス

マイクロソフトは、その先進的な技術とグローバルなリーチを背景に、ＡＩ産業での多彩なキャリアとビジネスの機会を提供しています。マイクロソフトは、ＡＩを核とした多くのプロジェクトを手がけているため、専門家やエンジニア、データサイエンティストの採用枠が豊富にあります。グローバルでのキャリアチャンスも積極的に提供されており、国際的な経験を積むことも可能です。

また、スタートアップ企業をサポートする多くのプログラムやイニシアチブを持っています。Azure のクラウドサービスやＡＩツールの特別価格での提供、技術的なサポートやネットワークの提供などにより、起業家や新しいビジネスの成長を後押ししています。ＡＩ技術の最前線での研究

Column

マイクロソフトの慈善活動　企業として世界的な慈善活動への取り組みをさらに強化するため社内新組織 Microsoft Philanthropies を設立。スキル形成と就労支援、非営利団体法人への技術支援、ソフトウェア・クラウド寄贈、災害時における支援などを行っている。

や開発を進めており、業界のパートナーや関係者との連携を重視し、共同研究やプロジェクト、セミナーやイベントの共催など、産業全体の発展のための協力体制を整えています。マイクロソフトはAI産業に関わるすべての人々に対して、多岐にわたるキャリアやビジネスの機会を提供しており、その先進的な技術と強固なネットワークを活用し、産業全体の発展を支えています。

■Windows11 Copilot*

Copilot（コパイロット）とは、Windows11で使える新しいAIアシスタントのことです。2023年11月に企業向け、12月に個人向けにリリースされました。このアシスタントは、インターネットから答えを探したり、新しいアイデアを出したりするのを手伝ってくれます。

例えば、パソコンの設定を変更する手伝いをしたり、画面のウィンドウを整理したりすることで、仕事をスムーズに進めることができます。何か新しいプロジェクトを始めるときに必要な情報を早く見つけたり、アイデアから画像を作ったりすることもできます。

Azure AIサービス

Azure AI Vision
ビジュアルデータを分類および処理するために画像や動画から豊富な情報を抽出します。画像分析、タグ付け、著名人の認識、テキスト抽出、空間分析などの機能が提供されています。
空間認識やOCR、顔認証などを可能にします

音声変換
音声テキスト変換・テキスト読み上げ・音声翻訳・話者認識（音声に基づいて話者を識別）

Azure AI Language
エンティティの認識・感情分析・会話言語理解・要約・質問回答

Azure AI Translator
テキスト翻訳・ドキュメントの翻訳・カスタム翻訳ツール

Azure AI Anomaly Detector
発生する可能性のある問題を早期に識別

Azure AI Content Safety と Azure Content Moderator
不快または望ましくない可能性のあるコンテンツを検出します

Term **Microsoftのレッドチーム**　組織のセキュリティの脆弱性の検証などを目的に設置されたプロハッカー集団。潜在的な脅威や脆弱性を特定し、それらを修正することによってWindowsのセキュリティを強化する。攻撃者の視点を模倣して、改善点を見つけることが任務である。

■Microsoft365 Copilot

Microsoft365 Copilotは、大規模言語モデル（LLM）とMicrosoft Graph内のデータ（カレンダー、メール、チャット、文書、会議など）を組み合わせ、Word、Excel、PowerPoint、Outlook、TeamsなどのMicrosoft365アプリと連携して、より効率的な生産性を提供するAI支援ツールです。

各サービスでの機能を紹介すると、まずWordでは、文書の作成、編集、要約、テキストの生成を支援します。簡単なプロンプトに基づいて最初の草稿を作成することもできます。Excelでは、自然言語での質問に基づいてデータセットを分析し、相関関係の提示、新しい数式の提案、データの視覚化をサポートします。PowerPointでは、文書をプレゼンテーションに変換し、スライドのレイアウト調整やテキストの再フォーマットなどを行うことができます。Outlookでは、メールの要約や、より効果的なコミュニケーションのための提案を提供します。Teamsでは、会議の要点の整理や行動計画の提案など、効率的な会議運営をサポートします。

Windows11に搭載されたCopilotの画面

Term
Copilot　コードの自動補完や提案を行い、開発者の作業をサポートするサービス。Copilotとは「副操縦士」を意味する言葉で、AIが開発者の「共同パートナー」として働くことを表している。

Section

7-6 IBM

IBMは、情報技術の先駆けとして歩んできました。1960年代のメインフレームや1981年のIBM PCの登場は、産業に革命をもたらしました。近年では、AI技術のリーダーとして、その名を馳せています。

■IBMの歴史と信頼性

IBM*は、長い歴史と実績を誇るグローバルな技術企業であり、情報技術業界のパイオニアとして知られています。その起源は、1911年にニューヨーク州エンディコットに設立された**CTR***にさかのぼります。CTRは、時計、計量機器、食品スライサーなどの多岐にわたる製品を手がけていました。

1924年には、トーマス・J・ワトソン・シニアのリーダーシップのもとでInternational Business Machines Corporation（IBM）に社名を変更。ワトソン・シニアは「THINK」のモットーを掲げ、継続的な革新と優れたカスタマーサービスを追求しました。この姿勢は、IBMが世界的な企業に成長する基盤となりました。

1930年代、IBMはパンチカード技術を使った情報処理システムを開発・普及させることで、ビジネスの効率化に大きく貢献。また、この時期から継続的な研究開発に注力し、数々の技術革新を生み出してきました。

1960年代に入ると、IBMはSystem/360というメインフレームを発表。このシリーズは革命的な成功を収め、多くの企業での情報処理のスタンダードとなりました。1969年、IBMはアポロ計画において、宇宙船のシステム設計への貢献を行いました。これらの貢献はアポロ計画の成功に不可欠であり、現代宇宙探査の基盤を築くのに大きく貢献しました。

1970年代には、パーソナルコンピュータの普及に伴い、IBMも1981年に「IBM PC」を市場に投入。これはパーソナルコンピュータ市場の標準となる製品となり

Term
IBM International Business Machines Corporationの略。
CTR Computing-Tabulating-Recording Companyの略。

ました。

1990年代、インターネットの時代が到来すると、IBMは大規模な組織改革を行い、新たなビジネスモデルへの転換を進めました。この時期、IBMはコンサルティングやソフトウェアの領域に注力し始め、ハードウェアからソフトウェアへの移行を加速させました。

2000年代に入ると、IBMはクラウドコンピューティング、人工知能、量子コンピューティングなどの先進技術に大きな投資を行いました。こうした取組みにより、業界のリーダーシップを維持していきました。

IBMの歴史は、常に先進技術の開発と導入、そしてそれをビジネスの成果に結びつけることを追求してきた歴史であり、それは現在も変わりません。そのため、IBMは情報技術業界において高い信頼性と実績を持つ企業として、多くの企業や組織から頼りにされています。この長い歴史と経験を背景に、IBMは今後も技術の革新とその実用化を追求し続け、それを通じて社会やビジネスの新たな価値を創出するパートナーとして、多くの人々に支持され続けることでしょう。

AI技術のリーダーシップ

IBMは長い歴史を通じて数々の技術革命を牽引してきた企業として知られ、近年のAI技術の進展においてもそのリーダーシップを維持しています。

2011年のIBMのAIシステム「Watson」のアメリカのクイズ番組での勝利は、IBMのAI技術の高度さを世界中に示すものとなりました。Watson の技術はその後、医療から金融、法律、カスタマーサービスなど多岐にわたる産業での応用が進められ、医療分野では診断や新薬の研究における大きな貢献が見られました。また、IBMは継続的にAIの研究開発を推進し、深層学習や量子コンピューティングなどの新しい技術領域での研究を行っており、これにより多くの特許や学術論文が生み出されています。

IBMはAI技術の普及と発展を支援するため、多くのツールやフレームワークをオープンソースとして公開し、コミュニティとの協力を深めています。教育の面では、次世代のAI技術者を育成するためのプログラムを提供し、業界全体の発展をサポート。AI技術の普及が進む中での倫理的な課題や透明性への要求にも応えるべく、IBMは

Term **SkillsBuild(スキルズビルド)** IBMが提唱している社会貢献プログラムのこと。参加者の経歴・教育・経験に関係なく、ビジネスやITスキルを習得し、就労機会を拡大することを目指している。難しい就職環境や社会的課題に直面する人々のために開始された。

ガイドラインの策定などの取り組みを進めています。

グローバルなネットワーク

ＩＢＭはその長い歴史を通じて、国際的な事業展開を特徴とし、190以上の国でビジネスを展開しています。この幅広いネットワークを持つことで、地域ごとのニーズに迅速に対応することができるのです。世界各地に点在する研究所やイノベーションセンターでは、地域固有の課題や技術動向に目を向け、地域の企業や学界との協力を通じて、先進的な研究が日々行われています。ＩＢＭの従業員は多様なバックグラウンドや文化、専門知識を持つ人々から成り立っており、この多文化的な組成がグローバルなビジネスを強化しています。

ＩＢＭはそのネットワークを活用して、多くの地域の企業や研究機関と提携やパートナーシップを結び、市場のニーズや技術のトレンドを迅速にキャッチしています。事業を展開する各地域の社会との関係も深く、教育やコミュニティサービス、環境保護活動などを通じて、地域と共に成長している姿が見られます。ＩＢＭは一貫したトレーニングや基準を世界中で維持しているため、どの国でもＩＢＭのクライアントは高い品質のサービスを受けることが保証されています。このようにＩＢＭの国際的なリーチとネットワークは、多くの人々やビジネスにとって大きな価値を持っており、その未来を形作る中心的な役割を果たしています。

新しい価値観

2003年11月、ＩＢＭは新しい価値観を従業員に発表しました。これは1914年にトーマス・Ｊ・ワトソン・シニアが定めた信条に基づいています。

その新しい価値観には、

・お客様の成功に全力を尽くす
・私たち、そして世界に価値あるイノベーション
・あらゆる関係における信頼と一人ひとりの責任

が含まれています。これらの価値観は、ＩＢＭの方針や日常業務に取り入れられ、企業の方向性や行動の変更を促しています。ＩＢＭはこの価値観を基盤に、過去の課題を乗り越え、効率的な事業展開を行ってきました。ＩＢＭの現代の価値観は、市場や特定のビジョンよりも、企業の本質や存在意義に焦点を当てており、これはＩＢＭの歴史を通じて変わらない特徴です。

Term **AI Alliance**　IBMとメタ社が発起人となり、50以上の設立メンバーと共に、オープンで安全な責任あるAIを推進する国際コミュニティー。日本からも東京大学や慶應義塾大学などが名を連ねている。

■IBMが描く未来へのロードマップ

IBMは2030年までにAIに関連するロードマップを策定しています。その内容を紹介すると、まず2023年、IBMは1000億を超えるパラメータを持つ基盤AIモデルを自然言語処理の領域だけでなく、企業活動の幅広いアプリケーションに適用することでビジネスシーンの変革を促進します。AI導入のハードルが大幅に下がり、データラベリングの負荷が最大99%削減されるため、企業の運用にAIを組み込むことが格段に容易になります。

2024年には、IBMのAI基盤モデルはライフサイクル全体でガバナンスと信頼性が強化されます。データのプライバシー、公平性、説明可能性、堅牢性が最適化され、自動化が進みつつ法規制に準拠し、顧客の信頼を保ちながらビジネス価値を高めます。watsonx を用いたミドルウェアは、AIの監査と修復機能を強化し、高品質なデータ生成を支援します。

2025年には、IBMのAI基盤モデルは、消費するエネルギーとコストの効率が5倍に向上し、2000億以上のパラメータを持つ強力で実用的なモデルが企業向けに提供されます。IBM Research の「Gen 3」コアとAI推論アクセラレーター*を活用することで、AIモデルの迅速な変更が可能になり、電力消費と冷却の面でもイノベーションが実現されます。watsonx はGPUやAIアクセラレーターを支える新しいミドルウェアを備え、クラウドベースでのAI運用を通じて、コスト効率の良いシステムとプラットフォームを提供します。

2027年までには、現在のエネルギー容量で運用可能な基盤モデルパラメーターが18カ月ごとに2倍に増加し、エネルギー効率は2025年と比較して4倍に向上することが予測されます。

2029年には、信頼できる説明可能なAIが推論を支えるようになります。企業での日常的な使用が普及し、AIは基幹業務を推進するために必要な堅牢で説明可能なNLPやテキストベースの推論をサポートします。

2030年を迎えると、完全にマルチモーダルなAIが様々なデータ表現を学習し、開発者が複数の抽象化レベルでデータを操作することにより、企業に競争上の優位性を提供するようになります。

Term **AI推論アクセラレーター**　人工知能の推論処理を高速化するための専用ハードウェアやソフトウェアのこと。ディープラーニングモデルの予測や判断を迅速かつ効率的に行うことができる。

Section 7-7

OpenAI

OpenAIは、人類全体の利益を目的に、先進的なAI技術の研究と開発を推進する機関であり、多くの専門家が集結し、その成果は公に共有されています。ChatGPTを開発した会社として知られています。

ChatGPTを開発した会社

OpenAIは、AI技術の最先端を走る研究機関として、安全で人類全体の利益となるAGIの創出を目指し、多様な背景を持つ専門家たちが集結しています。この環境は、キャリアを追求する技術者にとって魅力的な場であり、その研究成果は公開され、産業全体の発展をサポートしています。起業家やAI産業の関係者は、OpenAIのAPIプラットフォームや研究を活用し、新しいビジネスモデルの構築や情報交換の場としてのカンファレンスを利用できます。また、学生や研究者にとって、OpenAIは最新のAI技術やトレンドを学ぶための宝庫となっており、その研究成果やブログは、AIの未来を理解する上で欠かせない情報源となっています。

進化する会社

OpenAI社のミッションは人類全体の利益を追求することにあります。2023年10月のトピックとして、ChatGPTが画像認識や音声認識を持つように進化させています。さらに同社は**Red Teaming Network**（AIのモデルの安全性を向上させるための取り組み）を立ち上げました。サンフランシスコでのOpenAIの初の開発者向けカンファレンスも予定されています。

研究面では、ジェネラティブモデルや人間の価値観との整合性に関する研究が行われ、DALL・E3やGPT-4V（ision）などの最新のシステムが公開されています。AIの安全性や責任に関する研究や、公共の安全に対する新しいリスク管理に関する考察も行われています。

Column

AGIの今後　OpenAIのサイトでは、「自らの進歩を加速できるAGIは、驚くほど速く大きな変化を引き起こすかもしれない（開始はゆっくりでも最終段階での速度は速いと予想）。技術的な問題がなくても、社会が適応するのに十分な時間を与えるために減速することが重要になる」と説明されている。

OpenAIのAPIプラットフォームは、最新のモデルや安全に使うためのベストプラクティス*のガイドを提供しています。開発者が容易にアクセスできるように設計されており、GPT-4やDALL・Eなどの先進的なAIモデルを活用することができます。これらのモデルは、テキスト生成、画像生成、データ分析など、多岐にわたる応用が可能です。OpenAIは、APIを通じて開発者が新たなアプリケーションやサービスを迅速かつ効果的に構築できるよう支援しています。また、安全性と倫理性を重視しており、利用規約やガイドラインに従って運用されています。OpenAIでのキャリアにおいては、多様な分野や背景を持つ人々が集まり、継続的な学びや新しいアイディアを探求することが奨励されています。

■マイクロソフトとの関係

OpenAIとマイクロソフトは2019年に提携しました。マイクロソフトはOpenAIに10億ドル以上の投資を行い、Azureクラウドプラットフォーム上でOpenAIの技術を活用することが可能となりました。両社は、人工知能の研究開発とその安全性を中心に据え、共通の目的であるAIの倫理的、安全で責任ある開発を推進することを目指しています。特に、OpenAIはAIの安全性と倫理に関する取り組みを強化し、マイクロソフトも同様の問題意識を持ち、そのリーダーシップを発揮しています。この共通のビジョンのもと、両社は今後も協力し、AI技術のさらなる発展と人類のための利用を追求していくことが期待されています。

●OpenAIとMicrosoftのパートナーシップの主な成果

- OpenAIのAIモデルがAzureクラウドプラットフォーム上で利用可能になった。
- マイクロソフトの製品やサービスにOpenAIはAIを活用している。
- 両社はAIの倫理に関するガイドラインを策定している。
- マイクロソフトはOpenAIへの追加投資を発表。

両社のパートナーシップは、AIの安全で責任ある開発を推進する上で重要な役割を果たしています。今後も両社は協力して、AIを人類にとってより良い未来を創造するためのツールとして活用していくことでしょう。

Term **ベストプラクティス**　特定の分野や業界で成功を収めるための最も効果的な方法や手法のこと。

Section

7-8 Tencent（テンセント）

テンセントは、中国最大のインターネット企業です。「WeChat*」、「PUBG Mobile」や「League of Legends」「WeChat Pay」などを提供。2023年にはAIモデル「Hunyuan」を発表しました。

■中国のIT巨人の全貌

テンセントは、中国広東省深セン市に本拠を置く多国籍のテクノロジー・コングロマリットです。1998年に馬化騰（マー・ハーテン氏）によって設立され、2004年に香港証券取引所に上場しました。中国最大のインターネット企業であり、世界でも有数のIT企業として知られています。2023年10月10日現在、時価総額は約400兆円で、世界第10位の企業となっています。

■テンセントの主要な事業

●コミュニケーション事業

中国最大のメッセンジャーアプリ**WeChat**や、ソーシャルゲームプラットフォーム「Tencent Games」、ソーシャルメディアプラットフォーム「Tencent QQ」を展開しています。特に「WeChat」は、メッセージング、ソーシャルメディア、決済、ゲームなどの多機能を持つオールインワンアプリとして、2023年10月10日現在、月間アクティブユーザー数が11億人を超えています。

●ゲーム事業

中国最大のゲーム会社として、自社開発のゲームや、海外のゲームメーカーのゲームを中国で展開しています。代表的なゲームには、「PUBG Mobile」「League of Legends」「王者栄耀」などがあります。海外のゲームメーカーの買収や出資を積極的に行っており、2022年にはアクティビジョン・ブリザードを買収しました。

●金融事業

オンライン決済サービス「WeChat Pay」や、デ

Term

WeChat　中国で人気のあるメッセージングアプリで、テキストメッセージや音声通話、ビデオ通話などの機能を提供している。ユーザーがグループを作成したり、スタンプや絵文字を使用したりすることができる。

ジタルエンターテインメント事業「Tencent Music Entertainment Group」を中心に展開しています。

「WeChat Pay」は、中国最大のオンライン決済サービスであり、「Tencent Music Entertainment Group」は、音楽配信、オンラインカラオケ、ライブ配信などのサービスを提供しています。中国のインターネット業界をリードする企業として、今後もさらなる成長が期待されています。

■Tencentが展開するAIモデル

テンセントは2023年に独自の大規模AIモデル**「Hunyuan（フンユアン）」**を発表しました。この名前の由来である「Hunyuan」は、中国語で「万物の根源」や「制限のないもの」を意味し、Tencentの目標である広範なアプリケーション向けの強力なAIモデルを作成することを示しています。

Hunyuanは、高度な中国語処理能力、論理的推論、信頼性の高いタスク実行を特徴とし、ビジネスと産業のニーズに特化して開発されました。テンセントは、消費者向けのAIと企業の実際のニーズとのバランスを取ることを目指しています。

2022年の売上・利益

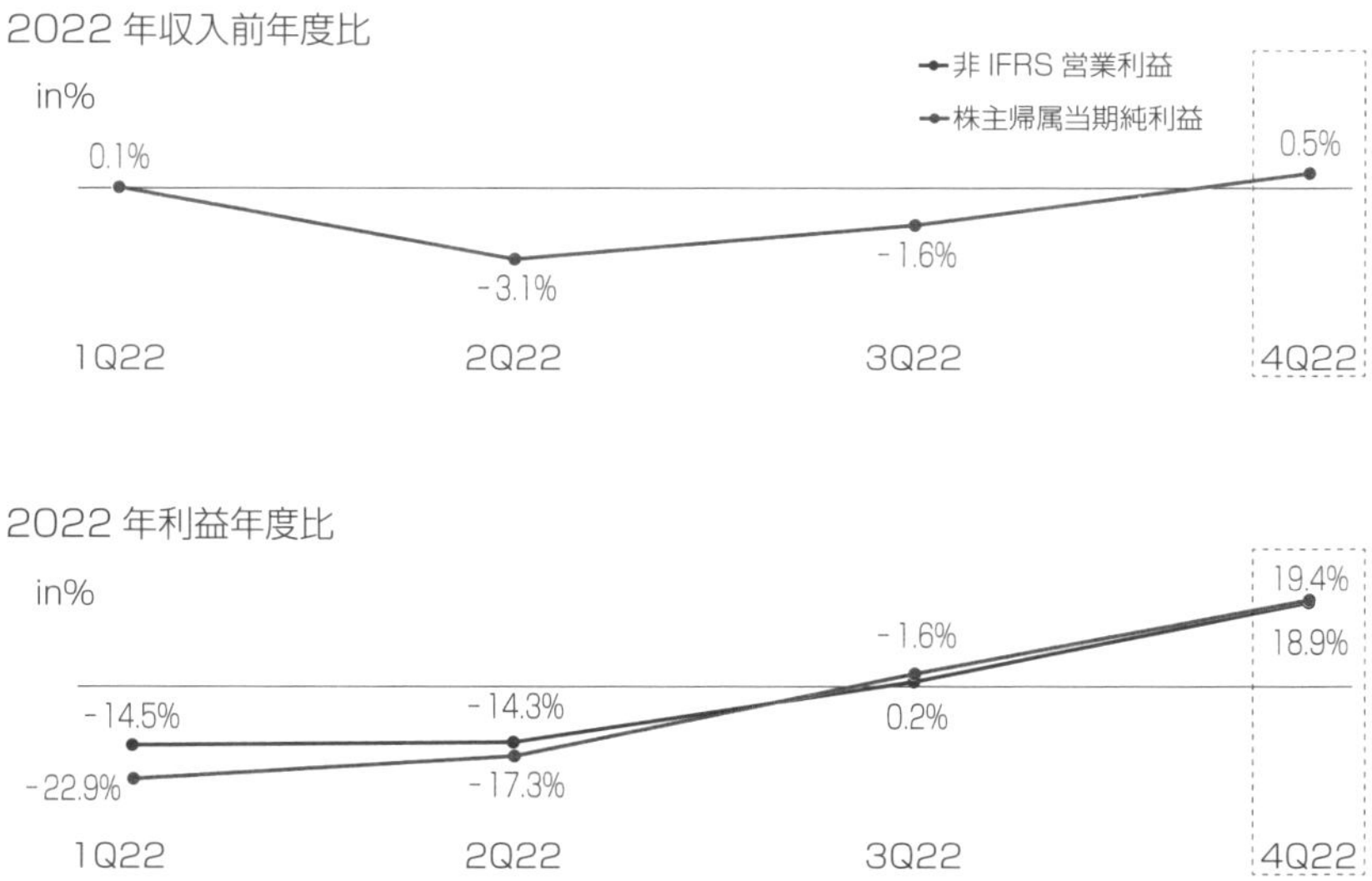

出所：Tencect 2022 Fourth Quarter and Annual Results Presentation

Column **テンセントの本社ビル** 「垂直公園」のコンセプトを採用し、それぞれ50階と41階の高さの2つの超高層ビルの間に3つの「リンク」を設け、緑地スペース、フィットネススペース、集会スペースがある。このビル建築は2つの賞を受賞している。

Section
7-9 Alibaba（アリババ）

アリババ（グループ）は、中国を基盤に世界で事業を展開するテクノロジー巨大企業です。ECサイトやクラウド、モバイル決済、デジタルマーケティングなどの事業を展開。AIモデル「Tongyi Qianwen」を導入し、ユーザーエクスペリエンスの向上を目指しています。

●企業概要

アリババグループは、中国を基盤とし、全世界で事業を展開するテクノロジー巨大企業であり、持株会社でもあります。創業は1999年で、ジャック・マー氏が率いる17人のチームによって立ち上げられました。本社は中国の浙江省杭州市に位置しています。アリババグループは、BtoB ECサイト「**アリババドットコム**」から出発し、いまではBtoC ECサイト「**Taobao**」や「**Tmall**」、越境ECサイト「**AliExpress**」、そしてクラウドコンピューティングサービス「**Alibaba Cloud**」など、多岐にわたる事業を展開しています。

この企業は、中国のEC市場をリードする存在であり、世界最大のEC企業の1つとなっています。2022年の売上高は745億ドル、純利益は134億ドルに達しました。アリババグループの事業は主に以下の4つのセクターに分かれています

●コマース事業

BtoB ECサイト「アリババドットコム」は、世界最大のBtoB ECサイトで、中国国内の中小企業が世界中の企業に商品やサービスを販売するプラットフォームとなっています。同じくBtoC ECサイト「Taobao」は、中国最大のBtoC ECサイトで、個人や中小企業が様々な商品やサービスを販売するプラットフォームとなっています。越境ECサイト「AliExpress」は、中国から世界中の消費者に商品を販売する越境ECサイトです。また、ライブコマース「Taobao Live」では、ライブ配信を活用し

Column

アリババの名前の由来　アリババの名前は、アラビアンナイトの物語に由来している。創業者は、インターネットを通じて人々に財宝を提供するという夢を持っていたことから名付けられた。

たECサービスを提供しています。オンライン小売プラットフォーム「Tmall」では、高品質な商品を販売しています。

●モバイル決済サービス

「Alipay」は、中国最大のモバイル決済サービスで、金融サービスも提供しています。

●クラウドコンピューティング事業

「Alibaba Cloud」は世界最大のクラウドコンピューティングプラットフォームの1つであり、中国国内の企業だけでなく世界中の企業にサービスを提供しています。

●デジタルマーケティング事業

アリババグループは、様々なデータや分析に基づいたマーケティングサービスを提供しています。

アリババグループは、中国の経済成長を牽引する企業として、今後もさらなる成長が期待されています。さらに、アリババグループは2014年にニューヨーク証券取引所に上場し、その後も多くの分野での投資や事業展開を行っています。デジタルメディアとエンターテインメント、物流、電子検索、データ技術、ヘルスケアなど、様々な分野での投資や事業展開も行っています。中国だけでなく世界中のデジタル経済においても重要な役割を果たしている一方で、2020年以降、中国政府との関係や規制の強化、特にAnt Groupの上場中止など、一連の課題と論争にも直面しています。これらの課題がアリババグループの事業展開にどのように影響するのか、今後の動向が注目されています。

■アリババグループとAI

アリババグループは、AI分野でも大きな進歩を遂げています。同社のデジタル技術部門であるアリババCloudは、AIモデル「**Tongyi Qianwen**（トンイーチエンウェン）」を導入しました。このモデルは、近い将来にアリババの様々なビジネス部門に統合され、ユーザーエクスペリエンスを向上させることを目指しています。

アリババは、**DAMOアカデミー**＊への150億ドルの資金を含め、AI、機械学習、データインテリジェンス、IoT、人間と機械のインタラクション、および量子コンピューティングなど、多くの技術中心の領域に焦点を合わせる研究と開発に大幅に投資しています。AIとユーザーエクスペリエンスを最優先事項とし、戦略ロードマップでAIの重要

Term **DAMOアカデミー**　アリババグループによって設立された研究およびイノベーションのプラットフォーム。アカデミーの名前は、「Discovery（発見）」、「Adventure（冒険）」、「Momentum（勢い）」および「Outlook（展望）」の頭文字を取って名付けられている。

性を強調しています。

クラウドビジネスとAI研究チームを統合することで、クラウドコンピューティングとAIの間に相乗効果のある関係を育てることも目指しています。Tongyi Qianwenは、エンタープライズコミュニケーション、インテリジェントボイスアシスタンス、eコマース、検索、ナビゲーション、エンターテイメントなど、多くのビジネスアプリケーションに統合されることを目指しており、ユーザーエクスペリエンスを向上させることを目指しています。

このモデルは、DingTalkサービスとTmall Genieサービスに最初に展開され、効率的なコミュニケーションと動的な対話を促進します。画像・テキストの入出力（マルチモーダル機能）を提供する予定であり、これによりユーザーに最新のAI機能を提供することができます。

このようにアリババグループはAI技術の進化に強固なコミットメントを持っており、広範なビジネス戦略において重要な役割を担っています。また、Tongyi Qianwenは、企業がAI技術を利用してイノベーションを促進し、ビジネスの成長と成功を達成するための重要なツールとなることが期待されています。

アリババグループの運営するサイト

▲B2BのAlibaba Japanサイト

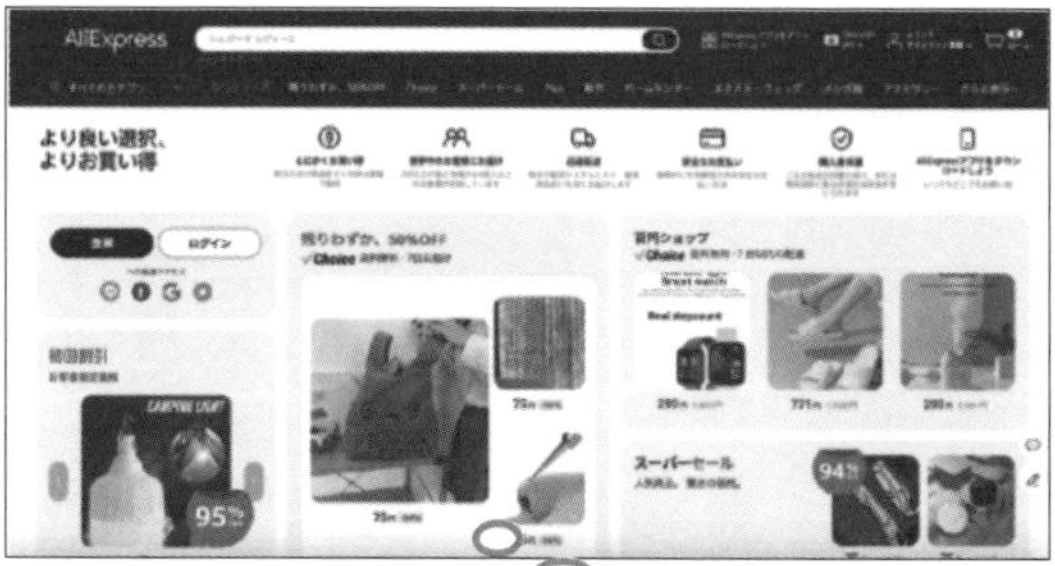

▲B2CのAliExpressサイト

価格の安さが魅力。
良品であれば利用したい人も
多いのでは？

アリババの会員数　全世界のアリババグループの2022会計年度年間アクティブ・コンシューマー（AAC）数は約13億1000万人に達し、前年比2830万人の増加となっている。

アリババグループの歴史

1999 ～ 2009年	創立：杭州のジャック・マーのアパートで、ジャック・マーと18人の創設者によって設立 Alibaba.com 立ち上げ 英語のWebサイトで、世界的な卸売市場となる
	ユーザー数増加：Alibaba.comの登録ユーザー数が100万人を突破
	Taobao設立：オンラインショッピングプラットフォームとして始動
	Alibaba Cloud設立
2010 ～ 2019年	Taobaoモールと Juhuasuanの独立
	Taobaoの10周年記念
	ニューヨーク証券取引所上場
	DingTalk立ち上げ／Koubei設立／アリババ起業家基金立ち上げ
	GMV達成：世界最大の小売商取引企業に／Taobao Live導入／Taobaoメーカーフェスティバル開催／Alibaba Cloudのデータセンター拡張
	国際オリンピック委員会との長期パートナーシップ発表／天猫淘宝世界を開始／アリババDAMOアカデミー設立／Aibaba Cloudのマレーシアデータセンター開設／アリババ貧困救済基金の発表
	テクノロジーショーケース「クラウド上のオリンピック」発表／Alibaba Cloudのインドネシアデータセンター運用開始／中国北西部に水冷データセンター開設／英国にAlibaba Cloudのデータセンター開設
	10億人以上の消費者へのサービス目標と年間消費額10兆元促進の目標を発表
2020年	Taobao取引アプリ開始／無人物流車両Xiaomanlv発表／Taobaoディールの年間アクティブ消費者が1億人を超える
2021年	「貧困緩和における国家先進集団」を受賞／Alibaba Cloudによるアジア太平洋地域のデジタル人材育成プロジェクトAsiaForward立ち上げ／東京2020オリンピック中のクラウドベースサービス提供／Alibaba Cloudの新プロセッサ「Yitian 710」発表
2022年	北京冬季オリンピックでのAlibaba Cloudの技術サービス移行成功／中国における消費者向け事業の年間アクティブ消費者が10億人を超える
2023年	中国の農村医療・資源制限支援のために1億2500万元寄付 トゥルキエ地震対応として、トレンディオールと協力して緊急物資の調達と支援を行う

アリババグループは
広範なビジネス戦略を展開。
近年はAI技術の開発にも
注力している。

Term **BAT** 中国IT市場の3巨頭、バイドゥ・アリババ・テンセントをBATと呼ぶ。メインの事業領域がそれぞれ、検索（ポータル）、EC、SNSと住み分けされている。最近では、ファーウェイ（HUAWEI）も加わりBATHと表現されることもある。

Section

7-10 百度（バイドゥ）

百度（バイドゥ）は、2000年に中国で創立され、当初はインターネット検索エンジンとして登場しました。急成長を遂げ、2010年代には世界を代表するAIテクノロジー企業としてその名を轟かせています。

■企業概要

百度（バイドゥ）は、2000年に北京でロビン・リー氏とエリック・シュー氏によって設立されました。当初はインターネット検索エンジンとしてスタートし、中国国内でのシェアを急速に拡大。グーグルやYahoo! といった国際的なサービスと競合しながらも、独自の技術開発とマーケティング戦略により、中国市場でのトップポジションを築き上げました。2010年代に入ると、バイドゥは単なる検索エンジン企業から、AI技術を核とした総合テクノロジー企業へと変貌を遂げます。特に、自然言語処理や音声認識、自動運転車の技術開発に注力し、これらの分野でのリーダーシップを築き上げました。2022年度において、バイドゥは売上高を大幅に伸ばし、売上高は1698億元（約2兆7000億円）、営業利益は217億元（約3400億円）に達しています。

AI技術の商業化に成功し、自動運転車の技術ライセンスや、企業向けAIソリューションの提供が主要な収益源となっています。また、国際的な展開も進めており、アジアを中心に多くの国でバイドゥの技術が活用されています。短期間での急成長を遂げたバイドゥは、現在では世界を代表するAIテクノロジー企業の1つとして、その名を轟かせています。

■AI技術の歴史

バイドゥは2010年頃にAIの領域に進出しました。この初期の参入により、Alphabet などのグローバルな競合他社に比べて、中国国内でAI分野での先駆者となりま

> Column
> **バイドゥの広告事業**　バイドゥの中文広告は、中国検索シェア第1位。6億人を超える中国インターネットユーザーにプロモーションできる。60億PV／日、8億ダウンロードの「手机百度」をはじめとする、バイドゥアプリ内にインフィード形式で広告掲載ができきる。

した。過去10年以上にわたり、AIに戦略的に投資しており、これにより**Baidu Brain**というコアAI技術エンジンが開発されました。このプラットフォームは、様々なAIユースケースをサポートし、AI事業の基盤となっています。Baidu Brainは、すべてのビジネスを支えるオープンAIプラットフォームとして進化し、2020年にはバージョン6.0にアップグレードされ、言葉や文の意味理解機能を強化しました。

また、**PaddlePaddle**というオープンソース深層学習プラットフォームも提供しています。400万人以上のユーザーを有し、AIの革新に寄与しています。さらに、「ERNIE Bot」というチャットボットの開発も行っています。これには、GLUEベンチマークで90以上のマークを獲得した、世界で最初のAIモデルが搭載されています。

無人運転技術の分野では、米国・中国の政府から無人運転技術を開発するための承認を得ています。自動運転に関する**Apollo**という計画を発表しており、すでに北京でロボタクシーサービスを運営するためのライセンスを取得しています。研究と革新の面では、中国のAI研究の先駆者として認識されており、特許ポートフォリオとライセンス契約の独自のポートフォリオを持っています。これによりAIイノベーションエコシステムを構築しています。

バイドゥのAI能力は、Xinhua Instituteという中国のシンクタンクによって実施された一連のテストで、ERNIE Botが中国で最も優れたパフォーマンスを発揮する生成型AIチャットボットとしてランク付けされるなど、高く評価されています。また、AI技術を使用してコンテンツを作成するスタートアップに投資するための1億4500万ドルのベンチャーキャピタルファンドを立ち上げるなど、業界の発展にも貢献しています。このファンドの立ち上げは、AI市場のさらなる成長を促進することが期待されます。

主なAIプロジェクトと製品

● BaiduBrain

バイドゥのAI技術の研究開発を行うコアプラットフォームです。画像認識、音声認識、自然言語処理など、多岐にわたるAI技術の研究が行われています。多くのAIアルゴリズムやツールが公開され、開発者コミュニティで共有されています。

● Apollo

自動運転技術のオープンプラットフォームです。自動運

Term **百度地図**　バイドゥマップのこと。中国全土をカバーしており、街の詳細な地図から遠隔地の地図まで幅広く提供している。交通の流れや渋滞情報のリアルタイム提供や、ストリートビュー機能、バスや地下鉄などの公共交通機関のルート・時刻表・運賃情報を提供している。

転技術の研究成果を公開し、業界の協力を促進しています。多くの自動車メーカーや技術企業との協業を進めており、実際の道路でのテストも行われています。

● **DuerOS**

音声認識技術をベースとしたスマートデバイス向けのオペレーティングシステムです。スマートスピーカーや家電、車載システムなど、様々なデバイスでの音声操作を可能にしています。

● **BaiduCloud**

クラウドコンピューティングサービスの一部として、AI関連のサービスも提供しています。画像認識や音声認識、テキスト解析などのAPIを提供し、企業がこれらの技術を簡単に利用できるようにしています。

■世界初の量子コンピュータソリューション

バイドゥは2022年8月、世界初のオールプラットフォームの量子ハードウェア（**Qian Shi**）とソフトウェアの統合ソリューションである「**Liang Xi**」を開発したと発表しました。Liang Xiは、Qian Shiや、中国科学院が開発した10量子ビットの超伝導量子デバイスやトラップされたイオン量子デバイスを含む他のサードパーティの量子コンピュータに接続することができます。

Qian ShiとLiang Xiを使用すると、ユーザーは独自の量子ハードウェア、制御システム、プログラミング言語を開発することなく、量子アルゴリズムを作成し、量子コンピューティング能力を使用できるといわれています。

■Simeji

Simeji（シメジ）は、日本法人バイドゥ株式会社により開発、運営されるAndroid・iOS向けの日本語文字入力&きせかえ・顔文字キーボードです。「Simeji」は10代を中心に高い支持のある、きせかえキーボードアプリの定番となっています。好きな画像でキートップを美しくきせかえる「写真きせかえ」や、人気コンテンツのタイトル、流行アーティストの名前などが一発変換できる「クラウド超変換」といった機能を搭載しており、人気を得ています。また、感情の機微を表現できるオリジナル顔文字を20万語以上搭載しているのも特徴です。2023年5月には、ChatGPTを活用した新機能であるSimejiAI*もリリースしています。

Term

SimejiAI　バイドゥの人気キーボードアプリに搭載されたAI。「AIに質問」・「テキスト生成」・「AI返信」の機能が使用できる。「AI返信」では、どのような内容でも「Simeji AI」が瞬時に適切な返信文を提供する。

バイドゥの沿革

1994年	ロビン・リー、IDD Information Servicesに入社。検索エンジン用のアルゴリズム開発にも取り組む
1996年	ロビン・リー、検索エンジンの結果ページランキング用のRankdexサイトスコアリングアルゴリズムを開発し、米国特許を取得。Rankdexはハイパーリンクを使用した最初の検索エンジンとなる
2000年	ロビン・リーとエリック・シューによってバイドゥ設立
2001年	広告主が広告スペースを入札するシステムを採用
2003年	ニュース検索エンジンと画像検索エンジンを立ち上げ
2005年	ケイマン諸島に拠点を置く変動持分事業体(VIE)を通じてウォール街に上場
2012年	Sinaとモバイル検索結果の提供で提携。Qualcommと提携し、Snapdragonプロセッサ搭載Androidユーザーに無料クラウドストレージを提供
2013年	ビジネス関係管理用パーソナルアシスタントアプリを開発。2014年、アンドリュー・ン博士を主任研究員に任命。ブラジル版検索エンジン、Baidu Busca開始。ブラジルのPeixe Urbano買収
2017年	自動運転車プラットフォーム、Apolloプロジェクトを開始。コンチネンタル、ボッシュと自動運転およびコネクテッドカーで提携。ポータブル会話翻訳機発売。AI技術のスマートフォン導入と複数企業への投資を発表。中国での自動運転バス開始と年次百度世界技術会議の開催を発表
2021年	レベル5自動運転が可能な新ロボカーコンセプトを発表
2022年	Jidu Autoが初のコンセプトROBO-01を発表
2023年	ChatGPTに相当する言語モデルERNIE Botを一般公開。新しいバージョンのERNIE 4.0チャットボットをリリース

バイドゥリサーチ量子コンピューティング研究所のウェブサイト

ERNIE Bot　バイドゥの開発した大規模言語モデル。文学的創作、ビジネスライティング、数学計算、中国語の理解、マルチモーダル生成などの機能を持つ。一般公開しており、ユーザーは様々なアプリストアやBaiduのウェブサイトを通じてアクセスできる。

Section

7-11 フィーチャ

フィーチャ株式会社は、コンピュータビジョンや機械学習の専門技術を活かし、先進的な画像認識アルゴリズムを開発。エッジインテリジェンス＊向けの高性能ソリューションを提供しています。

企業概要

フィーチャ株式会社は、コンピュータビジョン、ディープラーニング、および機械学習に特化した技術を持つ企業として、先進的な画像認識アルゴリズムの開発を行っています。ベンチマークテストではトップレベルのパフォーマンスを達成しており、**エッジインテリジェンス**＊のための軽量で高性能なソリューションを提供しています。自動車やIoT分野での実績も多く、多くのクライアントからの信頼を得ています。

2005年の創業からは、レンズ検査装置事業を中心に活動してきましたが、2012年に画像認識ソフトウェア開発事業に進出しました。2020年にスマートインフラ事業、2021年にはDX（**AI-OCR**）事業を開始し、2023年6月にはボッシュ株式会社との資本業務提携を締結し、さらなる事業の強化を図っています。

事業領域

●先進運転支援システム（ADAS）

車両や歩行者との衝突や交通違反をリアルタイムで検出するためのオブジェクト検出ソフトウェアを提供しています。オブジェクト検出から危険運転の判断までの機能を統合しており、車載カメラやドライブレコーダーを使用して、オブジェクトの正確な検出や識別、距離測定などの安全機能をサポートしています。

●ドライバーモニタリングシステム（DMS）

車内カメラを使用してドライバーの状態を監視し、危険運転や事故を防止するシステムです。顔認識と組み合わ

Term

エッジインテリジェンス　AIの処理や分析をデバイスやセンサーなどのエッジ（端末）で行うことを指す。データのリアルタイム処理やプライバシーの保護に役立つ。

せることで、盗難防止や運行管理にも活用できます。主な機能として、顔認識や危険運転検出、よそ見運転検出、疲労運転検出などが組み込まれています。

- **プライバシーマスキング**

監視カメラやダッシュカメラの増加に伴い、プライバシーの懸念を解消するための技術を開発しています。リアルタイムで顔やナンバープレートを検出し、マスク処理を行うことで、個人情報の保護をサポートしています。

- **AI-OCR 技術**

ビジネスプロセスの自動化を目的として、高性能な光学文字認識（OCR）アルゴリズムを開発しています。様々なドキュメントでのテキスト領域の正確な検出や、印刷・手書き文字の認識をサポートしています。

- **スマートインフラ（SMARTINFRA）**

社会的な課題に対応するための画像認識ソフトウェアソリューションを提供しています。車両や歩行者の検出、顔検出／認証、ジェスチャー分析などの技術を利用して、交通監視やインフラ制御などの分野での活用が進められています。

エッジ AI のメリット

1	遅延	低遅延 AI 処理がエッジでリアルタイムに行われる
2	コスト	安い 通信コストと AI 処理コストを節約
3	消費電力	小さい 消費電力チップで AI 処理が行われる
4	セキュリティリスク	低い データをサーバーに転送しないためリスク低減

エッジインテリジェンス向け画像認識アルゴリズムの機能例

モビリティ検知認識	歩行者検出、二輪車検出、四輪車検出、標識認識など
顔検知認識	顔検知、顔特徴点検知、顔向き推定、視線推定など
HMI 検知認識	ジェスチャー認識、全身姿勢推定、危険動作認識など

Term

エッジAI　デバイスやセンサーなどの端末に搭載された人工知能のことを指す。デバイス内でデータの処理や分析を行い、リアルタイムでの意思決定や応答が可能である。

Section

7-12 ニューラルグループ

先進のAI技術を活用し、リアル空間の動態をデータ化しています。エッジ端末*でのAI解析により、リアルタイム処理と個人情報の保護を両立。幅広い応用範囲と効率的なサービス展開を実現しています。

会社概要

ニューラルグループ株式会社は、独自のAIライブラリを活用してリアル空間の動態をデータ化し、駐車場や物流施設のトラックバースの満空把握、走行車両のナンバープレート解析、ファッショントレンドデータベース **AI MD** の提供、首都圏の高級マンション向けの広告配信、LEDビジョンの設置とアフターサポート、ウェブページの編集などのサービスを提供しています。

最先端の画像解析技術やエッジ端末*へのAI実装技術を持ち、物体や人物の認識技術を幅広く活用しています。独自のAIライブラリも開発することで、様々な用途でのサービスを展開しています。

テクノロジー

カメラ端末内でAI解析を行うエッジ処理技術を採用し、リアルタイムで動画のAI処理を実施しています。これにより、大量のカメラ動画のリアルタイム処理が可能となり、個人情報にも配慮した処理ができます。また、多様なAIライブラリを持ち、ファッションアイテムや人物属性、行動認識などの情報提供や、防犯や作業安全での活用をサポートしています。独自のAIライブラリを開発し、カメラに高度な認識機能を追加する技術や、新しい応用サービスの開発も行っています。AI開発の基盤として、アクティブラーニングや独自のアノテーションツールを活用し、エッジデバイスの課題解決や幅広いデバイスへの対応を実現しています。

Term

エッジ端末　データ処理やAIの推論をデバイス自体で行うことができる端末を指す。データの処理速度やプライバシーの保護性が向上し、クラウドへの依存を減らすことができる。

提供しているサービス

●デジフロー：人流・防犯サービス

AI技術を活用してスマートシティの実現を加速させることを目的としているサービスです。人や物の動き、移動する物体や乗り物の動態を検知します。その情報をインフラや設備といった領域に焦点を当て活用します。デジフローは、デジタル技術を駆使して都市開発を複合的に進め、多岐にわたる産業のオペレーションを一新することで、都市の未来を刷新しています。

●デジパーク：駐車場・モビリティサービス

駐車場やモビリティに関する総合的なサービスです。駐車場運営事業者や物流施設、商業施設などの多岐にわたる業界向けに、駐車場のリアルタイムな満空情報の提供や、空車室への誘導最適化、業務効率化を実現します。さらに、駐車場の利用実態や車両情報をデータベース化し、マーケティングや設計・運営の最適化に活用することができます。「スマートくん」というスマートフォンアプリケーションによるAI搭載ドライブレコーダーも提供しており、最新のAI／IoT技術を駆使して、運転の安全性や利便性の向上をサポートしています。

●SIGN DIGI: サイネージ広告サービス

デジタル化が進む中で街中や施設内の広告の効果を最大化するサービスです。SIGN DIGIは商業施設やオフィスビル、スマートシティなどにAIを活用したサイネージ*サービスを提供します。AI解析技術を用いてリアル空間の人流や視聴情報を捉え、広告効果を可視化することができます。これにより、次世代のターゲティング広告プラットフォームを構築し、広告の効果を最大限に引き出すことを実現しています。

●リモデスク：在宅勤務支援サービス

新しい社会のスタンダードとして確立しつつあるリモートワークをサポートするサービスです。リモートワークが急速に普及している中、リモートワークセキュリティソリューションとしての役割を果たしています。リモート環境下での業務セキュリティを強化しつつ、従業員のプライバシーもしっかりと保護します。コールセンターやバックオフィスのように、個人情報や機密情報を扱う業務において、このサービスの利用が強く推奨されています。

●AI MD: ファッショントレンド解析サービス

アパレル業界の厳しい環境を打破するための新しいアプ

Term **サイネージ広告**　デジタルディスプレイを使用して情報や広告を表示する方法。店舗や公共の場所で利用され、効果的な情報発信や商品の宣伝が可能である。インタラクティブな要素を取り入れることもでき、視覚的な魅力の増強や情報の効率的な伝達が特徴。

ローチを提案するサービスです。国内アパレル市場は過去25年間で40％も縮小し、余剰在庫や値引き販売の常態化などの課題が増えています。この中でAI MDは、従来の感性に頼った商品企画から一歩進め、AI技術を活用してSNSやショッピングサイトの情報を解析し、ファッショントレンドの予測を行います。全国3000店舗以上で販売されている商品の企画を行い、多くの企業で定価販売率が10％以上向上しています。AI MDは、アパレル業界に新しい風を吹き込む、革新的なサービスとして注目されています。

ChatGPTを活用した新規Web事業

2023年6月には、子会社であるニューラルマーケティング株式会社がChatGPTを用いたWebサービス「Generative Web powered by ChatGPT」の販売を開始しました。これは、企業Webページの構築から、集客効果を最大化するための運営・更新に必要な機能やSEO対策までをワンパッケージ化したサービスです。ChatGPTの活用により、集客に役立つWeb解析や口コミへの自動返信機能、ブログ記事の自動作成等のテキストの自動生成が可能なAI機能を搭載しており、効果的に集客ができるWebページの運用をサポートします。

2023年12月期 期初からの事業成長テーマ

ニューラルグループ（連結）

- 23年経営テーマは「スケールと収益化」
  →高粗利率を維持し、ユニットベース収益のスケール化加速で、収益基盤を強化
  →通期での営業黒字の実現と、来期以降への成長を見据えた将来投資を両立
- 今後も積極的に国内外のグローバル企業との資本又は業務提携を積極的に追求

AIデジソリューション

- 22年の設置実績の加速を目指し、23年での累計400ユニット設置を実現、民間・公共双方で価値提供（Q2期末時点278ユニット設置済）
- 昨年新設のタイ法人を拠点に、タイや東南アジア地域における大規模都市開発やスマートシティ活動に積極的に参画し、日本での実績の横展開（年内、複数案件導入に向けて取組中）

ニューラルマーケティング

- 10％を超える市場成長を背景に70名超の営業人員採用で、グループ全体の商品を拡販するための販売体制強化（Q2期末68名採用実現）
- 沖縄、南九州、四国、北陸、北関東、北海道の6地域で新拠点設立（Q2期末現在、札幌、高松に新拠点設立済）
- フォーカスチャネルのマンション広告とLEDビジョン広 告を50台新設を目指す（Q2より設置開始）

ライフスタイル・イノベーション

- アパレル領域の安定的な事業継続
- 将来的な当社サービスの柱となりうる新領域を積極的に自社開発
  →需要予測AIや着せ替えAI(Q2に独自LLMの開発を発表）
  →コンテナ混載最適化や衛星画像分析
  →AI技術を活用したゲーム領域 等

出所：ニューラルグループ株式会社「2023年12月期 第2四半期 決算説明資料」をもとに作成

エッジ AIの強みを活かしたサービスの多数開発・提供

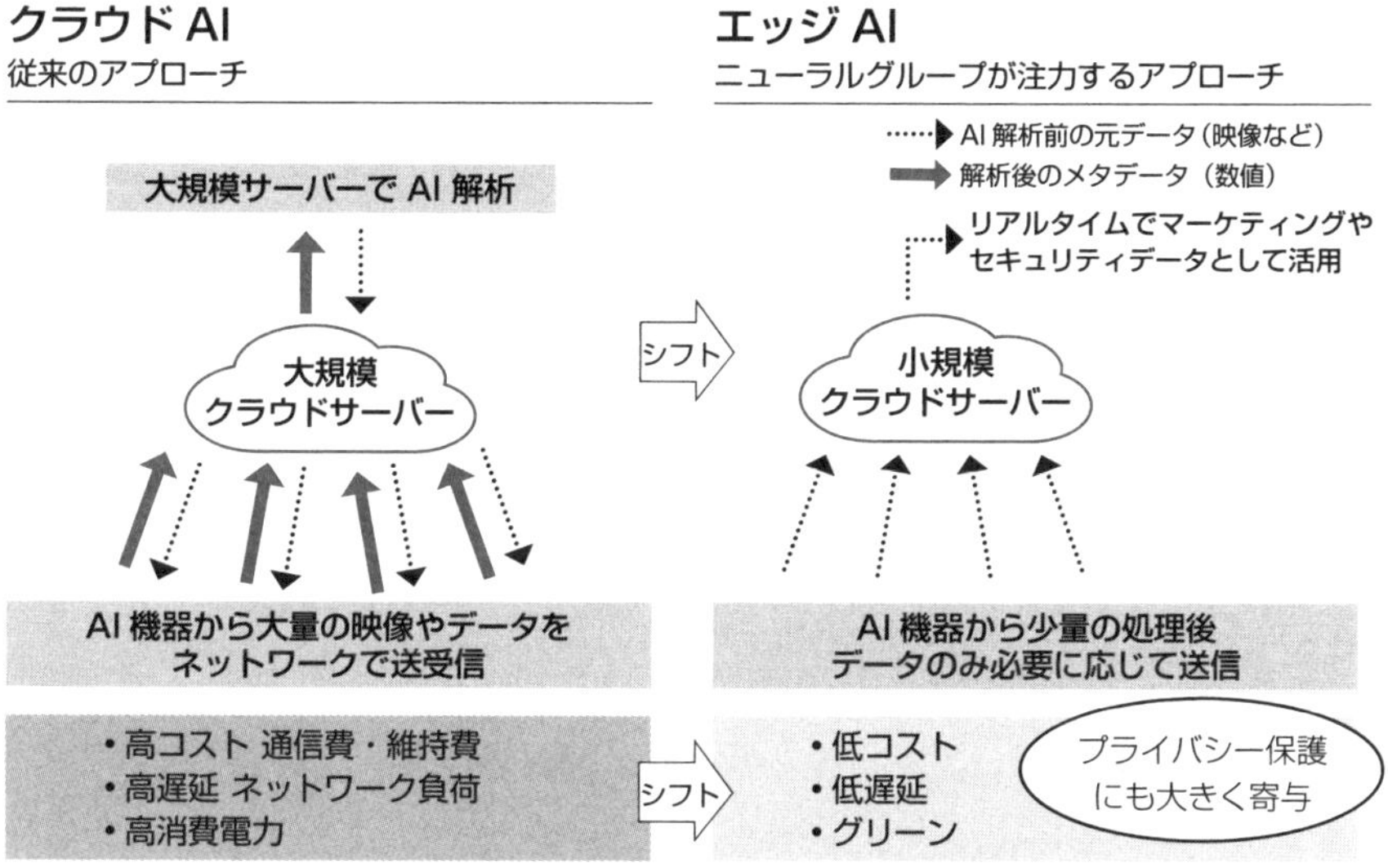

デジソリューションサービスの設置・導入ユニット数の成長

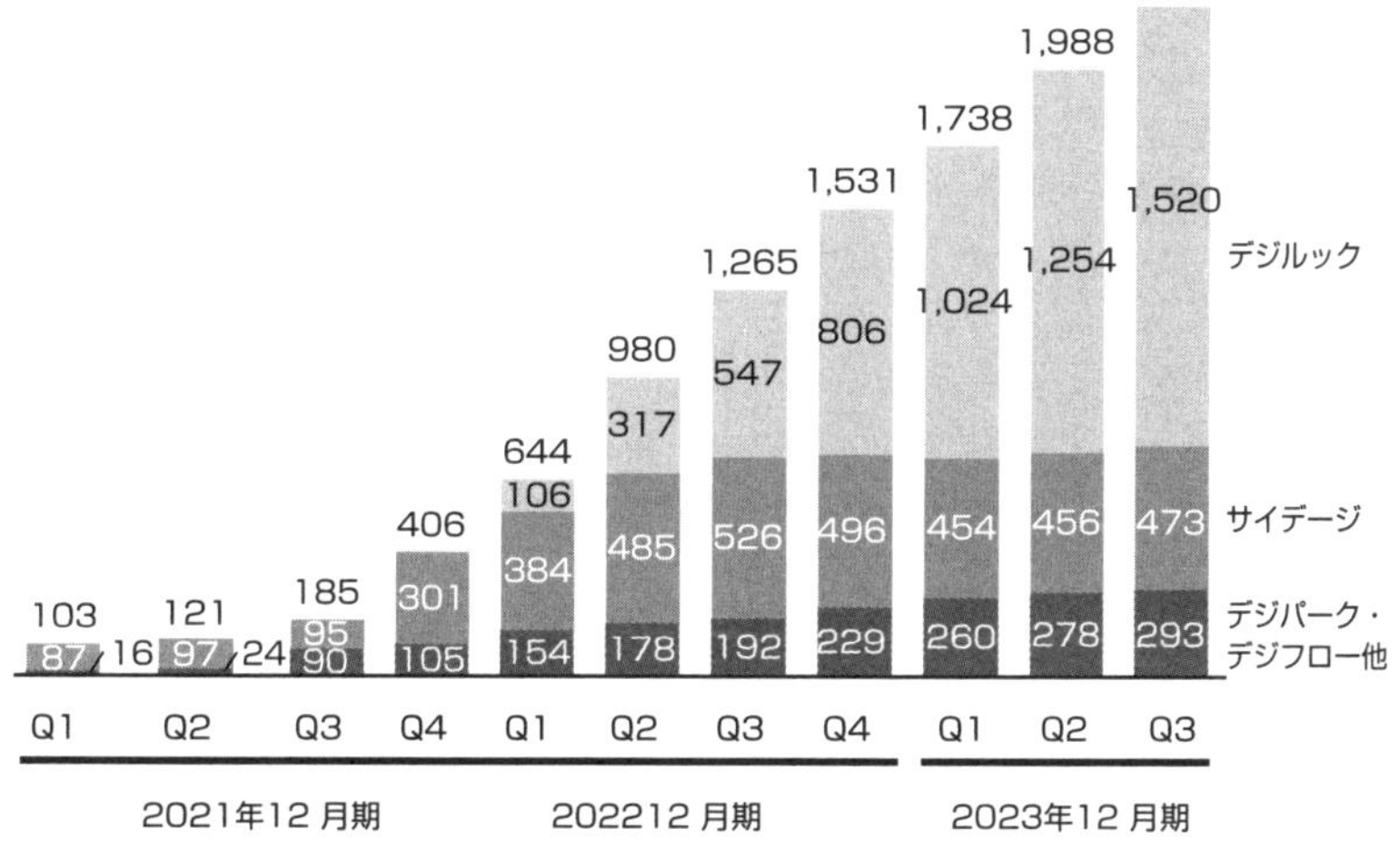

出所：ニューラルグループ株式会社「2023年12月期 第3四半期 決算説明資料」をもとに作成

Term

ニューラルグループ株式会社　「AIで心躍る未来を」をミッションに掲げ、絶対成功！、電光石火！、全力応援！、じぶん事！を行動指針に据えている。2023年3月現在、従業員数は227名となっている。

Section
7-13 ユーザーローカル

ビッグデータとＡＩ技術を融合し、多様なサービスを展開しています。企業向けＷｅｂ解析ツールやソーシャルメディア解析、ＡＩ搭載の顧客対応チャットボットなど、国内大手企業のビジネスを支援しています。

■企業概要

ユーザーローカル株式会社は、「ビッグデータ×人工知能で世界を進化させる」という経営理念のもと、ビッグデータや人工知能（ＡＩ）を活用した多岐にわたるサービスを提供しています。Ｗｅｂアクセス解析ツール「User Insight」、ソーシャルメディア解析ツール「Social Insight」、問い合わせ対応業務チャットボット「Support Chatbot」などがあり、これらのサービスを通じて国内大手企業を中心とした３０００社以上のビジネスをサポートしています。同社の公式サイトには、様々なＡＩ技術を駆使したサービスでビジネスの成功をサポートした事例が掲載されており、国内外のメディアにも多数掲載されている実績があります。

■サービス

●User Insight

企業向けのＷｅｂ解析ツールで、ユーザーのマウスの動きやタップの動きを個別に再生できるヒートマップに対応しています。どのような組織・企業からアクセスされたかを知ることができるなど、独自のユニークな機能が多数搭載されています。

●Social Insight

Facebook、Ｘ（旧 Twitter）、You Tube などのソーシャルメディアのマーケティング分析・管理ツールです。国内 SNS ユーザー２６０００万人のアカウントや企業Facebook ページ１２０万件などの大量のデータを解析し、ソーシャルマーケティングを支援します。

Column **ユーザーローカルの基本方針**　環境問題が次世代以降にも及ぶ長期的な問題であると認識するとともに、環境をより良い状態に保つことが企業としての当然の役割であるという認識をもって事業活動を行うことを基本方針としている。

● Media Insight

ニュースサイトやメディア運営に特化した記事コンテンツ分析ツールです。ニュース記事がＳＮＳでどれだけ反響を受けたかを可視化し、トラフィックの流入や記事の読まれ方を分析します。

● サポート業務用チャットボット

ウェブサイトやLINEアカウント、Facebook Messenger内にチャットボットを常駐させ、顧客からの問い合わせに24時間リアルタイムで応答します。AIが自動学習することで、最適な回答を選びます。

● テキストマイニング

文章から単語の出現率や感情の分析を行います。

● 自動要約ツール

文章構造を分析して、重要な部分を抽出して要約します。

● 感情認識ＡＩ

ディープラーニングを使用して、文章から感情を読み取ります。

● 未来予測ＡＩ

ＡＩを使用して、過去のデータから未来を予測します。

● 顔認識ＡＩ

写真から顔を特定し、人数や年代・性別を判定します。

● 自動車画像加工ＡＩ

自動車の画像から背景とナンバープレートをぼかします。中古車サイトやカーシェアリングアプリなどで活用できます。

● ＡＩコメントシステム

60億件のデータを解析したＡＩが、メディア運営をサポートします。サイトの滞在時間や記事のページＰＶ数の向上に成果が出ています。

● 個人情報匿名化フィルター

入力された文章から個人情報を削除またはハイライトします。

● 重複集計ツール

2つのリストを基に、和集合や共通集合、差分を計算します。

● ＡＩライター

自然言語処理技術を活用して高品質な文章を自動生成するサービスです。ウェブサイトのコンテンツ作成、ブログ記事の執筆、広告の文案作成など、様々な用途での文章生成が可能です。ＳＥＯ対策にも対応しており、無料で利用することができます。

Column

ユーザーローカルの環境方針　環境問題が次世代以降にも及ぶ長期的な問題であることを認識し、事業活動を通じた環境保全に取り組み、持続可能な社会の実現に向けて努力することを掲げている。具体的な取り組みとして、地球温暖化防止、資源の有効活用、自然との共生、環境マネジメントの推進、法令遵守を挙げている。

Section
7-14 Appier Group

デジタルマーケティングとセールスを強化するAI技術を提供し、顧客にとっての開発時間とコストの削減を実現します。ソフトウェアにAIを搭載し、よりスマートにするというミッションを持っています。

企業概要

Appier Groupは、「ソフトウェアをよりスマートに、AIでROIを向上させる」というミッションを持ち、すべての企業ソフトウェアにAIを搭載して、自動・正確な意思決定を実現することをビジョンとして掲げています。デジタルマーケティングとセールスのソフトウェア領域での事業をスタートし、SaaSモデルを基盤にしたAIマーケティングソリューションを提供しています。AIを活用することで顧客の開発時間とコストを削減し、マーケティングとセールスの一貫した課題解決や、予測ベースの戦略による機会損失の最小化を実現しています。

沿革

2012年に台湾で設立され、ハーバード大学やスタンフォード大学出身のAIサイエンティストやエンジニアたちと共に、AIを中心とした企業のマーケティングソリューションの研究開発を進めてきました。グループとしての特長は、AIとデータ分析のエキスパートが集結していることで、数多くの論文発表や国際的なデータマイニングコンテストでの受賞歴があります。2014年には「CrossX」というサービスを開始し、アジアを中心に欧米へと事業を展開、多くの企業を買収し、新しいAI機能を持つソリューションを提供しています。

Term

AppierGroup　グローバルの拠点数17、顧客企業数1566社にのぼる。2021年にESGへの取り組みを開始しており、ESG目標の設定とロードマップを完成させ、ビジネス上の意思決定と日常業務のあらゆる側面にESGを組み込むための計画を策定している。

AIプラットフォーム

企業のデータ活用やAI導入の課題解決をサポートするAIプラットフォームを提供しています。異なるソースやデバイスからのデータ統合、高度な機械学習技術を活用した予測モデルの自動構築をSaaSプラットフォームとして提供しており、多くの企業にとって、AIを効果的に活用するための強力なツールとなっています。

ソリューション

AIを活用したソリューションを展開し、企業とそのエンドユーザー間の関係を強化するサービスを提供しています。マーケティングの全プロセスをサポートし、ユーザー獲得から関係構築、販売までをカバーする「フル・ファネル」のアプローチです。SaaSプラットフォームを使用することにより、AIの開発の時間とコストを大幅に削減することを可能としています。主要なソリューションである、CrossX、AIQUA、AiDeal、AIXONは、個別にも、また組み合わせても利用可能です。

● CrossX

ユーザーの生涯価値をAIを使用して予測し、マーケティング投資のリターンを最大化するためのソリューションです。特に、高いリターンを持つユーザーの獲得をサポートしています。さらに、主要なマーケティングプラットフォームとの連携を通じて、マーケティングキャンペーンの自動実施が可能です。

● AIQUA・BotBonnie

ユーザーエンゲージメントの質を向上させるためのツールです。BotBonnieは、カスタマージャーニーをメッセンジャープラットフォームでナビゲートする会話型マーケティングプラットフォームです。

● AiDeal

eコマースのカート放置問題に対応するAIソリューションです。このツールは、ユーザーのサイト上の行動をAIで解析し、購入をためらっているユーザーに対して効果的なオファーを提供することを目的としています。データの統合やAI予測モデルの自動構築を可能にするAI搭載の予測分析プラットフォームです。

● AIRIS

AppierのAI技術とWoopraのデータ可視化技術を組み合わせた**カスタマーデータプラットフォーム（CDP）**です。

Term

TCFD　気候関連財務情報開示タスクフォースのこと。Appier Groupは気候変動に関連する異常気象が自社の事業運営にどのような影響を及ぼすかを評価するため、2022年、専門のチームと協力し、金融安定理事会（FSB）が策定するTCFDフレームワークを適用している。

Section
7-15 PKSHA Technology

人とソフトウェアの共進化を目指し、直感的なコミュニケーションを促進します。技術の研究開発と社会実装を連動させ、多様な業界の課題解決に向けたソフトウェアソリューションを提供しています。

■企業概要

PKSHA Technology はAI技術の開発やAIソリューション、AI SaaS の提供などを事業とする会社です。人とソフトウェアが共に進化する新しい関係性を構築することに焦点を当てており、その一環として人とソフトウエアの間の直感的なコミュニケーションを推進しています。

同社は「PKSHA ReSearch」というプラットフォームを通じて、研究開発を行い、得られた知見を「PKSHA Enterprise AI」と連携させて社会実装を進めています。「顧客接点の高度化・効率化」と「社内業務の効率化／高度化」の2つの領域でソリューションとプロダクトを提供し、企業の課題解決やビジネス支援を行っています。

ビジネスモデルとしては、技術の研究開発と社会実装を連動させ、未来のソフトウェアを形にしていくことに重きを置いています。21世紀初頭の深層学習技術の普及を背景に、現在を人とソフトウェアの共進化の始まりであると捉え、多様な企業や研究室と連携し、先端情報技術とその社会実装の方法、そして未来社会のあり方を探究しています。

■事業概要

PKSHA Technology の主な事業は、PKSHA Enterprise AI と PKSHA ReSearch から構成されています。

PKSHA Enterprise AI は、研究開発されたアルゴリズムを搭載し、人と共に精度を向上させるソフトウェアを提供しています。PKSHA ReSearch は、新しい研究アプローチを採用し、先端情報技術の社会実装の方法を探求しています。

Column PKSHAを創る3つの共進化　「仲間との共進化」「クライアントとの共進化」「社会との共進化」の3つ。共進化は、密接な関係を持つ複数の種が、互いに影響し合いながら進化することだとしている。PKSHAでは共進化を、人やソフトウエア、組織、社会など様々な関係性で使うとしている。

ソリューション・プロダクト

同社は研究開発により培った技術を活かし、企業向けに多様なソリューションや製品を展開しています。主な提供ソリューションとしては、「PKSHA LLMS」、「PKSHA Security」、「PKSHA SCM」などがあります。またAI SaaSの関連製品として、「PKSHA Communication Cloud」「PKSHA Chatbot」なども展開しています。

同社は様々な業界に合わせたソリューションとプロダクトも提供しており、小売・流通、自動車・都市開発、信販・銀行、保険、教育、医療・ヘルスケアなどの業界向けに、課題解決と効率化を図るためのソリューションを展開しています。特に小売・流通業界においては、消費者の嗜好の変化やEC化の加速など、大きな変化が生じます。こうした変化に対応し、食品ロスの削減やデジタル技術を利用した販売員のエンパワーメントなど、ソフトウェアの力を利用して業界全体の発展と消費者の豊かな購買満足度の提供を目指しています。

同社は自らの研究開発力を活かし、多岐にわたる業界に対して先進的なソフトウェアソリューションとプロダクトを提供し、企業の課題解決と社会の発展に貢献しています。

売上高と AI SaaS 稼働企業数

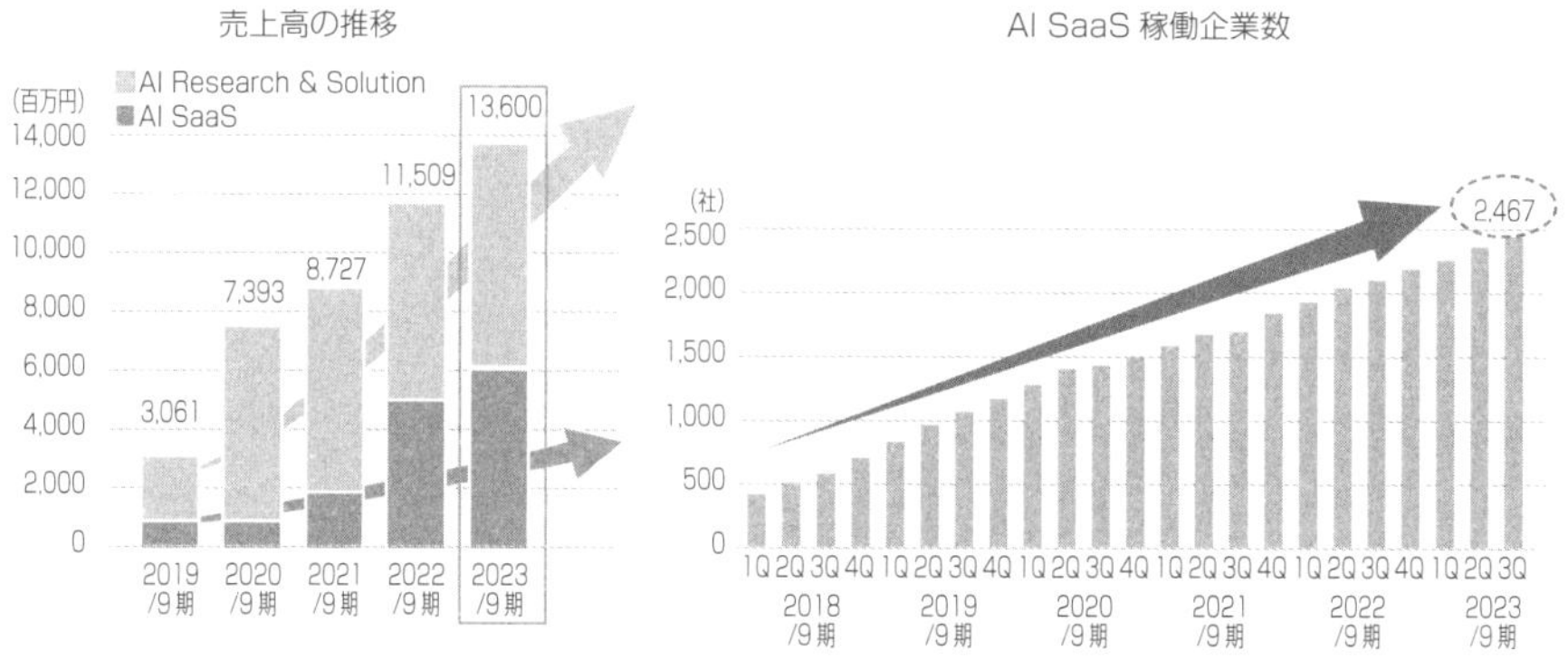

出所：PKSHA Technology「2023年9月期　第3四半期決算説明資料

Column

PKSHAの主要グループ会社　株式会社PKSHA Workplace、株式会社PKSHA Communication、株式会社Sapeet、合同会社PKSHA Technology Capital、株式会社アイテック、株式会社 PKSHA Associatesが主要グループ会社となっている。

Section
7-16 Preferred Networks

Preferred Networksビジョンは実世界を計算可能にし、未知の領域に挑戦することです。深層学習を核に、自動車やロボットの進化を推進。熱意と学び、技術への誇りと謙虚さ、そして未踏の領域への大胆な挑戦を重視しています。

■ビジョン

株式会社Preferred Networks（PFN）は、深層学習などを中心にAIの研究開発を行う企業です。深層学習やロボティクスなどの先端技術を迅速に実用化することで、実世界の困難な課題解決を目指しています。

ビジョンは、「現実世界を計算可能にする。自分たちの手で革新的かつ本質的な技術を開発し、未知なる領域にチャレンジしていく」。ソフトウェアとハードウェアの高度な融合を通じて、自動車やロボットなどのデバイスを進化させ、物理世界をリアルタイムにセンシングすることを目指しています。技術面では、深層学習と多様な専門分野の知識を組み合わせ、世界に貢献する独自の技術を開発しています。

■4つのVALUE

PFNは、「PFNらしさ」を特徴づける次の4つのVALUEを行動規範として掲げています。

● **Motivation-Driven（熱意を元に）**

組織文化としてメンバーのモチベーションを重視しています。メンバーにはプロジェクトの成果に対して真剣に取り組み、強いモチベーションを持つことが求められます。このモチベーションは、チーム内の各メンバーが互いの成果に貢献し、チームワークを形成する基盤となっています。この文化のおかげで、非常にフラットで、フレキシブル、かつ高いパフォーマンスを誇る組織となっています。

Column

PFNのインターンシップ　深層学習、コンピュータビジョン、ロボティクスなど、様々な分野の弊社スペシャリストがメンターとなり、約1.5ヶ月の長期にわたって一緒に議論・研究・開発を実施している。

● **Learn or Die（死ぬ気で学べ）**

メンバーは学ぶことに対して非常に貪欲であり、それが組織の成長と革新に直結しています。会社が取り組む分野は常に変化し続けるものであり、変化に対応し続けるために学ぶことを重視します。1つのアイデアや技術、ドメインに固執せず、新しい領域に対する挑戦を恐れません。

● **Proud, but Humble（誇りを持って、しかし謙虚に）**

テクノロジーを中心に据えた企業として、自らの成果と技術に誇りを持っています。しかし、同時に、自分たちには実現できないことも多くあると認め、その点について謙虚な姿勢を保っています。多様な専門分野を持つメンバーのアイデアを尊重し、それによって組織全体の知識と技術を拡充し続けています。

● **Boldly do what no one has done before（誰もしたことがないことを大胆に為せ）**

新しい技術やアイデアを通じて、未来をより良くすることを目指しています。新しいソフトウェアやハードウェアの開発、新しいサービスやビジネスモデルの変革、そしてこれまでにない市場の創出に積極的に挑戦しています。「PFNにしかできないこと」の遂行が社会における使命であるとして、日々努力を続けています。

主な受賞歴

2014年10月	ITpro EXPO 2014 優秀賞
2016年 3月	第1回 JEITA ベンチャー賞
2016年 7月	2016 Japan-US Innovation Awards「日本発の革新的なスタートアップ企業」
2016年 9月	Forbes JAPAN's CEO OF THE YEAR 2016「最もイノベーティブなスタートアップ」1位
2017年 2月	PFNとファナック、第3回 日本ベンチャー大賞 経済産業大臣賞（ベンチャー企業・大企業等連携賞）
2018年 9月	世界454チームが参加した物体検出コンペティション Google AI Open Images - Object Detection Track で準優勝
2019年 2月	第37回 日経優秀製品・サービス賞 日本経済新聞賞（2018年度最優秀賞）
2019年 5月	第5回 日本ベンチャー大賞 内閣総理大臣賞
2020年 6月	Preferred Networksの深層学習用スーパーコンピュータMN-3がスーパーコンピュータ省電力性能ランキング Green500で世界1位を獲得
2021年10月	コンピュータサイエンス教材 Playgramが第18回日本e-Learning大賞を受賞
2022年11月	PFNのCuPyがチャン・ザッカーバーグ・イニシアチブより35万米ドルの助成金を受給
2023年 6月	プログラミング教育 HALLOが2023年 オリコン顧客満足度調査 子ども向けプログラミング教室 第2位を受賞

Column

PFNの共同研究　2023年12月、PFNは、IIJ、JAISTと共同で超高効率AI計算基盤の研究開発を開始した。超省電力AIアクセラレータを活用した大規模な商用AI計算基盤の構築を目指している。

Section

7-17 ブレインパッド

データ利用を通じた持続可能な未来創造を目指しています。アナリティクスとエンジニアリングを活用し、企業のビジネスと経営改善を支援。1300社以上の支援実績を誇ります。

■データ活用のリーディングカンパニー

株式会社ブレインパッドは、企業向けのビッグデータ活用サービスやデジタルマーケティングを手がける企業です。2004年に東京都品川区西五反田で設立され、以来「データ活用の促進を通じて持続可能な未来をつくる」というPurpose（パーパス）を掲げて活動しています。データ活用のリーディングカンパニーとして、アナリティクスとエンジニアリングを駆使し、企業のビジネス創造と経営改善を支援しています。その支援実績は、金融・小売・メーカー・サービスなど幅広い業種を対象に1300社を超え、データ活用のコンセプトデザインから運用による成果創出までをトータルに支援することで、データを価値に変えるサービスを提供しています。

■沿革

2004年の設立後、同年にデータマイニング業務の受託サービスを開始しました。2006年にレコメンドエンジン搭載プライベートDMP「Rtoaster」、2010年に運用型広告最適化ツール「L2Mixer」を提供開始しました。さらに、2015年に自然言語処理エンジン「Mynd plus」、2019年に拡張分析ツール「BrainPad VizTact」を提供開始しました。2020年、株式会社電通グループとの合弁会社「株式会社電通クロスブレイン」を設立、伊藤忠商事株式会社と資本業務提携をしました。2022年、株式会社りそなホールディングスと資本業務提携し、東京証券取引所 プライム市場に移行。株式会社 TimeTechnologiesを子会社化しました。2023年、経営体制を刷新し、事業の拡大を見据えユニット制へ移行しました。

Term

Purpose　企業の社会的意義や志を意味する。「目的」「目標」「意図」などと訳される英単語だが、ビジネスシーンでは近年、企業の社会的な存在価値や社会的意義を意味する言葉として使われている。

■サービスの特徴

ブレインパッドは、データ分析の専門家によるデータ分析とSaaSプロダクトを組み合わせたフルサービスを提供しています。ウェブサイトでは、「データ活用を通じて持続可能な未来を、お客様と共につくる」ことを目指すとしており、企業のデータ活用支援に取り組んでいます。サービスの特徴は次のとおりです。

●プロフェッショナル・サービス

企業のデータ活用を最適化し、経営に実装するための一連のサービスを提供しています。このサービスは、データ活用の様々な専門家が、多角的な視点からアナリティクスとエンジニアリングのスキルを活用して、各企業に最適なデータ活用策を提案・実装します。

●プロダクト・サービス

データ活用を日常の業務に取り入れるための実用的なSaaS製品群を提供しています。これにより、データの可視化、効率化、およびデータに基づく意思決定を容易に行えるようサポートしています。

ブレインパットの提供している製品とその概要

製品名	カテゴリ	概要
Rtoaster（アールトースター）	レコメンドエンジン・プライベートDMP・CDP	あらゆる顧客データを統合・分析し、高度なアルゴリズム・多彩なアクション機能により、精度の高いパーソナライズを実現するトータルソリューション
Ligla（リグラ）	LINE特化型マーケティングオートメーション	顧客データと機械学習アルゴリズムを用いた配信シナリオ設計で、パーソナライズされたLINEコミュニケーションを自動化するマーケティングオートメーション（連結子会社 株式会社TimeTechnologies提供）
Probance（プロバンス）	マーケティングオートメーションプラットフォーム	機械学習により顧客ニーズを予測し、パーソナライズコミュニケーションを実現するBtoC向けマーケティングオートメーションプラットフォーム
Conomi（コノミ）	マッチングエンジン	収集・蓄積したデータを活用して、独自のアルゴリズムでヒト・モノを複合的にマッチングでき、組み込み先や利用データを選ばない柔軟なマッチングエンジン
Brandwatch（ブランドウォッチ）	デジタルコンシューマー・インテリジェンス	デジタルボルテックスの時代に必要となるリアルタイム意思決定を支援する、業界最大級のデータとAIを搭載した、次世代マーケティングリサーチプラットフォーム
BrainPad VizTact（ブレインパッド・ビズタクト）	拡張分析ツール	様々なデータから、機械学習とビジュアル分析を組み合わせてパターンやルールを発見し、意思決定を強力に支援する拡張分析ツール
Altair Analytics（アルテア・アナリティクス）	機械学習 統計解析・分析レポーティングシステム	スケーラブルなデータの加工と分析を可能にする、パワフルで高い汎用性を持つ、分析ソフトウェアプラットフォーム
ブレインロボ（BrainRobo）	ロボティックプロセス・オートメーション	人が行う業務を自動化・効率化するロボティックプロセス・オートメーション（RPA）

Section
7-18 HEROZ

先進のAI技術を活用し、世界に驚きをもたらすサービスを提供することを使命に掲げています。将棋AIの開発を通じて磨き上げられた深層学習技術を、多岐にわたる産業の課題解決に導入しています。

■HEROZのビジョンと使命

HEROZ株式会社は、革新的なAI技術を駆使して、世界を驚かすサービスを提供することを使命としています。その名のとおり、HEROZは「ヒーロー」を目指し、日本から世界へと技術と人材力を発信することで、新しい未来を創り出す企業を目指しています。特に「HEROZ JAPAN」という名前に込められた情熱は、日本の技術力を世界に示すという強い意志を感じさせます。その背景には、開発を手がけたAIが将棋の現役プロと戦い勝利を収めたという実績があり、これがHEROZの技術力の証となっています。

■HEROZの技術と製品

「HEROZ Kishin」というブランド名の下、HEROZは様々な産業に高水準な課題解決のためのAIを提供しています。主な提供サービスとしては、自動監視や異常検知を行う「HEROZ Kishin Monitor」、最適配信やABテストの自動化を行う「HEROZ Kishin WebOPT」、最適配信や顧客満足度向上を図る「HEROZ Kishin ASO」などがあります。

これは、将棋AIの開発を通じて培った深層学習を含むAI関連手法を核とした技術です。その技術は頭脳ゲームだけでなく、金融やビジネスソリューションなど、多岐にわたる分野での活用が進められています。「将棋ウォーズ」や「CHESS HEROZ」などのゲーム開発を通じて、

Column

AIXへの取り組み　HEROZは、デジタルトランスフォーメーション(DX)から、AIトランスフォーメーション(AIX)への推進が重要になると捉えており、大規模言語モデル(LLM)の力を最大限活かすことで、非連続な変革を支援することを目指している。

HEROZはそのコア技術を蓄積し続けています。

創業者と経営哲学

創業者である林隆弘氏と髙橋知裕氏は、将棋という日本の伝統的な頭脳ゲームに魅了され、その中でAIの可能性を見出しました。特に林氏はアマチュア将棋の全国優勝者としての実績を持ち、その技術と経験を活かして基盤を築いてきました。彼らの経営哲学は、「驚きを心に」というコンセプトの下、テクノロジーを最大限に活用して、人々を驚かせるサービスを提供することにあります。これは経営理念やビジョン、バリューにもつながっており、常にNo1を目指し、課題に挑戦し続ける姿勢が浸透しています。

HEROZは将棋AIの開発を始めとした多岐にわたる領域での成功を収めてきました。その中でも、第32回世界コンピュータ将棋選手権での優勝は特筆すべき実績といえるでしょう。同社は強みとして、深層学習を活用した世界最強の将棋AIの開発や、頭脳ゲームAIのリーダーとしての実績を持っています。これからもAI技術のさらなる進化を追求し、新たな価値創造に挑戦し続けるでしょう。その姿勢は、多くの企業や業界からの信頼を得ており、今後のさらなる成長が期待されています。

HEROZの経営理念

「世界を驚かすサービスを創出する」
テクノロジーの力でプロダクトを創り世界を驚かすことを証明していきます。

ビジョン：AI革命を起こし、未来を創っていく
　将棋で培ったAI関連の手法を固有のコア技術にAI革命を推進し、新たな未来を創っていきます。
バリュー：驚きを心に、何事も楽しむ
　自らが常に驚き・楽しむことを心がけて行動をすることをコアバリューとし、以下の行動指針の下、取り組んで参ります。
5つの行動指針
「No.1」：No.1を目指す
　一番になれることを見つけ行動します。
「尖る」：誇りを持って尖る
　尖ることに誇りを持ち、究め続け、多様性を受容しお互いに謙虚に尊重し合って力を発揮します。
「挑戦」：可能性に挑戦し続ける
　常に疑問を抱き、リスクをいとわず自由な発想で可能性に挑戦し続けます。
「スピード」：素早く行動する
　素早い行動で、より早くより良い成果と新たなチャンスを獲得します。
「粘る」：粘り強く全力を尽くす
　主体的に情熱を注ぎ込み、時間を忘れるくらい没頭し、諦めずに全力でやり抜きます。

Column
HEROZの事業開発　HEROZ ASK for Enterpriseプロダクトのクローズドβを刷新し、誰でも簡単にビジネスで使えるChatGPT（LLM）を提供することを発表している。また、コンタクトセンター向けLLMプロダクトや建設業界向けLLMプロダクトの開発も計画している。

Section

7-19 アマナイメージズ

クリエイティブなプロジェクトを支援する高品質画像・動画素材を提供する企業です。AI学習用ビジュアルデータセット開発サービス「Qlean」を提供しており、日本でAI学習データを提供する数少ない企業の1つです。

アマナイメージズは、親会社を株式会社アマナからVisual Bank株式会社に変更しました。アマナイメージズは新たなフェーズである「第二の創業」に入り、事業と組織の両方で大きな変革を遂げることを目指しています。アマナイメージズは、創造的なプロジェクトをサポートするための信頼性の高いリソースを提供することに専念しており、その歴史と経験を活かして、クリエイティブ業界に革命をもたらすことを目指しています。

■会社概要

アマナイメージズは、広告やメディアなどで使用できる高品質な画像・動画素材を提供する画像ライブラリの運営企業です。ミッションは、お客様のクリエイティビティの可能性を最大限に引き出すこと。38年にわたり、フォトグラファーやデザイナー、イラストレーターなどの「創り手」が生み出した価値ある創造物を保護し、それを必要とする「使い手」と結びつける役割を果たしてきました。

代表取締役CEOである沼澤裕太氏は、フォトグラファーの祖父、画家の祖母、音響家の父という芸術的な背景を持つ家族の中で育ち、アマナイメージズの経営を引き継ぐこととなりました。沼澤氏は、文化価値と経済価値を結びつける事業をさらに発展させることを約束しています。

■Qlean（キュリン）

AI技術の進化と共に、学習データの品質と正確さがますます重要になってきました。**Qlean（キュリン）**は、このニーズに応えるためのAI学習用ビジュアルデータセット開発サービスです。権利クリアランス対応を前提

Term **JIGAC** 日本画像生成AIコンソーシアムのこと。画像を中心とする「ビジュアル素材」を生成するAIが、日本社会において安心・安全に活用できるための持続可能な枠組みの議論と実証を行うことを目的とする。

とし、AI開発における法的リスクやトラブルリスクを最小限に抑えることができる学習データを提供します。特徴は、国内最大級の画像ライブラリ「アマナイメージズ」の2億4000万点以上の作品を活用し、新規撮り下ろしやキュレーションを組み合わせて、最適なデータセットを提供することです。これにより、AI開発企業は、権利クリアランスやAI倫理に関する問題を気にせず、安心して学習データを利用することができます。さらにQleanには、Clean、Quality、Quantity、Quickの4つの強みがあります。これらの強みを活かし、AI開発の現場でのニーズに迅速に応えることができます。

また、3つのサービスプランを提供しており、お客様の要望に合わせて最適なデータセットを選択することができます。提供されるデータセットは、日本人顔画像データセット、一般動作データセット、作業員データセット、スポーツ動作データセット、メイクデータセット、感情音声データセットなどがあります。これらは、様々な角度やシーン、感情表現などを網羅しています。「Qlean（キュリン）」は、AI技術の発展を支えるための信頼性の高い学習データを提供するサービスとして、日本のAIテクノロジーの発展を後押ししています。

「Qlean（キュリン）」の特徴

ポリシー
AI 学習における、権利クリアランスや AI 倫理への配慮をあたりまえに。

3つのサービス
新規撮り下ろしプラン
　プロによる撮り下ろしで開発
　例 : 熱中症の危険性のある作業員の早期発見のためのモデル構築
キュレーションプラン
　2.4 億点のデータから厳選して開発
　例 : 老若男女、あらゆる角度からの日本人の顔を収録したデータセットを、アマナイメージズの画像ライブラリからキュレーションして提供
データセット提供プラン
　Qlean オリジナルのデータセットを販売
　例 : 日本人顔画像データセット（静止画）、一般動作データセット（動画）などを販売

こうした安全に活用できるサービスに並行して、アマナイメージズ主導で、ビジュアル素材生成 AI の課題について議論・実証を行う『日本画像生成 AI コンソーシアム (JIGAC) *』を発足。画像生成 AI 領域におけるクリーンな枠組み構築を主導している。

Column
アノテーションサービス　データセットや画像などに対してラベルやタグを付けるサービスのこと。AIの学習や評価に使用され、データの分類や検出などの精度向上に役立つ。アマナイメージズはこのサービスを組み合わせたデータセットの提供も行っている。

Section
7-20 FRONTEO

情報社会の公平性を追求し、医療、法律、ビジネスインテリジェンス領域でのAIソリューションを展開。自社開発の自然言語解析AIエンジン「KIBIT」を核とした多くの製品やサービスをリリースしています。

■会社概要

FRONTEO株式会社は、2003年の創業以来、情報社会のフェアネスを実現することを目指して、高度なデータ解析技術と人工知能技術を駆使したサービスを提供してきた企業です。AIソリューション事業の一環として、自然言語解析AIエンジン**KIBIT**を活用し、様々な分野でAIソリューションを提供しています。例えば、医療分野ではメディカルデバイス領域やメディカルインテリジェンス領域でのサービスがあります。ビジネスインテリジェンス分野では、「KIBIT」を活用したAIソリューションの提供を行っています。リーガルテックAI事業では、人工知能とデジタルフォレンジック技術を組み合わせ、国際訴訟のeディスカバリ（電子証拠開示）支援サービスや不正検知フォレンジック調査、官公庁や法執行機関向けのソリューション提供、サイバーセキュリティやクレジットカードの不正調査などのサービスを提供しています。

■企業理念

FRONTEOは、情報社会の中で埋もれがちなリスクやチャンスを見逃さないための技術を持っており、法律、医療、金融、知財、教育、人事などの分野で、必要かつ適切な情報に出会える公平な世界を実現することを目指しています。過去数年間で「KIBIT Automator」のリリースや転倒転落予測システム「CorobanR」の特許取得、新型コロナウイルス感染症（COVID-19）に関する研究の開始、児童虐待の予兆を早期に検知するAIソリューションの提供開始など、様々なサービスや技術の開発・提供を行ってきました。

FRONTEOの事業の特徴　自社開発AIエンジン「KIBIT（キビット）」を用いた多様なAIソリューションとサービスを提供している。最近では、メール・チャット監査AIシステム「KIBIT Eye」が 特許査定を取得している。

近年の取り組み

2019年	3月	AIレビューツール「KIBIT Automator」をリリース。
	7月	医学論文探索AIシステム「KIBIT Amanogawa」の提供を開始。
2020年	4月	AI活用の拠点となる2つのAIラボと、実践的なノウハウをお客様に提供するAIラウンジを本社内に開設。
	4月	AIを利用した新型コロナウイルス感染症（COVID-19）に対するドラッグリポジショニングの研究を開始。
	6月	児童虐待の予兆を早期に検知するAIを活用したソリューションの提供を開始。
		認知症診断支援AIシステムについて日本での特許査定を取得。
2021年	4月	「会話型 認知症診断支援AIプログラム」の臨床試験を開始。
	5月	製薬企業向け専門業務支援AIシステム「Guideline Viewer」の提供を開始。
	5月	危険予知ソリューション「兆（きざし）KIBIT」の提供を開始。
	7月	創薬支援AI「Cascade Eye」について日本における特許権を取得。
	9月	特許調査を高度化したPatent Explorer Xの提供を開始。
	10月	情報戦略支援AI「WordATLAS」の提供を開始。
	11月	医学論文探索AIソフトウェア「Amanogawa」について日本における特許権を取得。
	12月	最先端技術・研究者ネットワーク解析ソリューションの提供を開始。
2022年	1月	発生が予測されるリスクの改善策を示す「Concept Encoder Optimizer」について日本における特許権を取得。
	2月	リスク発見や予測に活用する新AIソリューション「WordSonar」の提供を開始。
	3月	創薬のプロセスイノベーションとなる新規AIシステム「liGALILEO」によるAI創薬サービスの提供を開始。
	4月	金融サービスにおける“お客さまの声”を活用する「WordSonar for VoiceView」の提供を開始。
	7月	介護施設向け転倒転落予測AIシステム「Coroban Care」の提供を開始。
2023年	1月	独自開発AIアルゴリズム「Concept Encoder」のコア技術について米国特許権を取得。
	2月	FRONTEO Legal Link Portalの登録者数が1万人を達成。

Column

AI創薬支援パートナーシップ基本契約　FRONTEOとAxcelead DDP(武田薬品工業株式会社の創薬プラットフォームを継承して事業を開始した、日本初の創薬ソリューションプロバイダー)は、AI創薬支援パートナーシップ基本契約を締結。独自開発のAIを活用することで、創薬研究をより効率的に行うことを可能とした。

Section
7-21 ダブルスタンダード

ビッグデータとサービス開発の２つの事業を展開。データクレンジング*とOCR*技術を駆使して、多様な媒体からの情報をデジタル化し、ビジネスの効率化と競争力向上をサポートしています。

■ビッグデータ関連事業

ダブルスタンダードは企業向けビッグデータの生成・提供を行う企業です。データクレンジング技術とOCR技術を活用して、HTML、画像、データベース、アナログ媒体からの情報を高精度にデジタル変換し、企業のビジネスニーズに合わせたデータ提供とサポートを行っています。

主なビッグデータ関連事業としては、まず「HTML情報活用」があります。クレンジング技術を活用して高精度のデータを生成し、競合ポータルの分析や営業用のアタックリストとしてのデータ提供を行っています。また、「画像情報活用」ではOCR技術で取得した情報に対して、同社のクレンジング技術を用いて様々な形式に成形加工したデータを提供しています。

「データベース活用」事業では顧客が保有するデータベース情報を活用して、新しいコンテンツの開発や運用をサポートしています。さらに、「アナログ媒体活用」事業では請求書や求人広告チラシなど、紙にしかない重要な情報をデジタル化し、これまで活用されていなかったアナログ情報のデジタル変換をサポートしています。

■サービス企画開発事業

同社は様々なサービスを企画・開発し、必要とされるユーザーへ届ける事業も展開しています。主なサービスには、次のようなものがあります。

●**請求書OCRシステム**

毎月の請求書業務の作業時間と人件費を大幅に削減します。

●**不正アクセス対策（ボットセンテンス）**

ウェブサイトへの不要なアクセスをブロックし、「コスト」

Term **データクレンジング**　データの品質を向上させるために、不正確な、欠損している、重複しているなどの問題を修正・削除する作業。これにより、AIモデルのトレーニングや予測の精度を向上させることができる。

や「情報盗難」の問題を解決します。

● **eKYC（オンライン本人確認）システム**

独自の顔認証技術を活用した顔認証型eKYCを含む各種本人認証サービスで、顧客の本人確認業務をサポートします。

● **リアルタイム情報取得**

商品の最安値情報や不動産物件の賃料相場など、独自の技術を活用して様々な有益な情報を生成します。

● **データ解析サポート**

音声や位置情報などの非HTML情報をデータベース化し、適切なデジタルレコードに変換して、顧客の販促支援や業務削減をサポートします。

● **WEBサイト更新通知（D-check）**

調査対象のサイトの情報更新を自動で定期的にチェックし、最新情報の見逃しを排除し、作業効率を向上させます。

● **不動産テックシステム**

データクレンジングやOCR技術などを活用して、不動産業界の課題を解決する高付加価値なデータや不動産テックシステムを提供し、顧客業務のDX化を推進します。

基盤技術の概要

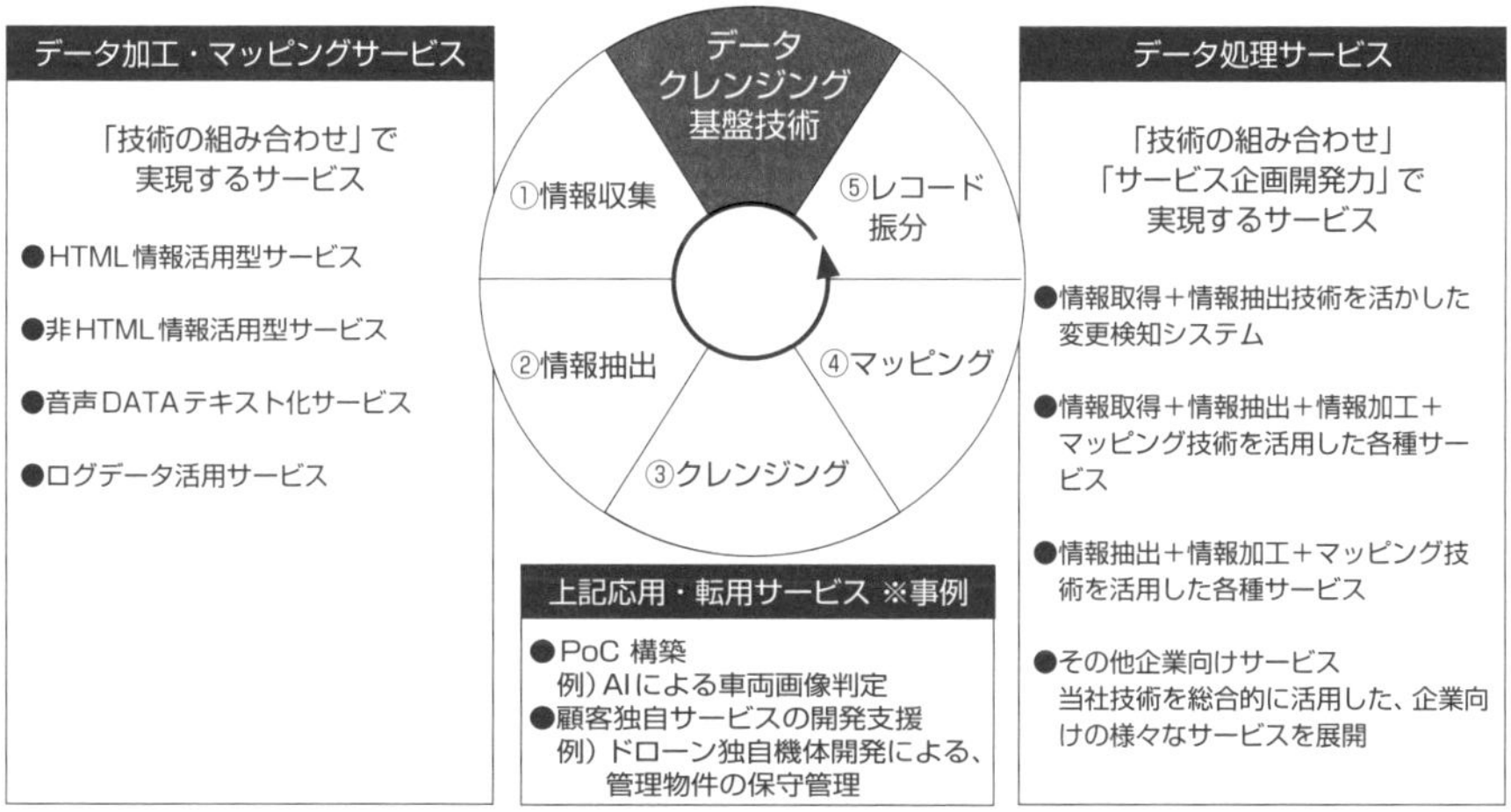
データ加工・マッピングサービス
「技術の組み合わせ」で実現するサービス
●HTML情報活用型サービス
●非HTML情報活用型サービス
●音声DATAテキスト化サービス
●ログデータ活用サービス
データクレンジング基盤技術
①情報収集
②情報抽出
③クレンジング
④マッピング
⑤レコード振分
データ処理サービス
「技術の組み合わせ」「サービス企画開発力」で実現するサービス
●情報取得＋情報抽出技術を活かした変更検知システム
●情報取得＋情報抽出＋情報加工＋マッピング技術を活用した各種サービス
●情報抽出＋情報加工＋マッピング技術を活用した各種サービス
●その他企業向けサービス 当社技術を総合的に活用した、企業向けの様々なサービスを展開
上記応用・転用サービス ※事例
●PoC構築 例）AIによる車両画像判定
●顧客独自サービスの開発支援 例）ドローン独自機体開発による、管理物件の保守管理

出所：ダブルスタンダード「2024年3月期第1四半期決算説明資料」をもとに作成

Term **OCR**　印刷されたテキストを光学的な方法でデジタルデータに変換する技術。スキャンや写真から文字を読み取り、機械が理解できる形式に変換する。書類のデジタル化や自動化に役立ち、効率的なデータ処理や検索が可能になる。

AI産業のイノベーションと競争

Column

AIの進化は止まりません。それはみなさんにとって恐ろしい事実でしょうか？それとも、刺激的な未来を予感させる事実でしょうか？

技術の進歩と競争が激しいAI産業の現状を見ると、その進化のスピードはさらに加速しています。様々な企業、スタートアップ企業、そして政府がAIの可能性を追求し、巨額の投資を行っています。特に、生成AIの爆発的な成長、AIの民主化、そして倫理的かつ説明可能なAIの重要性の認識など、目覚ましい進展が見られます。

各企業は、大規模なAIモデルの開発競争、自然言語処理技術の進化、そして多様なタスクへの適用拡大を目指しています。

これは、みなさんがAIの力を日常的に利用できるようにするための努力であり、それにより、企業は競争力を維持し、社会はさらなる課題に対処できるようになるのです。

しかし、この早すぎる技術進歩は、一方でみなさんにとっては未知の領域への拡大を意味し、時には制御不能な力をもたらすかもしれません。

AIの急速な進歩は、未来においてロボットやスマートマシンと共に働く新しい労働環境を築く可能性を示しています。

また、産業界でのAIの利用拡大は、経済やサプライチェーンの効率化に貢献するだけでなく、新しいビジネスモデルやサービスの創出を促進します。これは、みなさんに平等に新しいチャンスを提供します。しかし、AIの力が解き放たれることで、予想外の結果やリスクも生じる可能性があります。

いま、みなさんはAIの進化とその影響に直面しています。未来は未知であり、恐ろしいかもしれません。しかし、それは同時に、未来を形作る大きな力となる可能性を秘めています。この力を理解し、制御し、そして利用することが重要です。これにより、より良い未来を築くことができるでしょう。

第8章

AI産業に関連する産業とその影響

AI 産業は、日進月歩の技術革新が特徴であり、それによって多くの産業が変容しています。

本章では、AI の拡大がもたらす他産業への影響に焦点を当て、チップ需要の増加、クラウドコンピューティングの成長、サイバーセキュリティへの適用などを通じて、ビジネスがどのように根本的に変わっているのかを探ります。AI の他産業への具体的な応用事例と共に、生産効率の向上や診断の正確性向上、労働力不足の解消など、AI の可能性を実感できる事例を紹介します。AI の進展に伴い生まれる新たな産業について、その特徴と社会への影響を考察し、特に人間味のある「おもてなし」産業やサイバーセキュリティ産業が秘めている将来性を解説します。

Section

8-1 AIが変える他の産業

AI技術の普及拡大に伴い、チップのニーズ、クラウドコンピューティングの成長、サイバーセキュリティへの適用など、多くの産業に変化の波が来ます。ビジネスを根本的に変えてしまうともいわれています。

AIを取り巻く環境

世界中でAIの技術が広がってきており、多くの人がこの技術が生活やビジネスにもたらす変化を感じています。しかし、注目すべきはAIの使用だけではありません。AIをサポートする技術やツールも増えてきています。計算用のチップやAIを使ったサービスを提供するクラウド、さらにはセキュリティの強化など、多岐にわたる技術が進化してきています。これらは私たちの仕事の効率を上げる手助けをしてくれるものとなるでしょう。具体的にはどのような変化が起こるのでしょうか。以下では、特に変化することが予想される技術や産業について見ていきます。

●AI用チップ*

言語モデル、例えばChatGPTのようなものが人気を集めていますが、それを動かすのには高性能な**チップ**が必要です。実際、AI用のチップの市場は、次第に拡大しているといえます。AI技術がいまのペースで進化し続けるためには、チップ不足を解消する投資が必須です。特にGPUは、AI計算において中心的な役割を果たしています。私たちが日常で使うAIも、こうした技術の成果です。GPUだけではなく、ASIC*やFPGA*など他のタイプのアクセラレータ、低コストのCPU、高速ネットワーキングなど様々な技術も重要で、それぞれがAI技術の発展を支えています。

●クラウドコンピューティング

AIの成長から利益を得る可能性がある分野として、**ク**

AI用チップ　小さな集積回路であり、データの処理や制御を担当し、機器の性能や機能を向上させる。CPUやGPUなどが含まれる。チップの進化により、より高速で効率的な処理が可能になり、私たちの日常生活を豊かにするサービスを提供できるようになる。

ラウドコンピューティングがあります。広範なAIの採用の基盤としてのスケールの大きいクラウドサービスは、高性能AIモデルを市場に提供し、企業がこれらのサービスを一般向けに利用可能にします。クラウドサービス提供者は、AI動作環境を顧客にバンドルして販売することもできます。その可能性を考えると、クラウドシステムインフラサービス市場が2023年、前年比30%増の1500億ドルを超えると予想されるのも驚くことではありません。

● **サイバーセキュリティ**

AIの新しい応用先として注目されるのが、**サイバーセキュリティ**の分野です。多くのビジネスセクターがこの分野に予算を増やしており、米国では、47%の企業が来年の技術予算の中で最も重視していると回答しています。サイバー犯罪への対応は迅速さが求められます。AIは機械学習を活用して、セキュリティの脆弱性や攻撃を早期に検出し、それを防ぐ手助けをしてくれます。特にIT分野での人手不足が問題となっているいま、このようなAIの活用は非常に価値があります。実際、今後2年間でサイバーセキュリティ関連の求人が急増すると予測されています。

AIが変える他の産業：医療分野

AI技術は、医療の現場で多方面にわたる支援をするようになります。日常的な業務、例えば行政業務やデータ入力、診療記録の管理や保険関連の手続き、未払い請求の追跡などが自動化され、医療従事者はより専門的な仕事に専念できるようになっていきます。

AIは**電子健康記録**（**EHR**）やビッグデータ分析、機械学習といった技術を駆使して複雑な患者データを分析し、医療提供者に対して貴重な情報を提供します。この情報により、医療従事者は患者の状態を正確に把握し、より適切な治療判断が可能となるでしょう。AIが患者の症状や変化を早期に検出することで、適切な治療タイミングを逃さず、病院での緊急治療のリスクを減らせるようになると予測されます。

一方、医療情報が増えるにつれて、その保護が必要となります。ゼロトラストのアプローチを用いて、患者のプライバシーと、保護すべき**医療データ**（**PHI**）の安全性を確保することは不可欠です。AIへの偏見やデータの利用に関する患者の同意など、倫理的な問題も重要となります。これらの丁寧な手続きが、AIが人間の意思決定をサポー

ASICとFPGA　ASIC（Application-Specific Integrated Circuit）は、特定のアプリケーションに特化した集積回路のこと。FPGA（Field-Programmable Gate Array）は、プログラム可能な集積回路で、回路を自由に設計できる。

トする際に必要となります。患者の信頼と同意は、AI普及への鍵であり、倫理的原則の遵守は医療の信頼の維持に不可欠となります。

また、医療の専門業務には人間の専門知識が不可欠です。AIを最大限に活用するためには、医療機関がスタッフを適切にトレーニングすることが必要です。医療データの品質は非常に重要で、不正確なデータや偏ったデータは、AIの予測精度を低下させることがあり、患者のケアの質に悪影響を及ぼす可能性があります。データの正規化は欠かせませんが、現在の医療現場のシステムは複雑で孤立しているため、大きな障壁となっています。

■AIが変える他の産業：IT産業

AIの影響を最も受けると予測されるソフトウェア開発では、UI／UX*デザイン、アーキテクチャの定義、コーディング、ユニットテスト、統合・連携、テスト、デプロイなどすべての作業工程でAIが作業を効率化します。AIが自動化する作業では、人間は仕事を奪われると解釈されがちですが、現在のIT人材不足の社会環境においては、仕事を奪われるのではなく、仕事が劇的に効率化するという捉えの方が正しいでしょう。ソフトウェア開発は、次のように大分されるようになります。

①クリエイティブステージ

ソフトウェアの開発初期段階のことを指します。この段階では、ビジネスアナリストやソフトウェアアーキテクトは、ビジネスの実際の動きや慣習を理解し、その知識をもとにAIとの対話を行います。AIに正確な情報を提供し、最適な結果を得ます。これは顧客のフィードバックを取り入れながら何度も繰り返され、人間同士の密なコミュニケーションが必要となります。最終的には、この段階で得られた結果が、ソフトウェアの基本的な要件やデザインの方針などを決定します。どのAIツールをどのように利用すると最も効果的であるかという知識が、この段階での成功にとって非常に重要です。

②デリバリーステージ

ソフトウェアの開発の後半段階のことを指します。この段階では、AIツールが主にコードの作成、テスト、そして実際に動作する形での公開（デプロイ）の手助けとして使用されます。経験豊富なソフトウェアエンジニアは、AIが生成したコードをチェックし、必要に応じて改善や修

Term

UI/UXデザイン　人々がコンピューターやアプリケーションを使いやすく、魅力的に感じるようにするためのデザインのこと。ユーザーが直感的に操作でき、使いやすいインターフェースを提供し、優れたユーザーエクスペリエンスを提供する。

正を行います。AIツールを使い、実際の製品やそのテスト結果、公開に必要な手順、そして関連する技術文書やユーザーガイドを完成させます。AIの力を借りることで、ソフトウェアのバグを早く見つけ出し、修正の提案も得られます。これにより、開発の精度が上がり、効率的に作業が進められます。結果として、エンジニアはより高度な問題解決に集中でき、短い時間で質の高いソフトウェアを提供することができるようになります。

ここでも、ビジネスの専門家やソフトウェア設計者には、どのAIツールをどのように使うかの知識が求められます。AIツールを使うことで、ソフトウェアを作る速さや質が大きく向上します。現在でもCopilotというツールは、作業の効率を25％も上げることができるといわれています。さらに、マイクロソフトとMITの研究によれば、AIツールを使う開発者は、仕事を約56％も早く終わらせることができるとのことです。ソフトウェアを作る方法も、時間が経つにつれて変わっていきます。特に「プロンプトエンジニアリング」という方法が中心的になるでしょう。これにより、チーム間でのコードの共有や継承がスムーズになります。AIを上手く使う方法を知ることは、今後のソフトウェア業界でのスタンダードとなるでしょう。

カスタムソフトウェアを作る会社は、AIを使って同じ作業を繰り返すことなく自動化することで、ビジネス成長のチャンスがあると考えられます。これにより、高品質な製品を早く提供することができ、次の新しいビジネスチャンスを探ることができるようになります。

どの産業でも共通すること

これまで述べたように、AIはすべての産業に影響を与えます。AIが普及すると、AIに取って変わられる作業や軽減する作業があります。一方、AIが導入されたからこそ、増える作業もあります。

どの産業でもいえることですが、AIが仕事に浸透することに対して、「私の作業はAIには渡さない」と抵抗したとしても、いずれ多くの作業はAIに取って代わられてしまいます。抗わず素直に受け入れ、自らの手で行っていた作業をAIに譲り、空いた時間でAIが作り出した新たな作業に着手することで、AIと共存する社会となります。人間は誰しも現状が変化することに怖さや億劫さを感じます。しかし、それを乗り越えた向こうには、AIにはできない人間味のあふれる作業*があることを理解する必要があります。

Term　**人間味のあふれる作業**　例えば芸術や創造的な表現、感情の理解や共感、倫理的な判断などのこと。AIは論理的な処理やデータ解析に優れているが、人間の感性や直感、個別の経験に基づく判断はまだ模倣できない。AIは人間の補完や助けとして活用されるべきである。

Section
8-2 AI技術の他産業への応用事例

AI技術の他産業への応用によって、生産効率向上、診断正確性向上、労働力不足解消、顧客満足度最適化、不正行為早期検出、戦略的取り組みの強化など、多くの利点と進化がもたらされます。

各産業での応用事例

AI技術がどのような形で応用されているのか、産業別に事例を解説します。

●製造業

製造業におけるAIの応用は、生産効率と品質の向上を目的としています。工場の自動化において、画像処理技術を利用した不良品の検出は主要な例の1つです。人の目の検査を補完または代替し、高速で正確な検査を可能にします。さらに、ロボットアームとの連携により、検出された不良品を自動的に取り除くことができるため、生産ラインの停止を最小限に抑えます。在庫管理の面では、AIを使用して最適な在庫数を算出し、無駄な在庫を持つことなく、生産と供給を最適化することが可能となっています。

●金融業

金融業界は、取引量やデータ量が非常に多いため、AIが得意とする分野です。金融商品やビジネスモデルの他社との差別化が難しい中、AIを利用して顧客へのサービス提供や製品開発を行う企業が増えています。特に、M&Aのマッチングや顧客ニーズに合わせた商品の提案など、データ解析に基づいた取り組みが強化されています。クレジットカードの不正利用検知などのセキュリティ面でも、AIの機能が活用され、取引の安全性を向上させています。

●農業

農業は、気象条件や土壌状態、病害虫の影響など、多くの変動要因が存在するため、これらのデータをもとに最適な農業手法を選択するためのAIの活用が進んでいます。収穫作業においても、AIを搭載したロボットが導入され

Column

企業のAI導入の遅れ PwC Japanによると、2023年、日本の企業では、AIをすでに導入または一部導入が50%であるのに対して、米国では72%と大きな差が開いている。未導入企業も日本は35%であるのに対して米国は12%となり、日本の立ち遅れが目立つ。

ることで、作業効率の向上や人手不足問題の緩和が期待されています。また、害虫の早期検出や適切な駆除方法の選択もAIにより効率化されています。

●医療・介護

医療分野では、MRIやCTのような医療画像の解析、疾患の早期発見、治療計画の最適化など、様々な場面でAIが導入されています。特に、画像診断におけるAIの活用は、病変の見逃しを防ぐことや、診断の精度を向上させるための大きなポテンシャルを持っています。介護分野でも、高齢者の生活サポートや健康状態のモニタリングなど、多岐にわたりAI技術が取り入れられています。

●教育

教育分野でもAIの利用が増えてきています。特に反復的な作業や大量のデータを扱う作業では、AIの助けを借りることで、効率が大幅に向上します。宿題の自動採点や、学生とのコミュニケーション、講義の内容のデジタル化など、様々な活動でAIが利用されています。AIチャットボットを活用することで、学生の日常的な質問に迅速に答えることが可能となり、教育者はより専門的な質問や課題に専念することができます。

●不動産業

不動産業界もDXの波に乗り、AI技術の導入が進められています。顧客の購入履歴や興味・ニーズをもとに、最適な物件を提案するシステムや、不動産の価格を予測するモデルなどが開発されています。これにより、顧客サービスの質の向上と、業界全体の効率化が図られています。

●エネルギー事業

エネルギー業界では、需要と供給のバランスを取るための最適化が課題となっています。AI技術を用いることで、地域ごとのエネルギー需要を予測し、適切な供給計画を立てることが可能となります。また、再生可能エネルギーの導入が進む中、太陽光や風力といった変動するエネルギー源の効率的な利用方法もAIにより模索されています。

●物流・輸送

物流・輸送業界は変革の最前線に立ち、長時間労働、人手不足、効率の低下などの課題に直面しています。これらの問題を解決するため、AI技術の導入が進められ、過去

米国企業のAI活用 PwC Japanの「AI投資に対してROIを得ているか」とのアンケートによると、「より良い顧客体験の創出」は日本は28%に対し米国は58%、「より効果的な業務運営と生産性の向上」では日本26%、米国は58%となっている。米国はAIをより活用できているといえる。

のデータを活用してピーク時期や物流量の予測、人員配置の最適化、コスト削減が行われています。また、ドローンやロボット技術との組み合わせにより、高速な検品や自動化された倉庫管理が実現され、労働者の安全性や健康も考慮されるようになります。航空運賃予測ツールのGoogleフライトやライドシェアのUberなどでは、季節やイベント、利用者の位置情報と過去のデータを基に、最適な価格やルートの提案が進められています。

●小売・サービス業

小売・サービス業界もまた、AIの波に乗り始めています。店舗内にAI技術を搭載した機械や端末を設置することで、従業員の負担を軽減しています。AIを活用した接客ロボットは、一貫した情報提供や対応品質を維持しながら、店舗の効率を上げて顧客満足度を向上させる取り組みを行っています。AIのデータ分析の力を使って、顧客の購買履歴や好みに合わせた商品を提案したり、個別のマーケティング戦略を実行したりすることもできます。

●自動車産業

自動車業界はAI技術の導入とその進化によって、従来の車の概念を大きく超える革新をしています。自動運転車の開発では、人の手を介さずに車が運転される未来が近づいてきました。車の安全性を向上させるための先進的なセンサーシステムや、運転の効率を高める**エコドライブ**支援など、日常の運転シーンでの快適性や安全性を高める技術が次々と導入されています。環境対応という点でも、AIが最適なルートを計算して燃料の消費を抑えたり、電気自動車の充電タイミングを最適化したりするなどの取り組みが進行中です。

●eコマース

eコマース業界では、AIの活用が非常に進んでいます。商品の推奨から、在庫管理、購入傾向の予測まで、AIはオンラインショッピングの様々な側面に影響を与えています。AIは不正行為の検出や偽のオンラインレビューの識別にも役立っています。例えば、ユーザーの購入履歴や閲覧履歴に基づいて、次に興味を持ちそうな商品を提示する**レコメンデーションエンジン**が挙げられます。これにより、消費者にとってのショッピング満足度が向上しています。

Column

国内企業の課題　PwC Japanによると、日本企業はAIに対する課題について、「AIリスクの管理」が2022年では6%、2023年には33%。「AIの投資効果」については2022年は9%、2023年では15%となっている。国内企業はリスクや費用対効果などの課題に敏感になっているといえる。

●**ソーシャルメディア**

ソーシャルメディアのプラットフォームでは、ユーザーの行動や興味を分析し、それに基づいてコンテンツを最適化するためにAIが利用されます。ユーザーがどのような投稿を好むか、どのユーザーが似たような興味を持っているかなどを分析し、その結果に基づいてフィードバックをカスタマイズします。不適切なコメントやネットいじめの予防のため、AIがコメントの監視や分析を行います。

●**ゲーム**

ゲーム業界は、リアルな体験や高度な対話性を求めるユーザーのニーズに応えるため、AI技術の導入を進めています。ノンプレイヤーキャラクターの行動やゲーム内の物理シミュレーションなど、多くの要素にAIが活用されています。こうした技術により、より没入感のあるゲーム体験を提供しています。

●**チャットボット**

AIを活用したチャットボットは、企業がカスタマーサービスを24時間年中無休で提供するための効果的なツールとなっています。自然言語処理技術を用いることで、ユーザーの質問や悩みにリアルタイムで応答することができます。ChatGPTのような高度なチャットボットは、ユーザーの質問に対して人間と同じような形で対話することができます。技術の進化により、企業は効率的なカスタマーサービスを提供し、顧客の満足度を高めることができます。

●**マーケティング**

マーケティング業界は、顧客のニーズや市場の動向を把握し、適切な戦略を立てるためのデータ分析が不可欠です。AIの導入により、消費者の購買履歴やオンライン行動などの膨大なデータから、将来の動向を予測し、個別のマーケティング戦略を形成することができるようになります。

●**ロボティクス**

ロボット技術は、長い間人間の助けを必要としてきましたが、今日ではAIの導入により、多くのタスクを自律的に実行する能力を持つようになっています。例えば、製造ラインにおける産業用ロボットは、AIを活用して複雑な作業を迅速かつ正確に行うことができます。また、家庭用ロボット掃除機やロボットペットも、周囲の環境を認識し、適切な動作を選択するAI技術の恩恵を受けています。

Column

米国のAI利用事情 米国では、AI利用で注目すべき点として、AIリスクに関わるバイアス検知やモデル制度維持のためのモデリング方法の検討、AIリスクに関わるアプリケーションやITツールの導入検討などを挙げている。このような具体的な話題がのぼるほど、米国においてAIは浸透してきているといえる。

Section

8-3 AIが生み出す新たな産業と職種

AIの急速な進展により、新しい〝AI産業〟が誕生します。人間味のある「おもてなし」産業やサイバーセキュリティ産業が、今後大きなトレンドとなり、社会を変化させる可能性を秘めています。

新たに「AI産業」が生み出される

AIが普及するに伴い、新しく「AI産業」が生まれるでしょう。そこには、次のような職種が生み出される可能性があります。

①AIトレーナーとAIオペレーター

AIの動作や性能を最適化するためにシステムを使用し、トレーニングする専門家です。AIは独立して学習や動作をすることができますが、学習の初期段階や動作の調整は、人間の専門家が関与する必要があります。AIトレーナーは、AIモデルの学習に関わり、正確なデータや情報を供給することで、AIの性能を最適化します。一方、AIオペレーターは、稼働中のAIシステムの動作を監視し、必要に応じて微調整を行います。これにより、システムが期待される結果を出すようになります。

②AIアプリケーションデベロッパー

AIモデルを特定のアプリケーションのために微調整する専門家です。一般的なAIモデルは広範なタスクに対応するよう設計されていますが、特定の産業やアプリケーションに適応させるためには、モデルのカスタマイズが必要となります。AIアプリケーションデベロッパーは、企業の具体的なニーズに基づいて、AIモデルの微調整やカスタマイズを行い、最適なパフォーマンスを出せるようにします。

③AIプロンプトエンジニア

大規模な言語モデルの結果を改善するためのプロンプトの最適化や調整を行う専門家です。AIの回答や生成結果は、プロンプト（指示やクエリ）に大きく依存します。

AIが苦手な作業　AIが苦手とする作業は、主に非構造化データの処理や抽象的な判断である。例えば、芸術的な創造性や人間の感情の理解、複雑な問題の解決などが挙げられる。また、直感的な判断や倫理的な判断もAIには難しい課題である。人間の経験や感性が必要とされる分野をAIは苦手とする。

Column

AIプロンプトエンジニアは、これらのプロンプトを最適化することで、より的確で役立つ回答やコンテンツをAIから引き出す役割を果たします。また、他のチームと連携し、コードやデザインのレビューも行います。

④**AI出力検証者**

AIから生成されたコンテンツの品質や真実性を確認する専門家です。生成AIは大量の情報を基にコンテンツを自動生成しますが、その出力内容が常に正確であるとは限りません。AI出力検証者は、生成されたコンテンツが事実に基づいているか、著作権を侵害していないか、組織のブランドや価値観に合致しているかなどを確認する役割を持ちます。このような検証作業によって、AIの出力内容の信頼性や価値を保証します。

⑤**AIコンプライアンスマネージャー**

AIシステムが法的、倫理的な基準を順守しているかを確認し、リスクを軽減する専門家です。AI技術の普及に伴い、法的な規制や倫理的な問題が浮上してきます。AIコンプライアンスマネージャーは、これらの規制やガイドラインに精通し、AIアプリケーションがこれらの基準を遵守しているかを監督します。データのプライバシーやアルゴリズムの透明性、バイアスの問題などを取り扱い、潜在的なリスクを軽減する役割を果たします。

⑥**AI入出力マネージャー**

AI学習の入力と出力を管理し、そのプロセス中のバイアスやセキュリティ違反を防ぐ役職です。AIモデルは、入力されるデータに基づいて出力を生成します。AI入出力マネージャーは、この入力データの質や整合性を監視し、最適な出力を得るための調整を行う役割を担います。さらに、データのバイアスを排除するための工夫や、データのプライバシーとセキュリティを維持するための措置を施す重要な役割も担います。

⑦**AI倫理学者**

AIシステムの設計と実装における倫理的なガイドラインを確立する役職です。AIが進化する中で、倫理的な問題や懸念が増加しています。AI倫理学者は、これらの技術的進展が社会の価値観や道徳観と矛盾しないように、倫理的なガイドラインや原則を提供します。特に、AIの偏見の問題、プライバシー、公平性、透明性、説明責任の問題などを中心に取り組む役割があります。

⑧**AIセキュリティエンジニア**

AI技術やシステムのセキュリティを強化し、悪意のある利用から保護する役職です。AI技術は革命的な利点

Column
AIが得意な作業　AIが得意とする作業は、大量のデータを高速かつ正確に処理することである。AIは膨大な情報を分析し、パターンや傾向を見つけ出す能力に優れている。また、AIは自己学習が可能であり、経験から学んだ知識を活用して問題を解決することもできる。

をもたらす一方、セキュリティの観点からも新しいリスクが生じます。AIの悪意のある利用、例えばマルウェアやターゲット型の攻撃などから保護するための策を立て、実装します。これにより、AI技術を安全に、そして信頼して利用することが可能となります。

⑨**AI統合スペシャリスト**

組織の既存のシステムやワークフローにAI技術を組み込み、その採用をスムーズに進める専門家です。AI技術の採用は、単に新しいツールを導入するだけでは完結しません。既存のシステムや業務プロセスとの統合が必要です。AI統合スペシャリストは、これらの統合作業を専門的に行い、組織全体でのAIの効果的な利用をサポートします。また、特定のニーズに応じてAIソリューションをカスタマイズする役割も持ちます。

⑩**AIパーソナリティデザイナー**

AIエンティティの性格やパーソナリティをデザインする専門家です。ユーザーとのインタラクションを持つAIは、単なるツールとしてではなく、より人間らしい存在としての接触を持つことが求められます。AIパーソナリティデザイナーはAIの対話や行動を設計し、より自然で人間らしい反応や性格を持たせる役割を持ちます。これにより、ユーザーとAIの関係がより深まり、満足度が向上します。

⑪**コンテンツクリエーター**

AIが学習するための魅力的なコンテンツを作成するライターやインフルエンサーです。生成AIは大量の情報やデータを学習してコンテンツを生成しますが、それには多くの時間と労力が必要です。コンテンツクリエーターは、オリジナリティや独自性を持つ魅力的なコンテンツを提供し、AIがさらに質の高い内容を生成できるようにする役割を担います。特にSNSやブログなどのプラットフォームで活動するインフルエンサーは、大量のフォロワーを持つため、彼らのコンテンツはAIの学習にとって貴重なものとなります。

⑫**AI生成作業監査士**

AIの動作やデータの取扱いに関するリスクや安全性を監査する専門家です。AIは大量のデータを扱い、多くの業務プロセスを自動化します。そのため、データの取扱いや処理に関するリスクやセキュリティの課題が増える可能性が出てきます。AI生成作業監査士は、AIが行う作業や処理を監査し、その正確性や安全性を確認します。不正確な動作やセキュリティの脆弱性を早期に検

Column

AIに関する検定①　G検定は、ディープラーニングの基礎知識を有し、適切な活用方針を決定して、事業活用する能力や知識を有しているかを検定する。また、E資格は、ディープラーニングの理論を理解し、適切な手法を選択して実装する能力や知識を有しているかを検定する。

出し、修正や改善を行う役割を担います。

⑬**AI予測分析士**

AIの提供する高精度な予測を基に判断や決定を下す専門家です。AIは大量のデータから学習し、将来の予測や推論を行うことができます。AI予測分析士は、これらの高精度な予測を元に、経営判断や戦略策定を行う役割を持ちます。AIの予測は非常に高い精度を持っていますが、それをどのようにビジネスやプロジェクトに適用するかの判断は、人間の専門家の役割となります。

⑭**センチメントアナライザー（感情分析士）**

顧客の感情や認識を理解するために、テキストや投稿の感情を解析する専門家です。AIは、テキストから情報を抽出する能力がありますが、文脈や感情の細かなニュアンスを完璧に理解するのは難しいのが現状です。センチメントアナライザーは、AIが解析した結果を基に、実際の顧客の感情や製品・サービスに対する認識を詳しく分析します。企業は顧客のニーズや不満点を正確に把握し、サービスの改善やマーケティング戦略の策定に役立てます。

⑮**テクノロジーエントレプレナー**

AIツールを活用して、新しいビジネスやスタートアップを立ち上げる起業家です。AI技術の進化は、新しいビジネスモデルやスタートアップの機会を生み出しています。テクノロジーエントレプレナーは、これらの新しい機会を捉え、AIツールを用いてビジネスを創出・成長させます。例えば、かつては多くの資本や時間を必要としていたプロジェクトも、AIの力で低コストかつ迅速に実現することが可能となります。

新たに「おもてなし産業」が生み出される

近年、AIの進化と普及が目覚ましい中で、特に注目されるのが「おもてなし産業」です。この新たな産業の核心には、人がAIの提供する情報や提案を活用して、「人」をおもてなしするという考え方があります。

●AIと「人」の協働

従来のホスピタリティ業界では、人々が長い経験や研修を通じて磨き上げた感覚やスキルをもとに、お客様への最良のサービスを提供してきました。しかし、AIの導入により、そのサービスの質や範囲が飛躍的に向上する可能性が見えてきました。例えば、GoMomentの「Ivy」のようなシステムは、顧客からの質問に即座に回答しますが、そ

AIに関する検定②　AWS認定(アマゾン)は、レベル、役割、専門知識ごとに分かれており、AWSの知識を証明する。Professional Data Engineer(グーグル)は、グーグルクラウド上の機械学習やデータ分析ソリューションの技術認定をしている。

の回答を「人」がどのように活用し、サービスを提供するかが鍵となります。スタッフはAIが提供する情報をもとに、より具体的かつ人間らしいサービスを提供することができるようになるのです。

●新たな「おもてなし」の形

この新しいおもてなしの形は、単にAIがすべてを代替するのではなく、AIが「人」の助けとなり、「人」が最終的にはお客様をおもてなしする、という形を主流にしていくでしょう。例えば、AIによるデータ分析で得られた顧客の好みや過去の行動履歴をもとに、「人」がその顧客に合わせたサービスを提供できるようになります。これは、AIと「人」の協働による新しい「おもてなし」のスタイルといえます。

■サイバーセキュリティ産業*の誕生

「サイバーセキュリティ産業」は、AIが生み出す産業の1つです。この産業は、サイバー攻撃から企業や個人を守るための技術やサービスを提供することを目的としています。2023年現在、経済産業省は、サイバーセキュリティ経営ガイドラインを策定し、企業等の経営者に対して、サイバーセキュリティ対策におけるリーダーシップの発揮などを求めています。IPA（情報処理推進機構）も、重要なインフラや産業基盤のサイバー攻撃に対する防御力を抜本的に強化するため、産業サイバーセキュリティセンターを設置し、様々な取り組みを行っています。

AIが普及するにつれて、サイバーセキュリティの需要が高まっていくことは明らかです。AI技術の進展は、新たなサイバー攻撃の手法や戦略も生み出しており、その対抗策としてさらに高度なセキュリティ技術やシステムが求められています。AIを活用した侵入検知システムや、機械学習を用いて異常行動を即座に検出するシステムなどが開発されています。家電製品から自動車、産業機械まで、IoTが進む中、これらのデバイスもサイバー攻撃の標的となり得るため、堅牢なセキュリティ対策が不可欠です。

その結果、サイバーセキュリティの専門家や研究者の需要が高まり、教育機関や研修機関でのサイバーセキュリティ関連の教育・研修も増えてきています。多くの企業や団体がこの分野の専門家の育成や技術開発に投資を行い、国際的な協力や共同研究も盛んに行われています。安全で信頼性の高いデジタル社会を築くためには、サイバーセキュリティのさらなる強化と発展が不可欠です。

Term **AIに関する検定③**　画像処理エンジニア検定は、画像処理分野の開発、設計に必要な知識の習得を評価する。統計検定は、統計学に関する知識やスキルを証明する全国統一試験。データに基づいて客観的に判断し、問題解決を行う能力が問われる。

「AI産業」の職業一覧

①AIトレーナーとオペレーター
②AIアプリケーションデベロッパー
③AIプロンプトエンジニア
④AI出力検証者
⑤AIコンプライアンスマネージャー
⑥AI入出力マネージャー
⑦AI倫理学者
⑧AIセキュリティエンジニア
⑨AI統合スペシャリスト
⑩AIパーソナリティデザイナー
⑪コンテンツクリエーター
⑫AI生成作業監査士
⑬AI予測分析士
⑭センチメントアナライザー（感情分析士）
⑮テクノロジーエントレプレナー

それぞれの専門家が
協調し合うことによって
AI産業は発展します。

サイバーセキュリティとダークウェブ

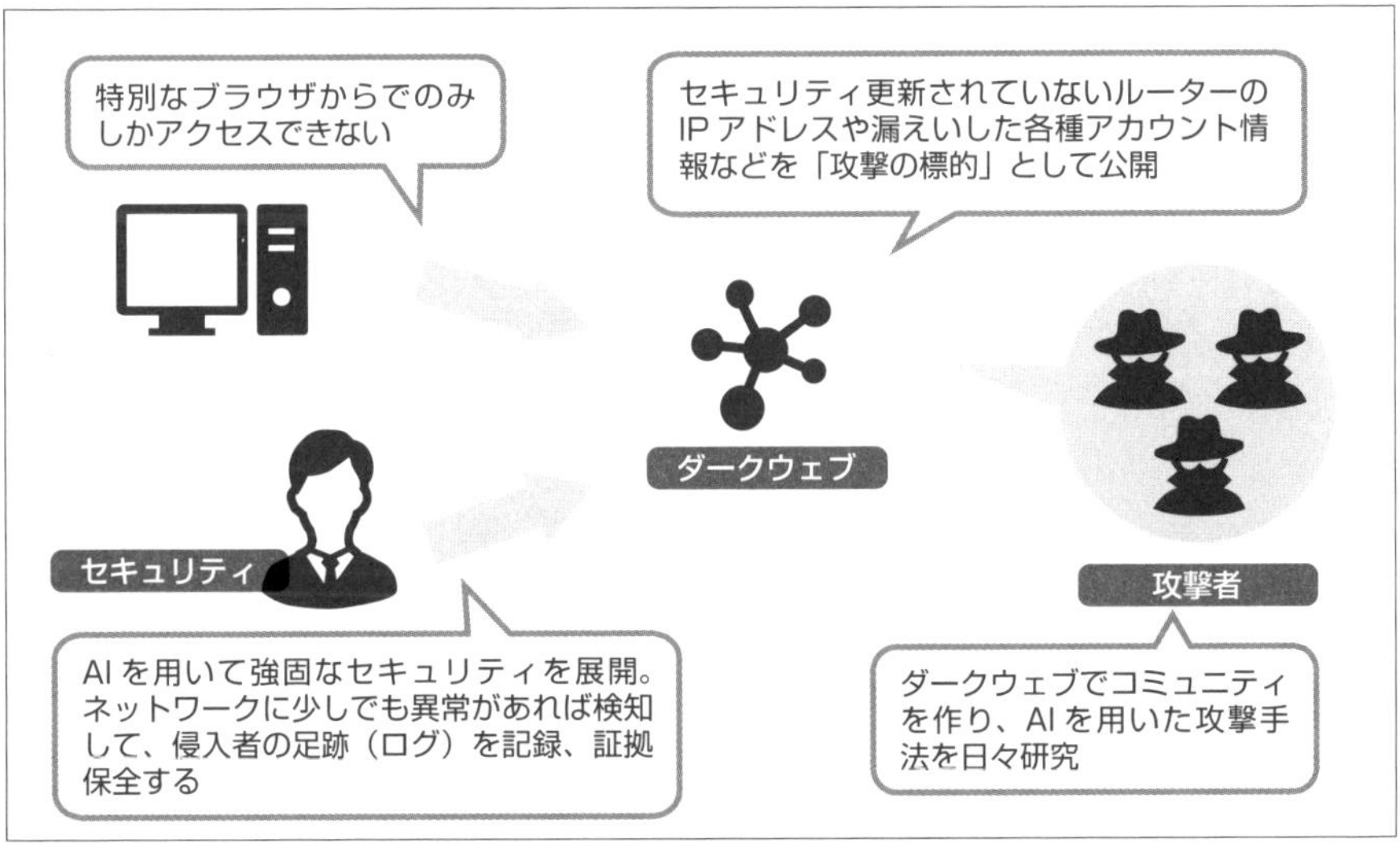
特別なブラウザからでのみしかアクセスできない
セキュリティ更新されていないルーターのIPアドレスや漏えいした各種アカウント情報などを「攻撃の標的」として公開
ダークウェブ
セキュリティ
攻撃者
AIを用いて強固なセキュリティを展開。ネットワークに少しでも異常があれば検知して、侵入者の足跡（ログ）を記録、証拠保全する
ダークウェブでコミュニティを作り、AIを用いた攻撃手法を日々研究

Term **サイバーセキュリティ産業**　コンピューターやネットワークを保護するための対策や技術に関する産業。サイバーセキュリティには悪意のある攻撃やデータの漏洩から情報を守り、セキュリティリスクを最小限に抑えるための取り組みが含まれる。

AIとジョブマーケットの未来像

AIが普及する未来では、労働市場は劇的に変化すると予測されます。AIによる自動化で、事務作業、製造業、一部のカスタマーサービスに見受けられる単純で反復的な作業をAIが担当することになります。つまり、人間はより創造的で高度な仕事に集中せざるをえなくなります。例えば、データ分析、戦略立案、クリエイティブなプロジェクトなどがその対象です。人間の直感、創造性、対人スキルを要する業務が価値を増すでしょう。

人間とAIが協力する新しい形の職種も生まれます。これには、AIシステムの監視、管理、メンテナンス、さらにはAIの決定を審査し、倫理的な観点から評価する仕事が含まれるでしょう。AIエンジニア、データサイエンティスト、AI倫理専門家などの専門職が求められます。

組織内での意思決定も大きく変わります。AIの高度なデータ分析能力により、意思決定はより適切かつ効率的に行われるようになります。これは、企業の競争力向上と市場での立ち位置を強化することにつながります。社内の経営会議においても、AIが多量のデータを分析して問題提起や企画立案を行う場面が増えるでしょう。

組織構造も変化します。経営者とAIが意思決定を行い、現場の仕事は従業員が行うようになります。経営者と現場が直結することにより、中間管理職の役割が最小限になる可能性があります。

将来的にはAIと自動化の進歩により、低スキルの職種がさらに減少することが予想されます。これは個人にとって、新しいスキルを習得し、常に適応し続ける能力がますます重要になることを意味します。

AI時代においては、生涯学習の重要性が高まり、教育システムもこの新しい現実に対応する必要があるでしょう。

第9章

未来社会のビジョン・テクノロジーと人間の共生

AI は、情報技術の進展と共に社会のあらゆる側面における革新的な変化をもたらしています。AI は単なる技術ではなく、未来社会を形作るための重要な要素となっています。

本章では、超スマート社会の実現に向けた AI とビッグデータの役割、サイバー空間と物理空間の融合における IoT の影響、そして人間中心の社会構築における個々のニーズへの対応など、AI 産業が未来社会のビジョンをどのように支えているのかを詳細に探求します。産業構造の変革と持続可能な社会の実現に向けた新しいビジネスモデルと雇用の可能性について AI が未来社会においてどのような影響をもたらすか、そして人間とテクノロジーがどのように共生していくのかについて解説します。

Section

9-1 超スマート社会の概念と目指す未来

スマート社会は最新技術で持続可能な未来を追求します。ソサエティー5・0はそのさらなる進化形です。生活の質を高め、社会課題を解決するには、技術進化、教育、セキュリティへの配慮が鍵となります。

スマート社会とは

スマート社会とは、情報通信技術を駆使して効率的かつ持続可能な社会を目指すことを意味します。スマートシティなどの概念が提唱され、人々の生活の質や社会インフラが向上する社会をいいます。ビッグデータ、AI、IoTなどの最先端技術が重要な役割を果たし、交通や経済、健康などの分野での効率化や地球環境への配慮、都市の持続可能性の向上への取り組みが進められ、生活が豊かになることが期待されています。

ソサエティー5・0は、スマート社会をさらに進化させた概念で、人間中心の社会を目指し、人々の生活の豊かさと社会課題の解決を両立させることを目的としています。実現のためには、最新技術の活用が不可欠であり、自動運転や**スマートホーム***、**デジタルヘルスケア***の普及など、人々の生活の変革が期待されています。この社会を実現するには、技術の進化、教育・人材育成の重視、プライバシーやセキュリティの保護などの課題に取り組むと共に、政府や企業、研究機関、市民との協力が必要です。

ソサエティー5・0未来社会の可能性

ソサエティー5・0が描く未来社会では、高度な情報通信技術が社会全体に浸透し、人々の生活やビジネスのあり方が大きく変革する可能性が高まっています。AIを用いた最新技術の普及により、便利で快適な生活が実現され、経済成長や社会課題の解決、例えば少子高齢化や労働力不足の克服などが期待されています。

このような課題解決のためには、産業界、行政、研究機

Term **スマートホーム** 家庭内の電化製品や設備をインターネットに接続し、リモートで制御することができるシステムのこと。

関といった様々な分野を横断した連携と技術の開発や導入を進めると共に、国民一人ひとりが新しい技術への積極的な取り組みを進めることが重要です。私たち全員が手を取り合って、持続可能な未来社会を築くための行動を始めるべきです。

人間中心の超スマート社会

技術の進化だけではなく、人々の幸せや持続可能な社会の実現が重要視されることが人間中心の**超スマート社会**といえるでしょう。技術の利用は、人々の生活の向上や社会課題の解決、地域の発展に貢献するために行われるべきです。前述のとおり、政府や企業、研究機関、市民が協力してイノベーションの推進、教育・人材育成を重視し、プライバシーやセキュリティの保護などの課題に対応することが必要となります。この社会では、デジタルとリアルの境界が曖昧になり、人間と技術が密接に結びつきます。そのため、倫理的考慮やデジタルリテラシーの教育がより一層重要になります。新しい技術が生み出す機会を最大限に活用し、同時に社会的な不平等を解消し、すべての人に利益をもたらすよう努めることが求められます。

新技術の注目キーワード

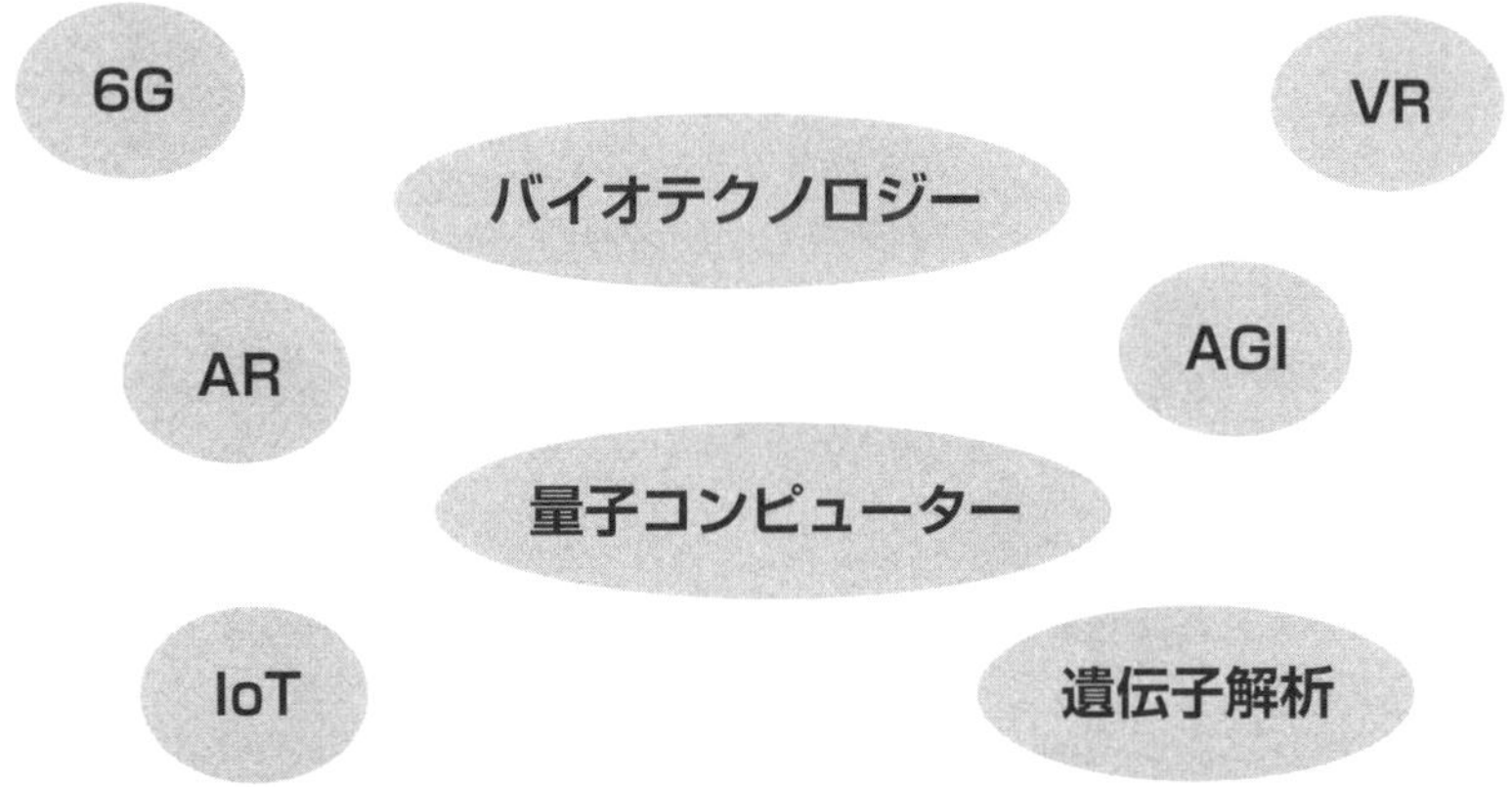

超スマート社会は、高速通信、没入型体験、スマートデバイスの普及、高度なAI、医療革新、複雑な計算の実現、個別化医療の進展を特徴とします。日常生活が効率的で快適になる一方で、新たな課題が生じる可能性もあります。

Term

デジタルヘルスケア　医療や健康管理においてデジタル技術を活用することを指す。患者のデータ収集やモニタリング、診断支援、健康情報の共有など、効率的で精度の高い医療サービスを提供するために利用される。

各ステークホルダーに求められること

政府はこのビジョンの策定や政策の推進を行い、企業は新しい技術やビジネスモデルの革新に取り組むべきです。研究機関は技術の研究開発を進める役割を果たし、市民は超スマート社会の推進に積極的に関与し、意識を高めることが求められます。すべてのステークホルダーが協力し、持続可能で豊かな未来社会の実現を目指すことが重要です。

「超スマート社会」の実現にあたって個々人に必要となるのは、デジタルスキルを向上させ、エコフレンドリーな生活を心がけることです。具体的には、プログラミングやデータ分析の学習、再生可能エネルギーの利用やリサイクルへの参加などです。デジタル化社会への適応を進めるために、電子決済やオンラインショッピングの利用を促進し、同時にセキュリティ意識を高め、個人情報の保護に努めることも必要です。また、情報リテラシーを向上させ、偽情報＊に惑わされない意識が必要です。これらの行動を通じて、私たちは「超スマート社会」の実現に貢献できます。

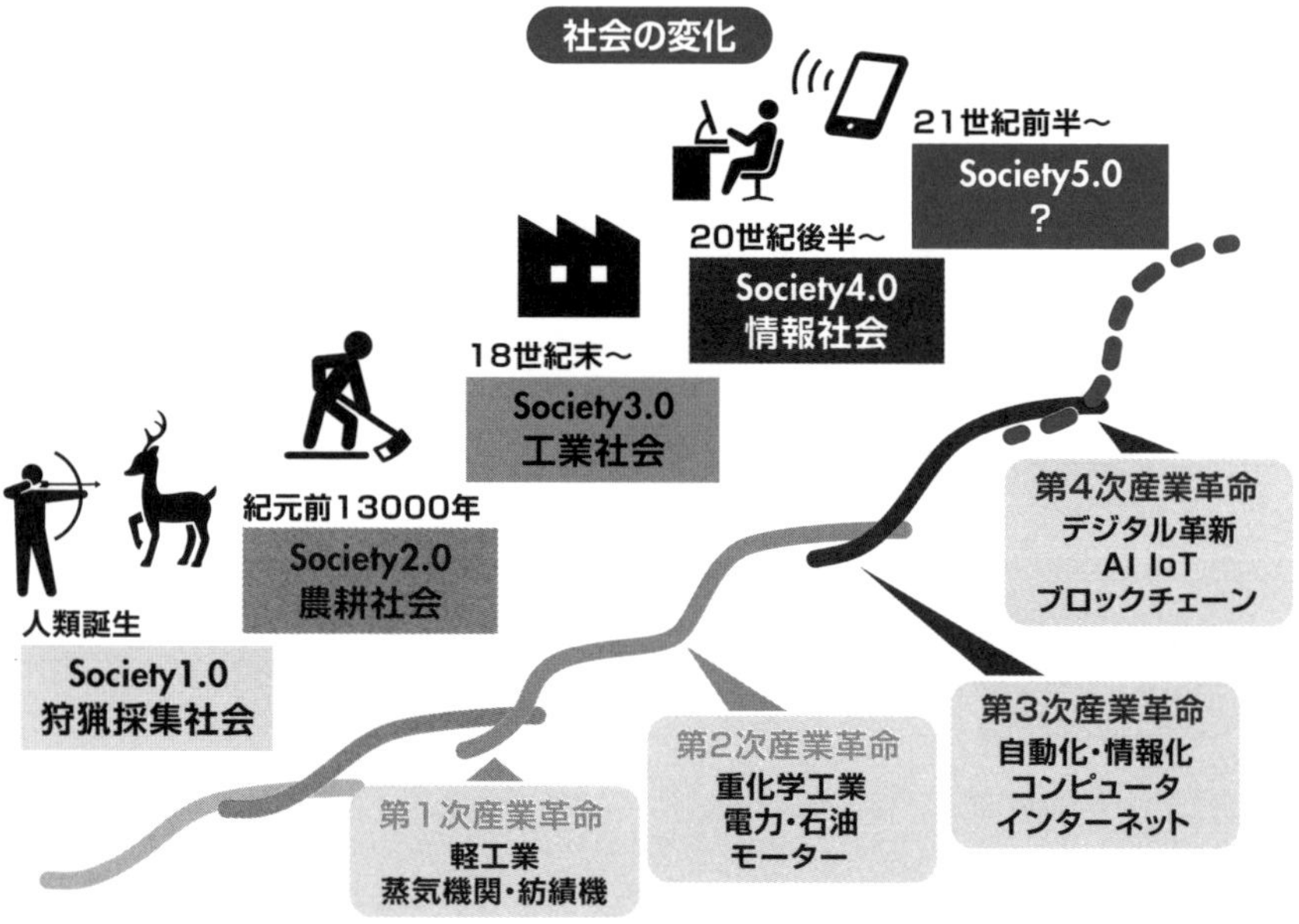

Column

ブロックチェーンへの期待　ブロックチェーンは、データの透明性と信頼性を提供し、AIの高度な分析と予測を可能とする。効率的な取引や個人情報の保護、自動化された意思決定などの革新的なビジネスモデルの創出や、社会や経済のあり方を変え、新たな可能性を切り拓くことなどが期待されている。

Society5.0 による人間中心の社会

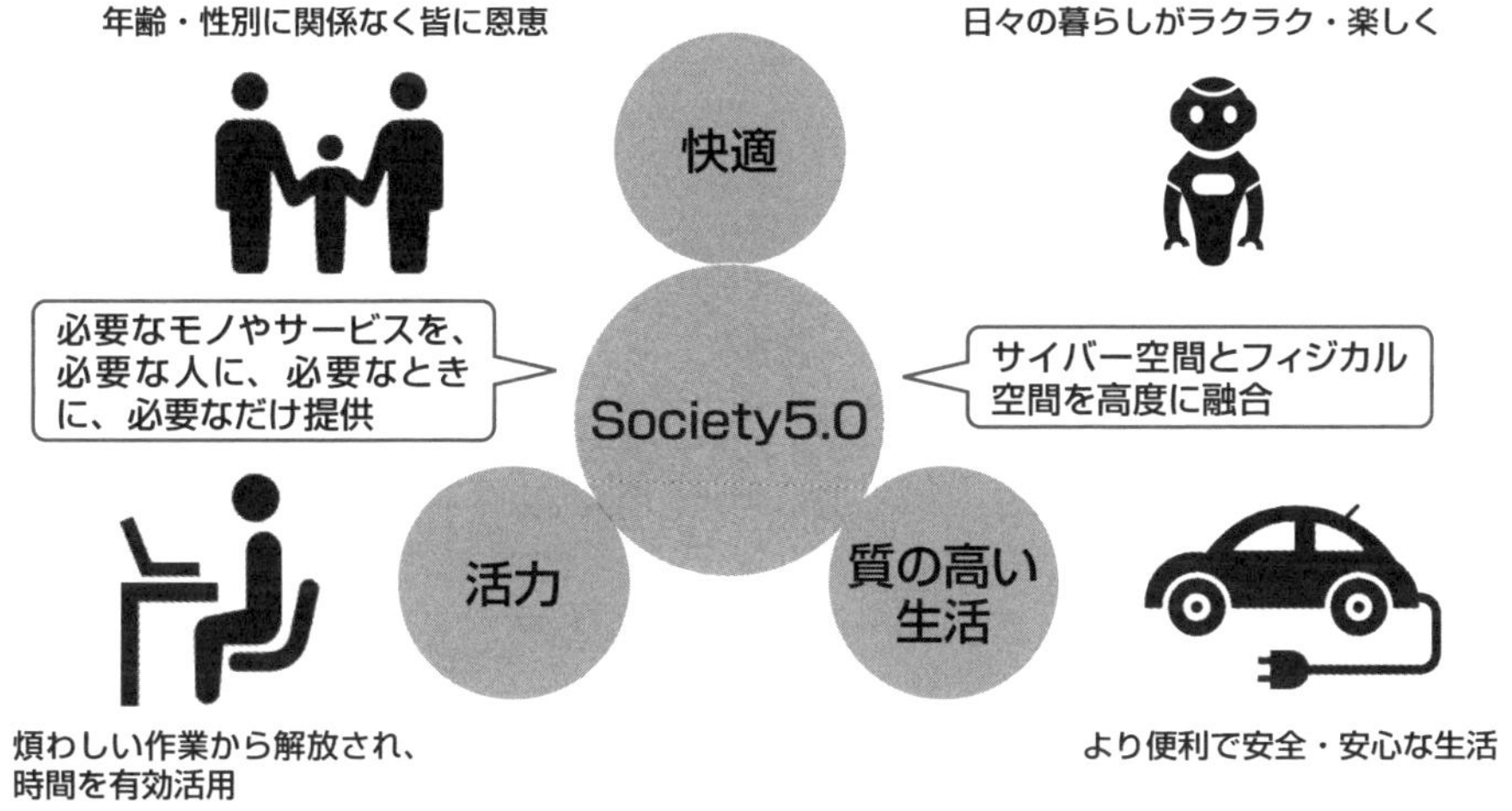
年齢・性別に関係なく皆に恩恵
日々の暮らしがラクラク・楽しく
快適
必要なモノやサービスを、必要な人に、必要なときに、必要なだけ提供
Society5.0
サイバー空間とフィジカル空間を高度に融合
活力
質の高い生活
煩わしい作業から解放され、時間を有効活用
より便利で安全・安心な生活

出所：内閣府 Society 5.0「科学技術イノベーションが拓く新たな社会」説明資料をもとに作成

Society5.0 で実現する社会

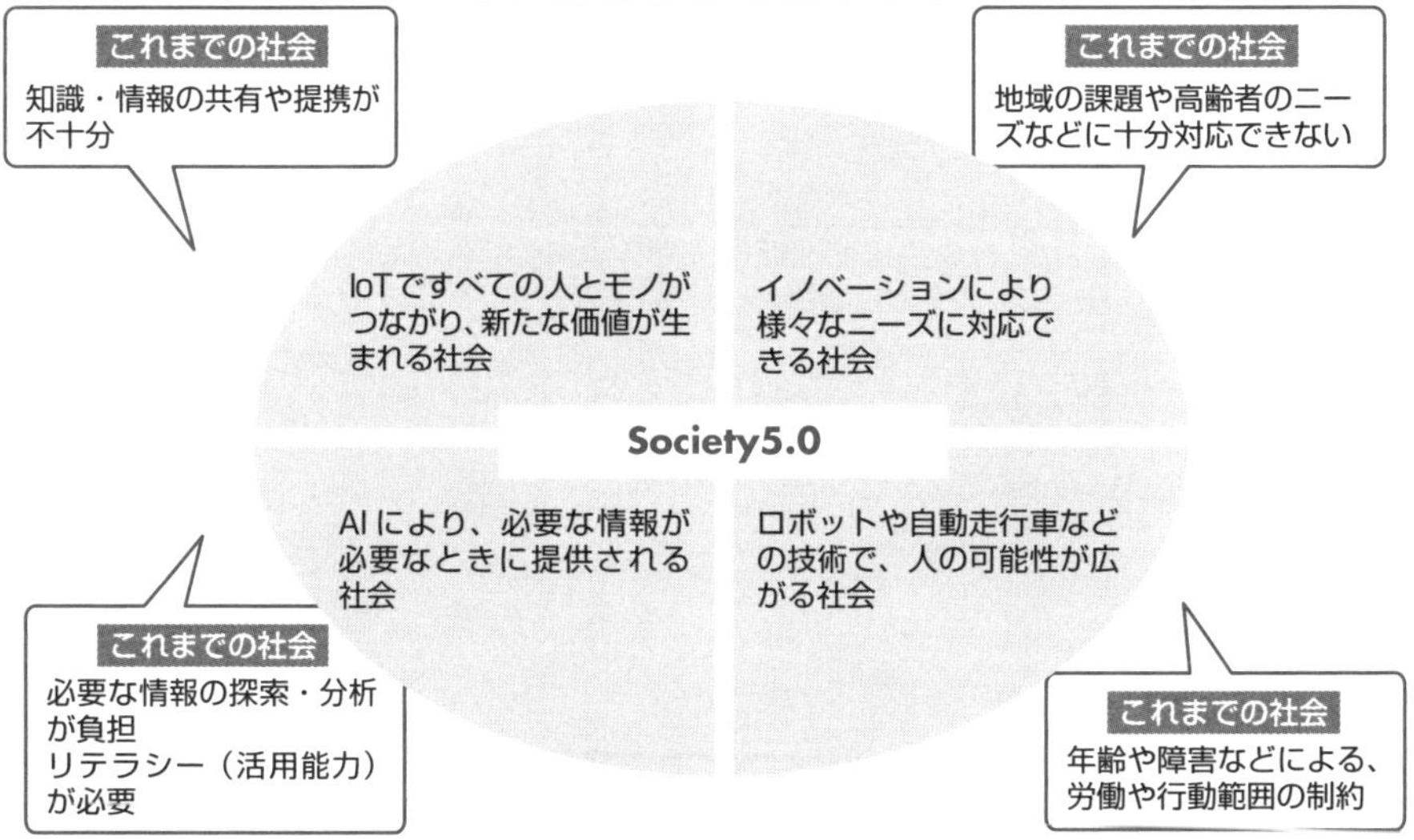
これまでの社会
知識・情報の共有や提携が不十分
これまでの社会
地域の課題や高齢者のニーズなどに十分対応できない
IoTですべての人とモノがつながり、新たな価値が生まれる社会
イノベーションにより様々なニーズに対応できる社会
Society5.0
AIにより、必要な情報が必要なときに提供される社会
ロボットや自動走行車などの技術で、人の可能性が広がる社会
これまでの社会
必要な情報の探索・分析が負担
リテラシー（活用能力）が必要
これまでの社会
年齢や障害などによる、労働や行動範囲の制約

出所：内閣府 Society 5.0「科学技術イノベーションが拓く新たな社会」説明資料をもとに作成

Term

偽情報（ディープフェイク） AI技術を使って作られた偽の情報や映像。AIは、顔や声をリアルに再現し、本物と見分けがつかないほどの映像を作り出すことが可能である。悪意ある人々が虚偽の情報を広めたり、他人の評判を傷つけたりする危険性があり、注意が必要。

Section
9-2 AIとビッグデータによる社会課題解決

ビッグデータとAIは社会課題の解決に革命的な影響をもたらしています。イノベーションを推進し、新しい課題や解決策の探求に役立っています。挑戦は、さらなる可能性を生み出します。

■ビッグデータとAIの基本概念

ビッグデータとAIは現代社会の重要な技術で、共に大量のデータを扱いながらも異なる特性を有しています。ビッグデータは通常100GB以上のデータを迅速に処理し、市場トレンド分析や消費者行動予測などに利用され、企業や社会の効率向上に大きく貢献しています。重要な点は、ビッグデータの有効な活用は単にデータ量に依存するのではなく、データの質にも強く依存していることです。データクレンジングやデータ統合技術を通じてデータの品質を高めることで、より正確かつ有用な分析結果を得ることが可能になります。

AIは機械学習や深層学習を通じてデータから学習し、人間の知能を模倣した判断を行うシステムです。効果的なAIの運用には、データ量と質の適切なバランスが不可欠であり、適切な機械学習アルゴリズムの選択、モデルのトレーニング、評価、改善が重要となります。これらの過程を適切に管理することで、AIはより高度な判断や予測を行う能力を発揮します。ビッグデータとAIの組み合わせは、大量の情報を効果的に分析し、社会課題の解決に取り組む上で非常に有効です。この連携により、ヘルスケア、金融、環境保全など、多岐にわたる分野での活用が期待されています。

■ビッグデータとAIの連携による社会課題への取り組み

現代社会の多様な課題解決に向けた新しいアプローチとして、例えば医療分野では、病気の早期発見や治療法の改善、交通分野では渋滞の予測や交通制御の最適化、教育分野で

Column

グーグルがAI活用により解決を目指す7つの社会問題①　1つ目は、「早期警報システムを通じて洪水を予測し、人々の安全を確保する」こと。洪水予測システムFloodHubには詳細な浸水マップが備わっているため、人々は自分のいる場所で何が予想されるかを正確に確認できる。。

は学生の学習データ分析を通じた個別の指導などがあります。このように多くの分野で効果的な取り組みが進められています。

ビッグデータとAIは社会イノベーション課題の推定にも重要な役割を果たしています。東京大学と企業広報戦略研究所の共同研究により、X（旧Twitter）の解析を通じて抽出された課題に基づいた国会議員に対する調査が行われました。この取り組みにより、一部の社会課題が国会議員に認識されにくいことが明らかになりました。新しい技術の活用によって社会課題を客観的に把握し、より効果的な政策を立案できるようになった一例です。

また、交通渋滞の緩和、犯罪の予防、災害対策などの具体的な取り組みも進められており、ここでも課題解決において、ビッグデータとAIが効果を発揮しています。少子高齢化、環境問題、貧困問題など、まだ解決策が見つかっていない社会課題に対しても、ビッグデータとAIを活用することで課題の把握、新たな解決策の検討、そして解決策の社会へのインパクト予測が可能となっています。

社会課題解決に向けた挑戦

このようにビッグデータの活用とAIとの組み合わせは、社会課題解決に向けた挑戦において非常に重要な要素となっています。特にビッグデータについては、膨大な量のデータを分析することで、社会の様々な課題やトレンドを把握することが可能となります。ビッグデータ分析によって把握された社会の課題やトレンドをAIが解析し、新たな知見やアイデアを提供することが可能となります。AIはデータサイエンスの手法やアルゴリズムを用いて、予測モデルや最適化モデルを構築し、将来の社会課題を予測し、早めに対策を講じることができます。

ある食堂では、AIとビッグデータの活用により、食材ロスを大幅に削減し、人員配置を効率化して一人当たりの売上高を数倍に増やすことができました。来客の属性や人数を高精度で予測できるようになり、年間売上を伸ばせたのです。この成功事例は、AIとビッグデータの活用が売上向上に直接貢献する可能性を示しています。ビッグデータとAIの組み合わせによって、社会課題解決の効果が大幅に高まり、より効果的な解決策を見出すことができるようになります。

Column

グーグルがAI活用により解決を目指す7つの社会問題②　2つ目は、「リアルタイムで山火事の境界を検出して消火活動を支援」すること。衛星画像を使用して山火事の境界をリアルタイムで検出できるAI モデルを作成し、その位置を検索と地図に表示する。

ビッグデータとAIにおける今後の展望

技術の進化に伴い、ビッグデータの収集・分析が容易になり、AIの性能も向上してきています。このことは、多くの社会課題解決に向けた新たな可能性を示しています。技術の進化の方向性としては、より高速なデータ処理、データ解析手法の改善、そしてIoTを活用したデータ収集やデータサイエンス技術を駆使した予測分析が注目されています。

今後、ビッグデータとAIの組み合わせによる効果が増し、より高度な分析ツールやアルゴリズムの開発が推進され、新しいアプリケーションやサービスが創出されることが期待されています。しかし、技術の進化に伴い、個人情報の保護やデータの悪用のリスクなど、新しい倫理的、法的、そして社会的課題が生じてきています。これらの課題に対処するためには、適切なルールやガバナンスの整備、社会的な合意形成や政策形成、教育および公開討論が不可欠であり、これらが技術の進化と社会のニーズに応える形で進められることが重要です。

今後の展望としては、技術の普及によって、より多くの人々がビッグデータとAIを活用できるようになることが予想されています。技術を活用できる人が増えることで、社会課題の解決に向けた新たな取り組みが生まれ、ビッグデータとAIの連携が社会課題の解決やイノベーションをさらに支えていくことが期待されています。これらの進展を踏まえ、ビッグデータとAIの活用に際しては、倫理的な問題やガバナンスの整備にも十分な配慮を持って取り組む必要があります。

未来への影響

政策、教育、そして文化的な側面にも影響が及ぶと考えられます。政策面では、データの共有とプライバシー保護のバランスを取るための新しい法規制の策定が求められます。また、これら進歩を最大限に活用するためには、教育とトレーニングが必要です。

学校教育のカリキュラムでは、これらの基本概念を組み込むことから始まり、専門家や技術者のための高度なトレーニングプログラムの提供が求められます。加えて、文化的な変化も必要とします。人々が日常生活でこれら技術を受け入れ活用するためには、消費者行動や医療の意思決定において、ビッグデータに基づく洞察やAIによる推薦を積極的に活用する文化の形成が必要になると考えられます。

Column

グーグルがAI活用により解決を目指す7つの社会問題③　3つ目は、「出生前の健康状態のモニタリング」である。機材や技師が少ない状況でも、簡単に超音波検査技師が胎児の位置などの潜在的な問題を正確に特定できるようにするシステムを開発している。

IoT のビッグデータとＡＩが描く未来

1. 現実世界の状況を把握する

IoT デバイスから収集されるデータには、位置情報、温度、湿度、音量、画像、動画など、現実世界の様々な状況を反映したものがあります。ＡＩはこれらのデータを分析することで、現実世界の状況を把握することができます。

仮想空間でもリアル空間と同じ天気、同じ雑音、同じ景色が見られることになります。

2. 人間の行動を予測する

ＡＩは、過去のデータを分析することで、人間の行動を予測することができます。例えば、交通量や天気などのデータを分析することで、交通渋滞を予測し、混まないエコなルートを紹介してくれるようになります。

3. 人間をサポートする

ＡＩは、人間をサポートする様々な機能を提供することができます。例えば、音声認識や自然言語処理を用いて、人間の指示を理解し、実行することができます。また、画像認識や機械学習を用いて、人間の仕事を支援することができます。

今後はＡＩが人間の知能を凌駕する可能性があります。ＡＩが人間の能力を超えることで、人間はＡＩの力を借りて、これまで不可能だったことも実現できるようになるでしょう。

新たな価値の事例（交通）

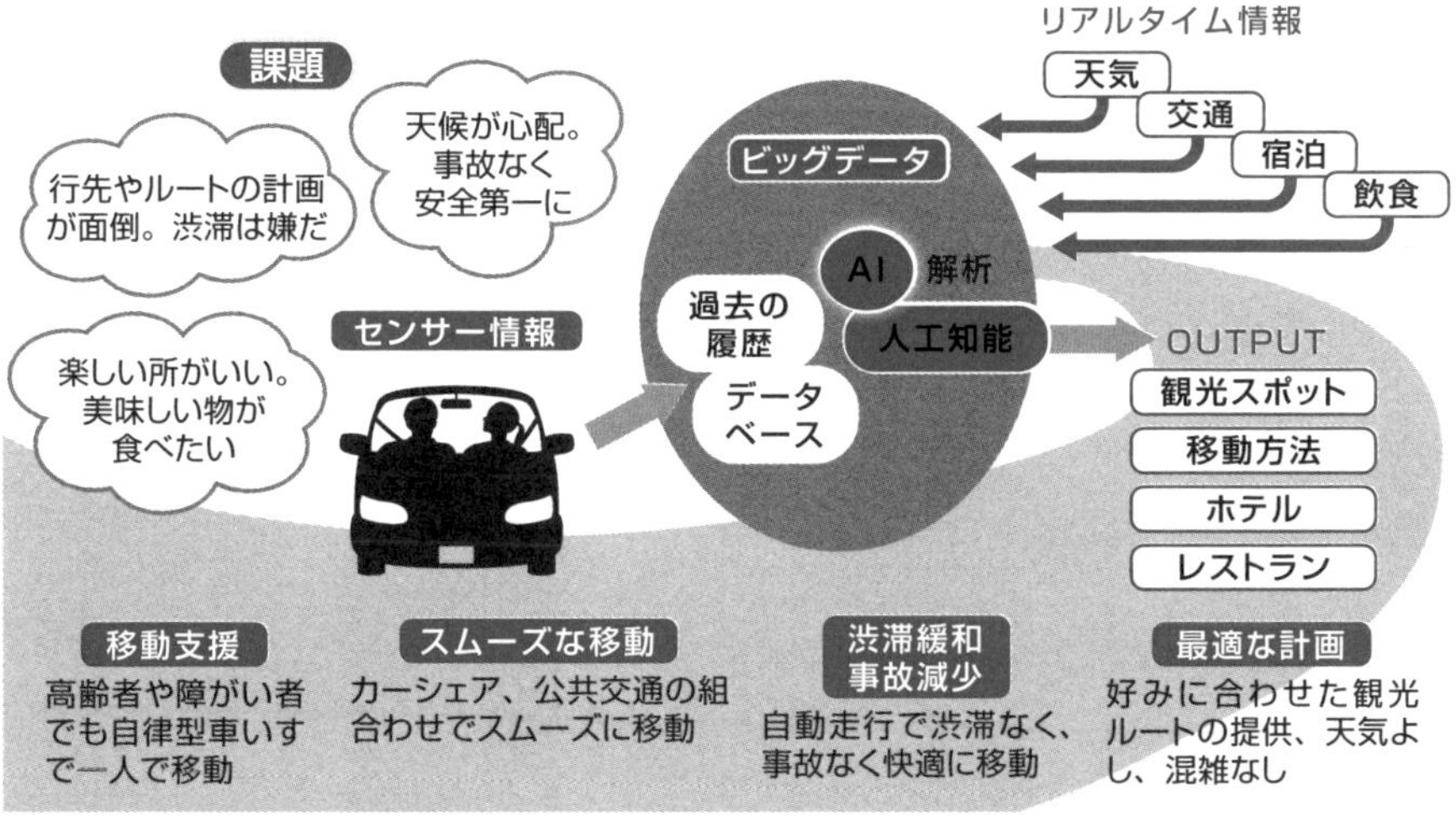

出所：内閣府 Society 5.0 「科学技術イノベーションが拓く新たな社会」説明資料

Column

グーグルがAI活用により解決を目指す７つの社会問題④ ４つ目は、「作物への害虫の蔓延との戦い」である。InstaDeep および国連食糧農業機関と協力して、アフリカでのバッタの発生をより適切に検出し、制御措置を講じることを可能にしている。

Section

9-3 サイバー空間と物理空間の融合

IoT技術の進展と共に進行するサイバー空間と物理空間の融合は、新しい価値創造・社会的課題の解決につながります。一方、データの安全性とセキュリティ対策の重要性も求められます。

■サイバー空間と物理空間の融合の意義

サイバー空間と物理空間の融合は、IoTの普及に伴い、現代社会においてますます進展しています。この融合によって、多くの新たな価値が創出され、社会的課題の解決に向けた可能性が広がっています。

IoTの技術によってインターネットに接続された様々な物理的なモノが大量のデータを生成し、相互に連携しながら働くことが可能となります。スマートホームではセンサーやカメラによるモニタリングが家の快適さや省エネ、セキュリティの向上に貢献し、農業分野では土壌の状態や気象データのリアルタイムモニタリングにより効果的な灌《かん》漑《がい》や施《せ》肥《ひ》が可能となります。このようにサイバー空間と物理空間の融合は、新しい価値の創造と社会的課題の解決において大きな意義を持っています。

■IoTとCPSの関連性

IoTとCPS（サイバー・フィジカル・システム）は、物理空間とサイバー空間の融合を目指し、新しい価値を生み出すことを目的とする2つの重要なテクノロジーです。IoTは物理的な機器やセンサーを通じて現実世界の情報を収集し、そのデータをサイバー空間に送信することに重点を置いています。リアルタイムでの状況把握や異常検知が可能となり、データの収集や分析を通じて最適化や制御の実現を目指しています。

一方、CPSは物理空間の機器やシステムから送信された情報をサイバー空間で高度なコンピューティング能力を利用して処理・解析し、より高度な制御や最適化を目指しています。CPSは、仮想空間での処理と解析を通じて物理空間の制御・管理を実現し、効率化や自動化を促進する

Column

グーグルがAI活用により解決を目指す7つの社会問題⑤　5つ目は、「建物を通じて人口の変化と人道的対応への対応を支援する」こと。建物の位置と形状を正確に特定し、人口推計、都市計画、人道的対応から環境科学、気候科学に至るまで、多くの重要な用途に役立てる。

ことが可能です。

IoTとCPSは、それぞれ独自の特徴を持ちつつも、根本的には物理空間とサイバー空間の融合を通じて新たな価値を生み出すという共通の目的を持っています。

■サイバー空間とフィジカル空間の融合におけるセキュリティの重要性

サイバー空間と物理空間の融合を進めるIoTの普及に伴い、セキュリティの重要性が高まっています。サイバー空間と物理空間が結びついたシステムでは、膨大な情報がネットワークを通じてやり取りされているため、サイバー攻撃者は個人情報や企業の機密情報を盗み出したり、システムを乗っ取ったりしようと試みます。物理機器への不正アクセスも重要なセキュリティ上の懸念事項となっています。センサーや制御装置などの物理機器に侵入し、改ざんや破壊を行うことでシステムを乗っ取ることが可能となってしまいます。

サイバー空間と物理空間の融合は新しいセキュリティリスクをもたらします。リスクに対する適切な対策と認識が求められるとともに、セキュリティの強化が今後の技術開発の重要な課題となっています。

サイバー空間と物理空間に求められるセキュリティ

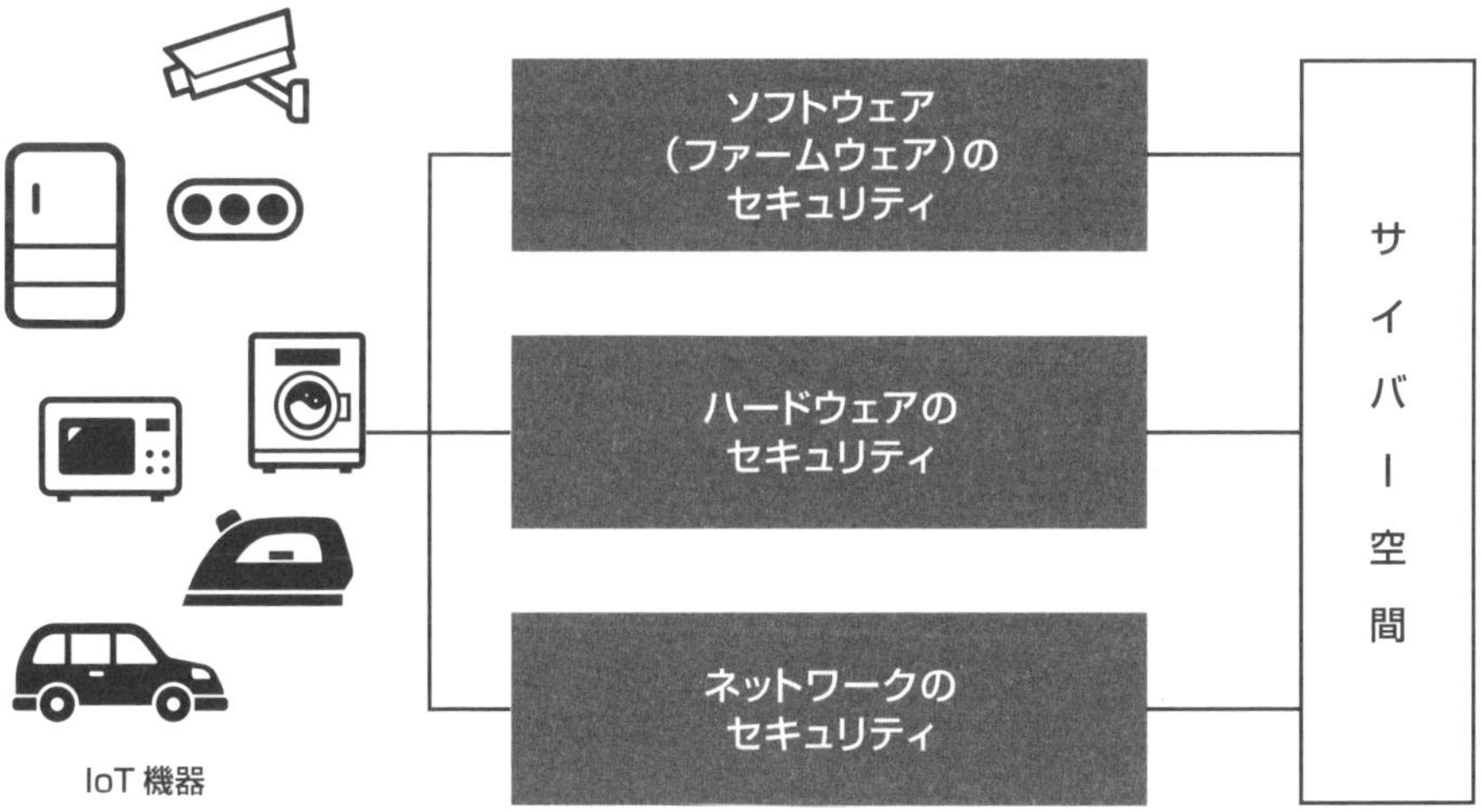

機器からサイバー空間までのすべてにセキュリティが必要

Column
グーグルがAI活用により解決を目指す7つの社会問題⑥　6つ目は、「病気の原因となる遺伝子変異の検出」である。病気の原因となる遺伝子変異を迅速かつ正確に特定し、科学者が乳がんや肺動脈高血圧症のリスク上昇などの深刻な遺伝的疾患を明らかにするのに役立てる。

ソサエティー5・0とサイバー・フィジカル・セキュリティ対策

ソサエティー5・0では、サイバー空間と物理空間の融合によって生まれる高度に融合した社会が実現されます。この社会ではIoTやCPSが活用され、人々の生活と産業のあらゆる分野で変革がもたらされます。サイバーとフィジカルが深く結びついた社会では、前述のとおり、セキュリティの重要性が一層高まります。サイバーセキュリティ対策は、物理世界との融合によって生まれる新たなリスクに対応するために不可欠な要素となり、この対策は、人々の生活や仕事における利便性や安心感を提供する重要な要素となります。

未来社会では、様々な分野において、センサーデータやユーザー情報の収集や制御が行われるため、各分野に対応したセキュリティ対策が欠かせません。クラウドシステムや各種ネットワークを通じてデータがやり取りされることにより、セキュリティの脆弱性に対する対策が重要となります。この対策には、センサーや**アクチュエーター**＊のセキュリティ強化、データの暗号化や認証による保護、サイバー攻撃の検知・対応システムの導入などが含まれます。

リアル空間とサイバー空間を融合した「サイバーフィジカルシステム」

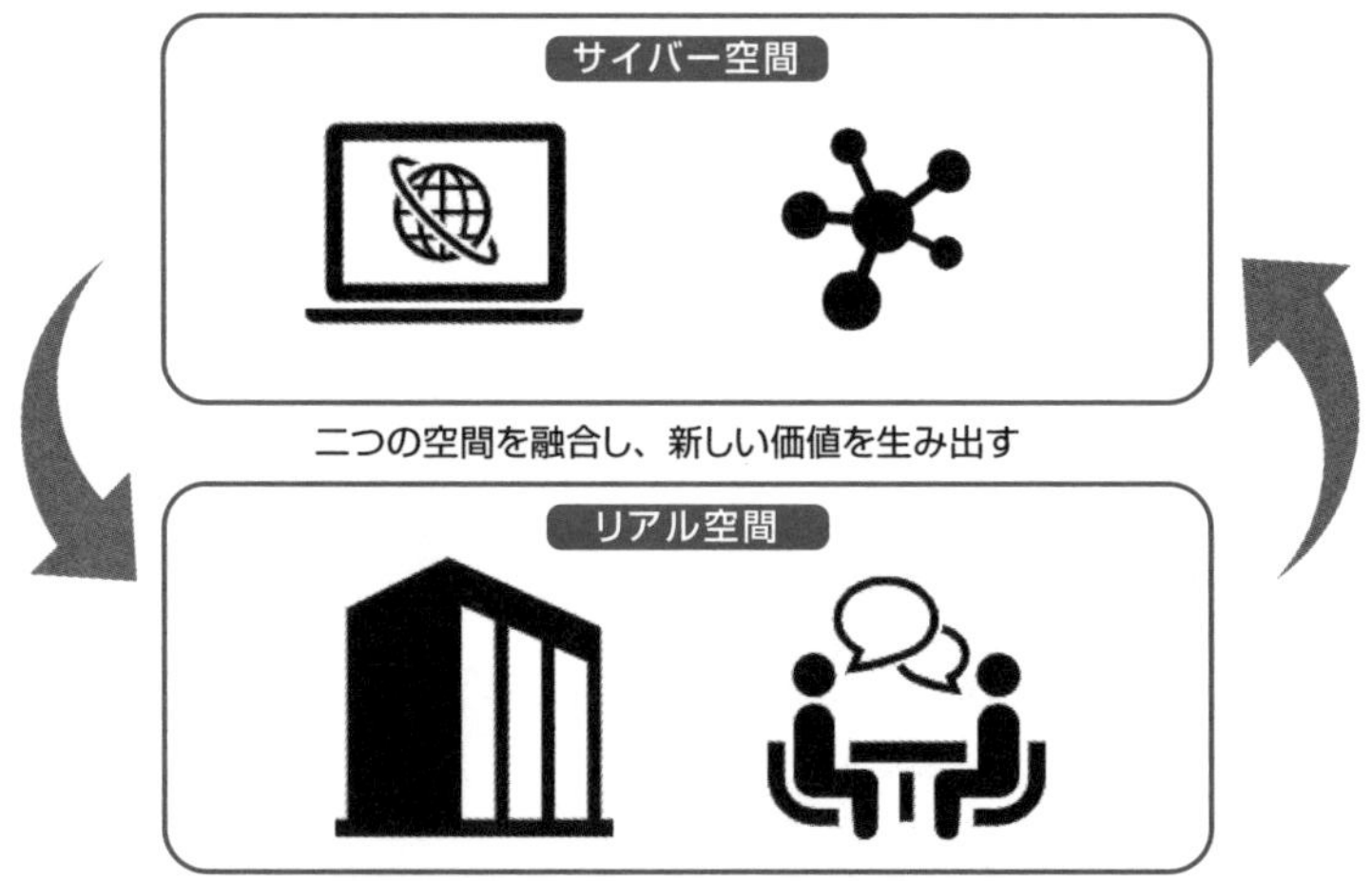

アクチュエーター　コンピュータや制御システムからの指令に基づいて物理的な動作を実行するデバイス。通常、電気信号を受け取り、それを機械的動作に変換する。

サイバー空間と物理空間の融合によるビジネスの変化

IoT技術の進化に伴い、ますます進展しているサイバー空間と物理空間の融合により、様々なデバイスが物理空間で接続され、膨大な量のデータが発生し、サイバー空間を通じて処理・分析されるようになります。これはビジネスにも次のような変化を与えることが考えられます。

●IoTを活用したスマート工場

製造業では、IoT技術を用いて工場内の各種設備、機器、部品、製品、作業者にセンサーを設置した「スマート工場」の普及が考えられます。これにより、リアルタイムでのデータ収集と分析が可能となり、生産プロセスの効率化、品質管理の向上、リソースの最適化が実現します。例えば、生産ラインの異常を早期に検知し対応することで、ダウンタイムの削減や生産の均一性を保つことが可能になります。また、従来は熟練工の経験や勘に頼っていた部分をデータ駆動での意思決定に置き換えることで、生産性の向上と属人性の排除が図られます。

●フルデジタルオフィス

オフィス環境では、オフィス業務を全面的にデジタル化し、仮想空間でのアバターを用いた会議やプレゼンテーションが可能となった「フルデジタルオフィス」の普及が考えられます。これにより、遠隔地にいる社員同士でも、同じ部屋にいるかのような臨場感のあるコミュニケーションが実現します。特に、社員のボディランゲージや表情をサイバー空間でリアルタイムに再現することで、非言語コミュニケーションの障壁が取り除かれます。さらに、リアルタイム翻訳機能の導入により、異なる言語を話すメンバー間の円滑なコミュニケーションが可能になるなど、国際的なビジネスコミュニケーションの障壁も低減されます。

●販売業や小売業における活用

販売業や小売業では、照明のクラウド制御や、人との協働ロボットによる作業代行、自動仕分けシステム、無人レジなどの導入により、労力とコストの削減が可能になります。すでに無人レジの導入は、効率的な決済処理と顧客サービスの向上に寄与し、小売業界における顧客満足度の向上に寄与しています。

Column

グーグルがAI活用により解決を目指す7つの社会問題⑦ 7つ目は、「会話が困難な人々がつながり、理解されるよう支援する」こと。AI研究に基づいて構築されたProject Relateは、会話が困難な人々が他の人とより簡単にコミュニケーションできるように支援する。

Section

9-4 人間中心社会とニーズへの対応

人間中心社会においては先端デジタル技術を活用して、個人のニーズに合わせたサービスを提供します。プライバシーやセキュリティ、技術的・倫理的課題解決には、政府・企業・研究機関の連携が重要となります。

人間中心社会の定義と目指すもの

ソサエティー5.0でも重視されている概念に「人間中心社会」があります。人間中心社会とは、個々のニーズに応じたサービスを提供し、より良い生活の実現を目指す社会のことです。こうした社会では、AI、ビッグデータ、IoTなどの先端デジタル技術が活用され、サイバー空間とフィジカル空間が高度に融合されます。ここでは「人間中心社会」の定義や目的を深堀してみましょう。

例えば、自動運転車や物流ロボット、スマートグリッドなどが交通の効率化やエネルギーの効率的利用を促し、家庭ではAI電子レンジが家族の好みに合わせたレシピを提案するなど、人々のライフスタイルや個々のニーズに合わせた最適なサービスが提供されます。デジタル技術の発展により、リアルタイムの情報共有や新たなコミュニケーションの体験が可能になり、5GやVR、ARの活用で、距離や時間の制約を超えた新しい社会が実現されることが期待されています。

デジタル化により、人々の行動パターンや健康情報などのデータ収集・分析が進み、個々のニーズに応じたサービスの提供がさらに進化します。このように、人間中心な超スマート社会は、デジタル技術を活用して経済発展と社会課題の解決を両立させ、人々の生活や経済活動が大きく変革されることを目指しています。

こうした個々のニーズに対応するためのメカニズムとして、AIとビッグデータの活用が重要です。AIは、データ解析やパターン認識を通じて、膨大な情報から適切な情報を抽出し、個々のニーズや好みを理解することが可能で

Column

AIと教育　AIは、個人の学習履歴や性格などのデータを分析することで、その人の能力やスキルを伸ばすための最適な方法を提案することができる。勉強が苦手な子供には、ゲーム感覚で学べるアプリや、一人ひとりの理解度に合わせて進められる教材を提供することができる。

す。大量のデータから傾向やパターンを発見し、個々のニーズに合ったサービスの開発や効果的なマーケティング戦略の立案を支援します。さらに、超スマート社会では仮想空間と現実空間が高度に融合しています。技術と手法の融合により、人間中心の超スマートな社会を実現し、より効果的なコミュニケーションや個人の生活の便宜を図ることができるのです。

例えば、仮想空間でのショッピングや旅行といった楽しみ、現実世界と仮想世界をシームレスに行き来する体験など、人々の生活が大きく豊かになることが期待されています。個々のニーズに対応し、より良い生活基準と包摂性を促進する社会を構築する基盤となります。

■人間中心の社会を実現する手段

人間中心の社会を実現するためには、経済発展と社会的課題の解決を両立させることが重要であり、これはソサエティー5・0の未来社会で目指す要素でもあります。経済発展は国や地域の繁栄を促進し、豊かな生活や持続可能な発展を可能にします。社会的課題は貧困、格差、環境問題、人手不足など多岐にわたります。経済発展と課題解決を両立させるためには新しい技術の活用が欠かせません。

前述のとおり、AIやビッグデータは個々のニーズに合わせた情報やサービスの提供を可能にします。例えば医療分野ではAIを用いて病気の早期発見や適切な治療法の提案ができるようになり、医療格差の解消や効率的な医療サービスの提供が期待されます。また、ビッグデータの活用により消費者の行動データや嗜好に関する情報を分析し、個々のニーズに合った製品やサービスの提供が可能となり、消費者満足度の向上や経済活動の活性化が期待されます。

超スマート社会では先端技術が多岐にわたる分野で活用され、生活が大きく変革されます。自動運転車やドローンは交通や物流を効率化し、AIは医療診断から教育、カスタマーサービスに至るまで多くの分野で活用されるでしょう。

■人間中心の社会での生活と企業の役割

人間中心の社会、特に超スマート社会であるソサエティー5・0では、高度なIT技術の活用により日常生活がより便利で快適になることが期待されています。超スマート社会における1日を想像してみましょう。朝にはAIが体調や睡眠の質を分析し、最適な服装や食事を提案し、通勤は自

Column

AIと生活サービス　AIは、人々の生活をより快適で便利にするサービスを提供することができる。家事や育児を自動化するロボットや、健康状態を管理してくれるアプリのほか、交通機関の混雑状況や、最適なルートなどを教えてくれるサービスなども提供してくれる。

動運転車やドローンを利用して移動時間を有効に活用します。仕事ではＡＩが効率化を支援し、創造的な活動に集中できる時間を提供し、プライベート時間ではＶＲやＡＲ技術を活用して新しいエンターテインメントや趣味を楽しむことができます。

企業はデータ収集や分析を通じて顧客のニーズを的確に把握し、ビッグデータやＡＩの活用により個々のニーズに対応したサービスや製品を提供することが求められます。さらに、持続可能な開発目標（ＳＤＧｓ）を考慮した事業展開を行い、環境に配慮した製品開発や地域の課題に取り組むプロジェクトを実施することも重要です。地域社会との協働も重視され、地域のニーズや課題を把握し、地域と連携して解決策を見つけることが求められます。

高度な技術がすべての人々、特に年齢、能力、または社会経済的地位に関係なくアクセス可能であることを確保することが重要です。企業は手頃な価格のソリューションを開発し、政府は補助金やプログラムを提供してアンダーサーブされたコミュニティでの採用を支援することができます。

人間中心の社会の生活を実現するためには、企業の技術力や社会的責任が試されることとなります。企業は顧客のニーズに応えるだけでなく、社会全体の課題解決にも貢献することが求められています。

■超スマート社会実現に向けた課題と展望

人間中心の超スマート社会の実現に向けた課題には、持続可能性、デジタル格差の解消、倫理とプライバシーの問題解決、教育・スキル開発、公共インフラとセキュリティの強化などが挙げられます。環境に優しい技術開発とエネルギー効率の向上は、持続可能な社会構築のために重要です。また、すべての人がデジタル技術にアクセスできるような環境の整備は、社会の包摂性を高めるために必要です。ＡＩやビッグデータの活用に際しては、データの透明性を保ち、個人情報の保護を徹底することが求められます。さらに、新しい技術を理解し、活用するための教育とスキル開発が不可欠です。信頼性の高いデジタルインフラの構築と、セキュリティの強化が、超スマート社会の基盤を形成します。これら課題に対処することで、経済成長と社会的な問題の解決を両立させることが可能となり、私たちの日常生活はより便利で快適になります。個々のニーズに応じたサービスの提供は、生活の質を高めると同時に、社会全体の調和と発展を促進します。

Column

AIと社会問題　AIは、社会課題を解決するためにも活用することができる。災害時の救助や、犯罪の予防、環境問題の解決などにAIを活用でき、教育や医療などの分野においてはAIを活用することで、より多くの人々に質の高いサービスを提供することも可能になる。

G7広島AIプロセス G7デジタル・技術閣僚声明（2023/9/7）の要約

1.G7広島AIプロセスの背景
G7デジタル・技術閣僚、OECD、GPAIのパートナーが集まり、基盤モデルと生成AIを中心とするAIシステムの機会と課題について議論
2. 民主主義、人権、法の支配の促進
信頼できるAIシステムの設計、開発、導入を通じてこれらの価値を促進するコミットメントの再確認
3. 新たなリスクと課題の管理
個人、社会、民主主義に対するAIシステムのリスクと機会の管理
4. 国際協力の重要性
高度なAIシステムの開発におけるリスク管理と国際協力の必要性の共有
5. 包括的な政策枠組みの策定
AI関係者全体に向けた指針を含む包括的な政策枠組みの策定
6. 安全で信頼できるAIシステムの促進
これらのシステムが公益のために開発される環境の促進
7.OECD報告書に基づくリスクと機会の理解
OECD報告書に基づく、生成AIに関する共通の理解、立場、今後の行動に関する検討
8. 複雑な課題への取り組み
テクノロジーとリスク状況の進化に適応できるアプローチの構築
9.OECDレポートの歓迎
「生成AIに関するG7の共通理解に向けたOECDレポート」の歓迎
10. 開発者向けの国際的な指針と行動規範
高度なAIシステムの開発者向けの国際的な行動規範の策定
11. 指針の策定におけるコミットメント
高度なAIシステムの開発、導入、利用に関する指針の策定
12. 指針のG7広島AIプロセスによる策定
高度なAIシステムの導入と利用のための指針についてのG7広島AIプロセスによる策定
13. 国や地域による独自のアプローチ
指針に対する国や地域による独自のアプローチの可能性
14. プロジェクトベースの協力
国際機関との協力によるプロジェクトベースの取り組みの計画
15. 生成AI時代の信頼性に関するグローバル・チャレンジの歓迎
生成AIに関するグローバル・チャレンジを策定する取り組みの歓迎

Column

AIと国際協力 2023年12月1日には、G7各国のデジタル・技術大臣会合が開催され、「広島AIプロセスG7デジタル・技術閣僚声明」が合意された。先進的なAIシステムの責任ある使用と管理に向けた国際的な協力と枠組みの重要性を強調している。

Section
9-5 新たなビジネスモデルと雇用

AIと技術革新の急速な進展は、産業構造の変革を促し、新たなビジネスモデルと雇用機会を生みます。様々な分野で効果を発揮し、経済成長と社会の持続的発展に向けた新たな道を切り開いています。

AIの進化による産業の変化

近年、AIの進化と技術革新が急速に進んでおり、経済社会に大きな変革がもたらされています。ビッグデータの利活用が進んでおり、膨大なデータを効果的に分析することで、企業や組織はより正確な情報を得ることができ、合理的な意思決定を行うことが可能となっています。マーケティングや広告などの分野でも、AIを活用することで効果的なターゲティングや個別化されたサービス提供が可能となり、顧客満足度を向上させることができます。

第4次産業革命の時代においては、新規技術の融合が進んでおり、AIをロボット工学やナノテクノロジーといった新規技術と組み合わせることで、労働の補助や代替を可能とし、生産・サービスの提供方法に大きな変革をもたらしています。

新たなビジネスモデルの創出

AIの進展は未来において新たなビジネスモデルの創出と産業構造の変革を促進することが予想されています。製造業ではIoTやAIを利用した保守・点検サービスやカスタマイズ商品の提供が可能となり、これにより製品の品質向上やコスト削減が実現し、企業の競争力が向上するでしょう。医療分野ではオーダーメイド治療が実現し、患者のニーズに合わせた最適な治療が提供されるようになるでしょう。自動運転技術や介護ロボットのような新たな産業の創出も期待されており、これらの新産業の成長により雇用の創出や経済成長が促進されると考えられています。

新たなビジネスモデルの創出は技術革新と密接に関連し

Column

AIの技術的難易度の認識不足　日本企業でAI導入が進まない理由として、AIの技術的難易度への認識不足が挙げられる。専門的な知識や経験がないと理解や実装が難しいと考え、AIの技術的難度を過大評価し、導入を躊躇する企業が多いと考えられる。

ています。新しい機能やサービスを提供することで、顧客のニーズに合わせたビジネスモデルを構築することが重要となります。

　産業間の連携も新たなビジネスモデルの創出には不可欠です。異なる産業の企業が協力し、新たなビジネスモデルを共同で開発することで、市場のニーズにより効果的に応えることができます。イノベーションの促進は組織の柔軟性や創造性を高めます。リスクを取ることや失敗を受け入れることも重要であり、革新的なアイデアや新しい取り組みが新たなビジネスモデルの創出に必要とされます。

　このように、ＡＩの進化により産業構造は大きく転換されると考えられています。新たな産業の創出には既存の産業との連携が重要で、異なる産業が連携し相乗効果を生み出すことで新たな産業の成長を促進することができます。もちろん、新たな産業の創出には人材の育成も必須です。ＡＩ技術の導入によって求められるスキルや知識が変化するため、人材の教育や研修が必要とされます。人材の育成によって、新たな産業の成長を支えることができ、雇用環境も大きく変わっていくでしょう。

ＡＩ進化による雇用への影響

　ＡＩの進化に伴い、雇用構造にも大きな変化が生じることが予想されています。ＡＩと雇用に関する研究によれば、米国では就労者の47％、日本では49％の職業がＡＩや機械によって代替可能とする調査結果もあり、これが雇用の代替や補完、産業競争力の向上につながる可能性があります。ＡＩの導入により作業量が減少する一方で、ＡＩを活用した新しい仕事の創出も見込まれており、特に女性や高齢者の就労環境の改善にも寄与するとされています。

　技術革新、第４次産業革命におけるＡＩ、ロボット工学、ナノテクノロジーの活用は、製造業、健康管理、医療、自動運転、資産運用、介護など多岐にわたる分野でカスタマイズされた製品やサービスの提供、労働の補助や代替を可能にしています。技術革新は、従来の業務や仕事のやり方に変化をもたらし、雇用構造にも影響を与えるでしょう。ＡＩの進化により、新たなスキルや知識の習得が求められるようになり、これが新たな雇用の創出にもつながっています。

Column

AIのビジネス活用の認識不足　AIは様々なビジネスシーンで活用できるが、具体的な活用がイメージしにくいという側面がある。そのため、実際にはビジネスに十分に貢献できないのではないかと懸念し、導入をためらう企業が多いと考えられる。

Section
9-6 環境と経済のバランス

AI技術の進展は環境問題の解決と経済成長の促進に重要です。政府、企業、研究機関の連携が進み、持続可能な社会の実現と、経済と環境のバランス維持に大きく寄与すると期待されています。

■環境問題へのAI技術の活用

近年、注目されている言葉の1つに「持続可能性」があります。AIの急速な発展は社会に多大な影響をもたらした一方、持続可能な社会の実現と、環境と経済のバランスの維持が求められています。AIの利用は、環境問題の解決と経済成長の促進の両面に重要な役割を果たします。

まず、環境問題の解決において、AIは大量のデータを解析し、気候変動や自然災害の予測、そして対策を立てる助けとなります。エネルギーの効率化や再生可能エネルギーの開発にも貢献しており、これにより環境負荷を軽減し、エネルギーシステムの最適化や効率化を実現し、経済的なメリットももたらします。例えば、衛星やセンサーからのデータを活用することで、気候変動、森林伐採、汚染レベルをモニタリングし、予測することが可能になります。これらの情報は、早期警告システムの開発や環境ダメージの緩和に向けた意思決定にも活用が期待されます。

経済成長の促進においては、AIの活用は効率化や自動化を通じて生産性を向上させ、コスト削減や生産量の増加を実現します。新しいビジネスモデルやサービスの創出が期待され、新たな市場の開拓にもつながります。人々の生活や仕事の質の向上により、経済の豊かさを実感する可能性も広がります。製造業からカスタマーサービスまでの幅広いタスクを自動化することで、ビジネスの生産性とコスト削減が向上し、新しい製品やサービスの開発により新しい市場とビジネスの機会が生まれます。

Column

AIに対する制度や環境の整備不足　AIを導入・活用する体制や、倫理・安全性に関するルールなどの環境が十分に整備されていないことも課題となっている。そのため、AIの導入・活用に不安を感じ、導入をためらう企業が多いと考えられる。

持続可能な経済成長と社会的課題の解決

このようにAIの活用は、持続可能な経済成長と社会的課題の解決に大きく貢献しています。環境と経済のバランスを重視し、環境問題への対策や持続可能なエネルギーの開発を促進しています。具体的には、例えばAIによる大量シミュレーションは未来予測に役立ち、政策立案の助けとなります。マイクロソフトやグーグルなどの海外大手企業やソフトバンクグループはAIを活用し、環境問題の解決と自然エネルギーの普及を推進しています。

また、持続可能な経済成長を実現するためのキーワードに、**グリーンイノベーション**があります。グリーンイノベーションは、環境に配慮した技術革新やビジネスモデルの開発を指し、環境負荷の低減や持続可能な資源利用を実現します。AI技術の活用はエネルギー効率の向上や再生可能エネルギーの利用、循環型社会の構築などの取り組みを効果的に進め、持続可能な経済成長の実現に寄与することが期待されます。AIは社会的課題の解決、健康や教育、雇用の創出など多くの分野で利用されています。この取り組みは、現代の社会において経済、環境、社会の持続可能性を同時に達成することを目指しています。

AIの進化により、人々の生活は劇的に変化し、ビッグデータの解析や意思決定の支援、さらには自動運転車やロボット技術の進化など多くの面で便益を享受できるようになりました。前述のとおり、AI技術をビジネスに活用することで生産性の向上や効率化が実現し、経済成長に寄与することも期待されています。社会的な課題の解決にもAIが貢献し、医療や教育の分野でのサービスの向上や格差の縮小が期待されています。これらの進化は経済発展や生産性の向上、エネルギー効率の改善など多くのポジティブな影響をもたらしています。

一方で、仕事の自動化による作業量の減少や、雇用構造の変化といった課題も生まれています。AIの普及する未来では、持続可能な社会の実現と経済の発展がバランスよく進むことが求められます。政府や企業、研究機関といった様々な関係者が連携し、AI技術の活用によって持続可能な日本の未来を築いていくことが重要です。AIの戦略的かつ積極的な開発と実装が求められ、持続可能な目標の達成に向けた多セクター間の協力と、社会、経済、環境の要因を考慮したバランスの取れたアプローチが不可欠です。AIの可能性を最大限に活用することで、持続可能な利益を地球規模で実現しましょう。

Column

AIスキルのアップデート　AIを使いこなす人は、未来に向かって成長しチャンスをつかむことができる。最新情報にアンテナを張りキャッチアップすることで、AIを使いこなすスキルを常にアップデートすることが大切である。セミナー受講・書籍や記事を読む・プロジェクトに参加することで未来に役立てられるだろう。

日本の向かう未来ビジョン

2022年のIBMのレポートによると、世界各国で最もAI導入・計画が進んでいるのは中国の88%です。日本はランキングに登場しません。

日本企業を対象にしたBlackBerry Japanの調査によると、72%の企業が生成AIの使用を禁止しています。つまり、AIを導入・計画可能な企業は28%です。実際に導入・計画段階に入っている割合はより小さいものになります。

調査をしたBlackBerryは、「仕事の場での生成AIアプリケーションの禁止は、潜在的なビジネス上の利益の多くを打ち消してしまうことにもなりかねない」と呼びかけています。

生成AIは世界的に技術革新の中核として浮上しつつあります。テクノロジー大手から新興企業まで、多くの企業がこの分野で競争しています。

しかし、日本企業の制限的な姿勢は、国際競争力やデジタル変革への適応を妨げます。

生成AIの急速な発展に比べて、規制緩和などの調整がゆるやかなペースである国と、積極的に規制を調整し社会に生成AIを適合させる国との間で、明らかな競争力の差が生まれます。このシナリオは、世界的に展開する日本企業に新たなリスクをもたらしています。

日本の多くの大企業が身動きがとれない中で、機敏に動ける地方の中小企業こそが日本へのAI導入スピードアップの鍵を握っているのかもしれません。

むすびに

ＡＩは誰の手にも届くところにあります。手を伸ばすか伸ばさないかはあなた次第です。

ＡＩの登場により、数か月前にはできなかったことが、今日、できるようになっています。社会の変化のスピードが急加速しています。躊躇していると、途端に取り残されてしまう時代になりました。

あと数年でＡＩと共存する社会が訪れるでしょう。そのとき、自分はどうなっていたいかを思い描いて、躊躇なく行動しなければなりません。

ＡＩとの共存は、私たちの生活を劇的に変えるでしょう。

日常の効率化、教育や医療、ビジネス、芸術への影響は計り知れません。しかし、ＡＩの活用方法を学び、人間特有の感情や創造性の価値を再認識することが重要です。ＡＩの限界を理解し、人間としての独自性を大切にしながら、学び、適応し、創造する姿勢がこれからの時代を生きる鍵です。未来は予測不可能でも、ＡＩと共に新しい可能性を切り開くことができます。

本書の読者には、学生の方も非常に多いと認識しています。本書はＡＩ産業を理解する上で必要となる基本的情報を集約した、いわばＡＩ産業の道標です。ＡＩ産業の歴史やテクニカルなスキル、ＡＩ各社のビジョンについても記述しました。将来、どのように活躍し、社会にどのように貢献したいのかを自分自身に問いかけながら、後悔のない就職活動をしていただければと思います。

最後までお読みいただき、ありがとうございました。厚く御礼申し上げると同時に、ＡＩ産業のますますの発展を祈願いたします。

最後に、いつも人生のパートナーとして、仕事でも最強のパートナーとして全力で支えてくれる妻へ感謝の意を述べさせていただきます。

２０２４年１月　讃良屋 安明

索引

INDEX

あ行

か行

た行

さ行

■ま行

■や行

■な行

■は行

■ら行

■わ行

■アルファベット

●アイコン　使用画像クレジット
Editable line icons ／ valeriya kozoriz ／ SurfsUp：shutterstock.com

著者略歴

讃良屋 安明 （さらや やすあき）

パソコンがまだ一般に広く認識されていない時代、10歳でプログラミングを行う。以来、最先端技術に常に触れ続け、現代AIの急速な進化に対応するスキルを磨いてきた。現役のシステムエンジニア(SE)として、ITの全領域にわたる深い知識を有する。

IT業界で40年以上の経験を持ち、その豊富な経験とスキルを専門用語を使わずにわかりやすい言葉で伝えている。IT業界における教育と啓蒙の分野で重要な役割を果たしている。

図《ず》解《かい》入門《にゅうもん》業界《ぎょうかい》研究《けんきゅう》
最新《さいしん》AI《エーアイ》産業《さんぎょう》の動向《どうこう》とカラクリが
よ〜くわかる本《ほん》

発行日　2024年　1月25日　　第1版第1刷
　　　　2024年　2月29日　　第1版第2刷

著　者　讃良屋《さらや》 安明《やすあき》

発行者　斉藤　和邦
発行所　株式会社　秀和システム
〒135-0016
東京都江東区東陽2-4-2　新宮ビル2F
Tel 03-6264-3105（販売）Fax 03-6264-3094
印刷所　三松堂印刷株式会社　　Printed in Japan

ISBN978-4-7980-7117-6 C0033